"Записки безумной оптимистки"

«Прочитав огромное количество печатных изданий, я,
Дарья Донцова, узнала о себе много интересного. Например, что
я была замужем десять раз, что у меня искусственная нога... Но
более всего меня возмутило сообщение, будто меня и в природе-то
нет, просто несколько предприимчивых людей пишут иронические
детективы под именем «Дарья Донцова».
Так вот, дорогие мои читатели, чаша моего
терпения лопнула, и я решила
написать о себе сама».

Дарья Донцова открывает свои секреты!

Читайте романы примадонны иронического детектива Дарьи Донцовой:

Дарья Донцова

Камасутра для Микки-Мауса

Москва

ЭКСМО

2004

ИРОНИЧЕСКИЙ ДЕТЕКТИВ

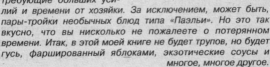

ГЛАВА 1

В историю трудно попасть, но очень легко вляпаться. Согласитесь, приятно, когда при рождении ангел целует ребенка в темя и младенец получает какой-нибудь талант. Мне тоже досталась отличительная от людей черта. Нет, я не умею писать, как Татьяна Толстая, петь, как Галина Вишневская, и танцевать, как Майя Плисецкая. Мой талант особого рода: я гениально впутываюсь в приключения. Причем, как правило, в идиотские. Не далее как вчера я пошла на проспект за хлебом и увидела в сквере прелестную маленькую девочку лет трех, жалобно плачущую на скамейке. Дитя было хорошо одето и решительно не походило на побирушку: румяное личико, чистенькое платьице и золотые сережки в крохотных ушках. Слезы потоком текли по пухлым щечкам, а в ручках девочка сжимала пластмассовое ведерко. Я сразу поняла, что малышка потерялась, и подошла к ней.

— Где твоя мама?

Наверное, ребенок не умел еще как следует говорить, потому что, всхлипнув, девочка заплакала еще горше. Я огляделась по сторонам, мимо тек равнодушный поток людей.

— Не плачь, мы сейчас пойдем в милицию, и там сразу отыщут твою маму, — с этими словами я попыталась поднять девочку.

Та завизжала в диапазоне ультразвука и принялась бить меня ножками в дорогих лаковых туфельках.

— А ну оставь в покое мою дочь! — раздалось сзади. Я обернулась и увидела разъяренную девицу на

вид лет восемнадцати в красной мини-юбочке и ядо-
вито-зеленой блузке.

— Зачем к чужим детям на улицах пристаешь? —
прошипела «элегантная» девка.

— Это ваша дочка?

— Ну!

— Она так плакала!

— И че?

— Я решила, что она потерялась, — принялась
оправдываться я, — хотела отвести бедняжку в милицию.

— Вали отсюда, — нахмурилась девица, — сама ро-
ди и таскай потом детей по отделениям, а к чужим не
подходи.

— Зачем же вы бросаете крошку одну! — Я решила
все же пристыдить мамашу.

— Тебя не спросила, — рявкнула та, — вовсе она
не одна, я тут в кустах стояла.

— Но почему?

— Блин, — со злостью выплюнула родительница, — наказала ее, орет, песком бросается, не слушается, вот и посадила тут одуматься.

— Так нельзя!

— Иди в ..., — посоветовала девица, — че привяза-
лась? Больше всех надо, да? Сколько народу мимо
прошло, одна ты примоталась. Вали, пока я милицию
не позвала!

Пришлось уйти с таким ощущением, будто съела
муху. Шагая к метро, я приняла твердое решение:
все, больше никогда не стану вмешиваться ни во что,
но тут увидела, как пожилой мужчина бьет поводком
маленькую лохматую собачку, и мгновенно налетела
на него:

— Не смейте мучить животное!

Дядька вздохнул, отпустил шавку, и та моментально цапнула меня за ногу. От неожиданности я заорала. Моська рвала зубами мои джинсы, явно же-
лая прогрызть не только брюки, но и кожу, мускулы,
кости...

— Оттащите ее! — завизжала я.

Мужчина вновь шлепнул бестию поводком. Собачонка села, выплюнула порванный край штанины и нагло оскалилась.

— И что вы меня учить вздумали? — спокойно спросил пенсионер, с явным трудом поднимая пса. — Артур у нас пока маленький, не понимает, что людей нельзя хватать, играть ему охота, вот учу потихоньку, но не больно совсем. Зачем вы вмешались? Я вам за штаны деньги платить не стану, сами виноваты.

В отвратительном настроении я приехала домой, нарвалась на Лизу, которая моментально с укоризной заявила:

— Лампудель, сколько раз говорить! Не ходи через стройку, иди в обход!

Возле нашего дома начали возводить новое здание, площадку огородили, и путь до метро увеличился вдвое, поэтому многие жильцы, в том числе и я, предпочитают пролезать сквозь дверку в заборе и прыгать через ямы и кучи битого кирпича. Лизавета этого не одобряет.

— Я шла по тротуару! — сказала я сущую правду.

— А джинсы, — фыркнула девочка, — где так порвала?

— Это собака. — Я объяснила ситуацию.

Лиза выслушала меня и вздохнула:

— Ты неисправима! На фиг суешься куда не надо?

Я пошла в ванную, стащила брюки, хотела сунуть их в стиральную машину, но потом, оглядев вконец испорченную штанину, зашвырнула их в тот шкаф, где лежат тряпки, и принялась умываться. Лизавета права. Ну действительно, зачем я везде сую свой нос? Нет бы пройти спокойно мимо — и брюки были бы целы, и нервы не истрепаны!

В свете вчерашних событий утром я приняла историческое решение: даже если семь братков будут мучить кошку, спокойно пройду мимо, не повернув головы в их сторону. Но, слава богу, на улице не возникло никаких неприятных ситуаций, и я спокойно добралась до районного отделения милиции, где работает Андрей Коп. Андрюшкин папа — литовец, и на самом деле его фамилия звучит так, что и не выговорить, и не написать: Копсявичус. Где-то в начале пятидесятых Витас, так звали папу, приехал в Москву и через некоторое время «обрубил» у фамилии хвост, что, в общем-то, было понятно. Витасу и в голову в то время не пришло, что у него родится сын, который пойдет работать в милицию, где его фамилия вызовет град насмешек. Впрочем, Андрюшкины коллеги давно привыкли и перестали насмехаться, а вот граждане, пришедшие в отделение со своими проблемами, начинают возмущаться, когда дежурный им говорит:

— Обратитесь к Копу.

Население сейчас поголовно смотрит американские боевики, и то, что янки зовут своих полицейских копами, знает даже грудной младенец.

Я поднялась по лестнице на второй этаж, прошла по длинному, выкрашенному серо-зеленой, унылой краской коридору и толкнула обшарпанную дверь. Перед глазами возникло крохотное помещеньице, чуть больше туалета. Андрюшка занимает в отделении какой-то пост. Вроде он является начальником отдела уголовного розыска, но не спрашивайте у меня подробности, я их не знаю и должность тоже не назову правильно. Одно могу сказать — раньше он сидел в довольно большой комнате вместе с другими коллегами, а теперь имеет собственную кубатуру, где поместились устрашающий железный шкаф, выкрашенный темно-коричневой краской, письменный стол и два стула. При этом учтите, что Андрюхин вес зашкалил за сто кило, а рост его почти два метра и выглядит он в этом «офисе», словно пограничный столб на кухне.

— Ну, явилась! — нахмурился Андрюшка. — Договаривались же в десять! А сейчас пол-одиннадцатого.

— Опоздала, — без тени раскаянья согласилась я.

— Вот и сиди теперь, жди, пока я освобожусь, — мстительно заявил Андрюха и вышел в коридор.

Я устроилась за его письменном столом и огляделась. Стены были выкрашены той же жутковатой серо-зеленой краской, мебель приобретена при царе Горохе, окно с грязными, лет десять не мытыми, стеклами, да еще, несмотря на теплый август, заклеено. И если вы думаете, что кто-то просто поторопился подготовиться к предстоящему зимнему сезону, то глубоко ошибаетесь. На раме красуется пожелтевший от старости пластырь.

Ну отчего в милиции так убого? Ладно, я согласна, денег у начальства на ремонт нет, но неужели самому не противно сидеть в таком убожестве? Я бы давным-давно помыла окно, купила бы нормальную офисную лампу и приволокла из дома стул.

Ну да, здесь бывают уголовники! В конце концов так им и надо, пусть ерзают на продавленных сиденьях, но самому-то каково на таком крючиться! Может, сделать Андрюшке на день рождения подарок? А что, скинемся и купим ему приличное офисное кресло! Правда, оно скорее всего не войдет сюда...

— Здравствуйте, — раздалось с порога, — как я рада, что вы женщина!

Я повернула голову и увидела хрупкую даму в красивом светло-бежевом, явно очень дорогом костюме.

— Здорово, что вы женщина! — повторила она. — Вы меня поймете!

— В общем, я тоже довольна, что не мужчина, — ответила я.

— Вот, я пришла к вам!

— Ко мне? — изумилась я. — Но зачем?

Женщина села на покосившийся стул, сцепила перед собой холеные руки и заявила:

— Моего мужа, Анатолия Аргунова, убили.

— Боже! — ужаснулась я. — Кто?

— А это вам и предстоит выяснить, — спокойно ответила дама, — берите заявление.

— Но почему вы решили обратиться ко мне?

— А к кому еще? — рассердилась посетительница. — Сидите в кабинете, начальница... Надеюсь, этого, противного такого, уволили?

Все стало ясно. Она приняла меня за сотрудницу

милиции. Я раскрыла было рот, чтобы объяснить недоразумение, но тут в кабинет влетел Андрюшка и забасил:

— Марина Егоровна! Какой сюрприз! Опять к нам! Женщина покраснела.

— Думала, вас, слава богу, уволили!

— Так не за что, — засмеялся Андрей.

— Очень даже есть за что! — обозлилась Марина Егоровна. — Почему не берете у меня заявление об убийстве Толи?

Андрюша ничего не ответил, взял трубку, набрал номер и без всяких эмоций заявил:

— Коп у аппарата. У нас снова-здоро́во, подъезжайте.

— Вы с кем разговариваете? — напряглась Марина Егоровна.

— Это по служебной надобности, — ответил Андрей и велел: — Ну-ка, Лампудель, освободи место.

Я встала. Приятель втиснулся за стол и голосом, полным сочувствия, спросил:

— Напомните мне, как обстояло дело.

Марина Егоровна вздрогнула. Ее лицо приобрело какое-то странное выражение, словно у нее внезапно парализовало лицевые мышцы.

— Мы с Толиком сидели вечером дома. Квартира наша расположена на первом этаже, на окнах нет решеток. Конечно, это неразумно, но Толя говорил, что он не хочет ощущать себя заключенным. Стояла жара, хоть было уже девять часов. Мы посмотрели фильм, потом началась программа «Время». Толик увлекся новостями, я же пошла на кухню и стала готовить ужин, чистила картошку, разделывала селедку, в общем, провозилась больше получаса.

Внезапно она замолчала.

— Может, водички? — участливо предложил Андрей и вытащил из стола бутылку «Боржоми» и пластиковый стакан. — Выпейте. Хорошо освежает...

— Когда я вернулась в комнату, — не обращая внимания на предложение Андрея, монотонно продолжала Марина, — Толик был мертв.

— Кошмар! — прошептала я. — Как же так!

Марина Егоровна повернулась ко мне:

— Кто-то влез в окно и убил моего мужа.

— Зачем? — не успокаивалась я.

Женщина всхлипнула.

— Не знаю, Толя никому, слышите, никому не причинил в жизни зла. Его все любили, уважали, ценили. Доктор наук, видный ученый... Мой муж воспитал сотни учеников, им написаны десятки книг, множество студентов читают его учебники.

— Но кто-то все же убил вашего мужа, — пробормотала я.

Андрюшка сердито глянул на меня, раскрыл было рот, но тут в кабинет вошел довольно полный мужчина в очень дорогом костюме и сказал:

— Простите, Андрей Викторович.

Вообще-то папу Андрюшки, как я уже говорила, звали Витас, но отчество Витасович трансформировалось в Москве в Викторович.

— Ничего, Юрий Сергеевич, — с явным облегчением заявил Андрей.

— Извините, бога ради!

— Да ерунда, я все понимаю.

Юрий Сергеевич повернулся к Марине Егоровне:

— Пошли, дорогая.

Она сидела, не шелохнувшись.

— Вставай, — решительно потянул ее за руку Юрий, — нам надо ехать.

— Куда? — голосом сухим и бесцветным спросила Марина.

— Ты разве забыла? — фальшиво удивился Юрий. — Мы же собирались сегодня в «Крокус-сити» подъехать, коврик в ванную купить.

Лицо Марины слегка порозовело. Она кивнула и встала. Юрий обнял ее за плечи и подтолкнул к двери. Она, словно гигантская кукла, сделала несколько шагов, потом резко остановилась:

— Его убили.

— Да, да, — хором ответили Андрей и Юрий.

Потом второй добавил:

— Поехали за ковриком, Андрей Викторович разберется.

— Он не берет у меня заявления, — тоненьким, жалобным голосом протянула Марина.

— Ну что вы, — улыбнулся Андрей, — давайте откроем дело.

Марина протянула ему листок. Андрюша положил его на стол и улыбнулся.

— Поезжайте спокойно в «Крокус-сити», как только возникнет хоть малейшая ясность, я мигом сообщу.

Марина кивнула и вышла. Юрий поставил возле стола пакет.

— Не побрезгуйте, Андрей Викторович, молдавский, натуральный, не «Хенесси» поганый.

— Зря вы это, — покачал головой майор.

— Уж извините, — еще раз сказал Юрий и тоже ушел.

— Вот горе-то, — вздохнул приятель, вынул из пакета пузатую бутылку коньяка и поставил ее в сейф. Потом он взял листок, полученный от Марины, разорвал его на мелкие кусочки и выбросил в корзину.

— Что ты делаешь? — удивилась я. — Это же заявление!

Андрей достал сигареты.

— Марина сумасшедшая.

— Да ну? И Толика не убивали? Она рассказала неправду? Ее муж этот Юрий?

Андрей принялся рыться в ящиках стола.

— Сейчас да, однако пару лет назад она и впрямь была замужем за Анатолием Аргуновым, но он умер.

— Сам?

— Точно, — кивнул Андрюшка. — Кстати, все услышанное тобой — абсолютная правда. Они и впрямь смотрели телек, потом Марина ушла на кухню, оставив мужа у экрана, а когда вернулась, Анатолий был мертв. Только в его смерти не было ничего криминального, обширный инфаркт, или, как говорили в старину, разрыв сердца. Никто к ним в окно не лазил, эксперт совершенно точно установил причину смерти.

Анатолий жаловался на сердце, даже собирался делать операцию в кардиологическом центре, но не успел.

— Но почему Марина пришла к тебе?

Андрюша захлопнул ящик.

— Крыша у нее поехала. Прикинь, какой шок баба пережила. Жарила муженьку котлеты, положила их на тарелочку, внесла в комнату, а там труп! Провела пару месяцев в психиатрической клинике, память она потеряла. Потом кое-как восстановилась, но, вот парадокс, начисто забыла про мужа и про то, что была замужем. Детей у них с Аргуновым не было, родственники и коллеги по работе ее жалели, ни о чем не напоминали. Она и пошла в загс с Юрием. А потом вдруг — бац! — вспомнила правду, и теперь ходит сюда и требует открыть дело. У нее прямо идея-фикс — отыскать того, кто убил Анатолия. Этот Юра просто святой, представляешь, каково терпеть возле себя бабу с таким прибабахом?

— Да уж, — пробормотала я, — но мне она не показалась психопаткой.

— Так в основном она совершенно нормальная, — пожал плечами Андрей, — работает в столовой поваром.

— Погоди, но она говорила, что ее покойный супруг доктор наук, великий ученый.

— И что?

— Ну как-то это не вяжется с женой-поваром.

— Может, он поесть любил, — парировал Андрей, — а насчет доктора наук... Сейчас много всяких таких развелось негосударственных структур, академиями называются, университетами, а их сотрудники все сплошь академики и профессора, только к настоящей науке они никакого отношения не имеют, диссертаций не писали, на ученом совете их не защищали и на ВАКе не утверждали. Фуфло, одним словом, но звучит красиво: «Профессор академии небеснокосмобиологических наук, заведующий кафедрой астропрогнозирования развития личности». А на самом-то деле что? Гороскопы он людям составлял за деньги.

— А учебники? Толпы студентов?

Андрей встал.

— Ну учится же кто-то в этой кретинской академии. Ну что, так и будем ерунду обсасывать? Знаешь, сколько психов сюда ходит? Сам скоро идиотом стану. Пошли, у меня только два часа! А задача сложная, давай шевелись, Лампудель.

Я вышла в коридор и стала наблюдать, как приятель, ворча, роется по карманам в поисках ключей от кабинета. Задача нас и впрямь ждала не простая, потому что завтра в десять утра Володя Костин идет в загс со своей невестой, а мы с Андрюшей должны купить ему подарок на собранные приятелями деньги.

ГЛАВА 2

Те, кто не первый раз встречается со мной, естественно, в курсе того, кем является для меня Вовка[1]. Тем же, с кем вижусь впервые, поясню: Володя Костин наш лучший друг, скорее уже родственник. И живем мы в соседних квартирах.

Женщины менялись в жизни Володьки, словно стеклышки в калейдоскопе. Я даже и не пыталась запомнить их имен. Впрочем, хитрый Вовка, чтобы самому не запутаться, изворотливо называл всех своих обоже «киска». Кисок у него было неисчислимое множество, самых разных размеров и мастей. Обычно мужчины предпочитают определенный типаж. Одним нравятся блондинки с округлыми формами, другим сухопарые брюнетки, но Костин «всеяден». И еще: ни одна «киска» не задерживалась у него больше чем на три месяца. И если вы думаете, что девушки убегали, когда понимали, что их кавалер не слишком обеспечен и пропадает день-деньской на работе, то ошибаетесь.

---

[1] См. цикл книг про Евлампию Романову. Изд-во «ЭКСМО».

Вовка сам их бросал, мотивируя разрыв отношений коротко:

— Надоела, говорит много.

Теперь понимаете, как мы все удивились, когда очередная «киска» задержалась? Потом выяснилось, что у нее есть имя Ната и фамилия Егоркина. А месяц назад Вовка пришел к нам, собрал всех в гостиной — меня, Катюшу, Лизавету, Кирюшку, Сережку и Юлечку, — а потом торжественно объявил:

— Я женюсь!

— Еще один несчастный, — вздохнул Сережка, за что мигом получил от Юльки подзатыльник.

— А зачем тебе это надо? — удивилась Катюша.

Вовка надулся:

— Как это? Нужно же когда-то обзаводиться семьей!

Кирюшка мигом влез в разговор:

— По-моему, ты не создан для семейной жизни. Брак убивает любовь!

Катюша уставилась на младшего сына. Сережка тоже поглядел на брата и воскликнул:

— Однако ты продвинутый, откуда про брак-то знаешь?

— Теперь в школе предмет такой есть, — сообщила Лизавета, — психология и этика семейной жизни.

— Мы как-то без него жили, и ничего, — пробормотала Катюша.

— Между прочим, кое-кто не первый раз в разводе, — язвительно заявила Юля.

Катюша вздохнула:

— Думаю, мои браки от теоретических знаний не стали бы крепче.

— Что вы обсуждаете? — вскипел Вовка. — Не поняли разве, я женюсь!

— Поняли, — успокоила его Юлька, — но мы не можем при тебе обсуждать невесту! Вот уйдешь, и мы отведем душу.

— А на ком? — полюбопытствовала Лизавета. — На «киске»?

— Ее зовут Ната, — отчеканил Вовка, — попрошу запомнить — Ната Егоркина, в ближайшем будущем Костина.

— Ты так не дергайся, — вздохнул Сережка, — больно только первый раз, потом привыкнешь.

— Шутник фигов, — прошипел Костин и ушел.

— Да, — растерянно пробормотал Сережка, — вон что любовь с человеком делает! Совсем чувство юмора потерял, бедняга...

Вовка дулся два дня, потом оттаял и привел «киску» к нам на чаепитие. Мне девица не понравилась с первого взгляда: маленькая, тощенькая, довольно невзрачная. Да еще у нее была на редкость идиотская прическа: начесанные, взбитые кудряшки, в которых торчала большая заколка в виде бабочки. Очевидно, девушка хотела казаться выше, но почему-то стала похожей на таксу. Слишком топорщившиеся волосы словно прибили хозяйку к земле. Личико у «киски», ох, простите, у Наты, было ничего. Правда, его слегка портили большие, чуть навыкате глаза и полуоткрытый рот.

— Похоже, у нее проблемы со щитовидкой, — задумчиво констатировала Катюша, когда сладкая парочка ушла. — Может, предложить ей прийти ко мне на прием? Хорошо бы кровь на анализ сдать.

— Лучше сначала к отоларингологу, — вкрадчиво отозвалась Юлечка.

— Почему? — наивно поинтересовалась Катюша.

— Рот все время открыт, — пояснила Сережкина женушка, — похоже, у нее аденоиды.

— Аденоиды с возрастом усыхают, — заявила Катюша.

— А у этой больше стали, — настаивала Юлечка.

— Сколько ей лет? — поинтересовалась я.

Все замолчали и уставились на меня. Через пару секунд Сережка отмер:

— Знаешь, Лампудель, у тебя есть восхитительная манера задавать абсолютно неуместные вопросы. Какая разница, сколько ей натикало. Не в этом дело! Страшная она, прямо жуть, что это Вовку на ней заклинило!

— Может, еще передумает! — с надеждой воскликнула Лизавета.

Но Костин не собирался менять планов, и пару дней назад мы получили каждый по розовому приглашению с изображенными по углам целующимися голубками.

— Торжественный обед состоится по адресу: город Бонаково, улица Ремонтная, территория автобазы № 5, — прочитал Сережка и хмыкнул: — Нас что, в автобусе кормить будут?

— Нет, конечно. — Вовка постарался не выйти из себя. — Там есть ресторан.

— Ресторан при автобазе, — протянула Юлечка, — звучит заманчиво.

— Ты не мог поприличнее место подыскать? — упорствовал Сережка. — У меня бы спросил! Полно хороших мест в Москве. Где это Бонаково? Туда за неделю выезжать?

Костин пошел красными пятнами.

— Бонаково ближе Зеленограда, десять минут езды от метро «Речной вокзал» на маршрутке.

— Но почему там? — не успокаивался Сережка.

— Ната оттуда родом, — пояснил Вовка, — тесть с тещей попросили, чтобы в Бонаково, у них там родни сто человек, а у меня только вы. Впрочем, — продолжил он обиженным тоном, — если далеко, можете не утруждаться!

— Конечно, приедем, — вскочила Катюша, — а что вам подарить?

И вот теперь нам с Андрюшей надо купить новый диван, потому что Ната категоричным тоном заявила:

— Семейное ложе должно быть новым!

Подгоняемая Андреем, я выбрала раскладную софу, и Коп помчался на работу, выкрикивая:

— Значит, завтра в десять утра, в Бонакове.

Ради такого случая мы расфрантились, как могли. Сережка влез в черный смокинг, подпоясался красным кушаком и натянул лаковые ботинки. Юлечка надела алое приталенное платье, в ушах сверкали бриллиантовые «гвоздики». Лизавета, проведя два часа у зеркала и бесконечно повторяя: «Боже, я толстая, как старая собака, и мне абсолютно нечего надеть», влезла в полупрозрачный розовый шифоновый костюм с «рваной» юбкой.

Я хотела было сказать, что это одеяние нелепо смотрится на подростке, но увидела ее страшно довольную мордочку и проглотила замечание. Кирюша ради торжественного случая расстался с джинсами и облачился в серый костюм, который скинул ему с барского плеча старший брат. И у всех в руках были огромные букеты.

Слегка поспорив, мы разместились в двух машинах и уже собрались ехать, как Кирюшка, воскликнув: «Вот черт, совсем забыл», убежал в дом.

Спустя десять минут, когда Сережка начал нажимать на гудок, мальчик вернулся, таща двух наших мопсих. Муля была украшена розовыми бантами, а Ада белыми.

— Ты с ума сошел, — взвилась Юлечка. — Вовсе нет, — сообщил Кирюшка, — им тоже охота на свадьбу посмотреть.

Спорить было некогда, и мы прихватили с собой и собак. В конце концов мопсихи поспят в машине, никакого вреда от них не будет.

За пятнадцать минут до урочного времени мы приехали на площадь и припарковались. Площадь перед загсом оказалась забита иномарками. Тут и там стояли группки празднично разодетых, веселых людей. Женихи, затянутые в слишком тяжелые для жаркого лета черные костюмы, нервничали, невесты, все как одна, оказались беременными, что совершенно не помешало им надеть белые платья и фату, символ невинности.

— А где Володя? — начала озираться Катя.

— Сейчас подъедет, — сказал Сережка и замахал руками: — Эй, ребята, сюда!

Я увидела, как к нам приближается группа Вовкиных коллег, тоже нарядных и с букетами. Не успели мы поздороваться, как вдруг на площадь, дребезжа всеми своими изношенными частями, въехал слегка побитый автобусик с надписью «Ритуал». Я разинула рот. На довольно большой круглой площади стояло несколько официальных зданий. Справа — Дворец бракосочетаний, слева — длинный одноэтажный дом, украшенный флагштоком, на котором реял триколор. Наверное, это была местная мэрия. Между этими зданиями находилось еще одно, непонятного назначения, мрачное, без окон и вывески. Неужели это крематорий? Однако как в этом Бонакове все ловко задумано: загс, похоронное заведение и администрация — все рядом. А что? Очень даже удобно.

— По-моему, эти, в автобусе, слегка ошиблись адресом, — хихикнул Сережка, глядя, как из недр «ЛиАЗа» выбираются потные мужики в черных костюмах.

— Ой! — закричала Лизавета. — А вот и Володя.

Из автобусика выскочил Костин и протянул руку Нате.

— Однако, — пробормотала Катюша, — странную машину они выбрали, чтобы ехать на регистрацию брака.

— Может, другой не нашлось, — озабоченно ответил Андрюшка Коп.

Наконец Ната очутилась на земле, начались объятия, поцелуи... На мой взгляд, невеста была одета просто ужасно. Белое платье с пышной огромной юбкой, стоящей колоколом, делало ее похожей на кочан капусты. Очень широкое внизу, кверху оно резко сужалось и заканчивалось в том месте, где обычно у женщин находится грудь. Только не подумайте, что я смеюсь над дамами, которых господь не обеспечил бюстом. У меня у самой, при весе сорок девять килограммов, большие проблемы с грудью, честно говоря, лифчик первого номера мне безнадежно велик. Но все-таки хоть какой-то намек на бюст у меня есть, а Ната была плоской, как доска. В довершение всего ее обнаженные плечи покрывали красные пятна. Мне стало жаль дурочку. Ей-богу, некоторые представительницы слабого пола специально одеваются так, чтобы выглядеть нелепо. Простой белый костюм с узкой юбочкой до колен пошел бы Нате намного больше и подчеркнул бы девичью хрупкость ее фигурки. И уж совсем не следует обнажаться, если у тебя проблемы с кожей, потому что сейчас большинство присутствующих гадает: то ли Ната так нервничает, то ли болеет псориазом.

— Похоже, Вовка и впрямь влюбился, несчастный, — вздохнул Сережка.

— Ты полагаешь? — шепнула я в ответ.

Он округлил глаза:

— Думаешь, на этой красотке можно жениться из других побуждений? Нет, Вовчик пал жертвой Амура и как следствие ослеп, оглох и поглупел.

— Давайте, давайте, стройтесь по ранжиру, — принялась суетиться возле нас тощая и длинная как жердь черноволосая тетка лет пятидесяти.

— Строиться? — поморщилась Юлечка. — Зачем?

— Чтобы войти в зал как положено, по старшинству, — заявила тетка. — Значит, так! Впереди жених с невестой, потом свидетели, следом мы с отцом, затем Наточкины подружки...

— Это кто такая? — недоуменно спросил Андрей. — Администратор из загса? Или массовик-затейник?

Я пожала плечами и хотела ответить: «Понятия не имею», но вдруг Ната обернулась и сообщила:

— Это моя мама.

Андрей растерянно замолчал, а я перепугалась, только сейчас до меня дошло, что вместе с молодой женой у несчастного Вовки появятся теща, тесть и куча других родственников, вот они стоят плотной группой и недоверчиво посматривают на нас. Откуда ни возьмись вынырнула бестелесная девчонка примерно одного возраста с Лизаветой и стала сновать между присутствующими, раздавая какие-то значки. Добралась она и до меня.

— Вы кем жениху будете? — деловито спросила она.

— Приятельницей, — ответила я.

Девчонка сунула мне круглый значок пронзительно голубого цвета с розовой надписью «Подруга».

— Приколите на кофточку.

— Зачем?

— У нас сценарий, — загадочно ответила девчонка и пошла дальше. Скоро все участники торжественной церемонии были «украшены» железными кругляшками с надписями «Теща», «Тесть», «Друг», «Брат». На мой взгляд, весьма полезное начинание. По крайней мере, мне хоть стало ясно, кто есть кто. А то ломай голову, кем Вовке приходится мужик с бегающими глазами алкоголика, одетый в жуткий костюм, купленный, очевидно, в начале 60-х. А костюм-то не коньяк, лучше от возраста не делается. Зато теперь и мучиться не надо, смотри на лацкан и читай: «тесть». И носки у него страхолюдские: красные, с люрексом. Где только отрыл этакую «красотищу»? Тут вдруг до меня дошло. Тесть! Вот кошмар! Этот пьянчужка отец Наты, а долговязая, всем недовольная тетка с пронзительным, командирским голосом, проникающим до печенок, — его жена, то бишь Вовкина теща. О господи, спаси Костина! Неужели он настолько влюбился в эту невзрачную девицу, что не пригляделся к родственникам? Ведь не зря народная мудрость гласит: хочешь узнать, какой будет твоя жена в старости, посмотри на ее мать! Хотя Ната, очевидно, пошла в отца, во всяком случае, «жерди» она едва достает до груди, и что совсем отрадно, в отличие от не закрывающей ни на минуту рот мамашки Ната молчит.

— Идемте-идемте, — продолжала безостановочно командовать мамаша, суетливо выстраивая всех парами, — давай, отец, становись за Наткой, мы должны вторые идти, мы тут главные, потом сестра, эй, Магдалена...

Девочка, только что раздававшая значки, встала в шеренгу. В результате всех пертурбаций мы оказались замыкающими.

Маменька окинула хищным взглядом процессию и заорала:

— Это что?

Я обернулась и увидела страшно довольных Кирюшку и Лизавету, которые держали на руках улыбающихся мопсих. На банте, украшавшем Аду, был прикреплен значок «Подруга», Муля стала обладательницей надписи «Шурин».

— Это что?! — продолжала вопить теща Костина.

Я проглотила смешок и ответила:

— Мопсы.

— Мопсы́? — переспросила милая родственница, делая ударение на букву «ы». — Мопсы́? Немедленно уберите, нам мопсо́в не надо, без мопсо́в обойдемся. Это свадьба, а не хаханьки!

— А мне кажется, что на свадьбе положено смеяться, — вздохнул Сережка.

— Унесите собак в машину, — попросила я.

— Они тоже хотят посмотреть, — хором ответили Кирюша и Лизавета.

Внезапно младшая сестра невесты, девочка со странным для российского уха именем Магдалена, подошла к нам и восхищенно воскликнула:

— Ой, какие классные! Жирненькие, складчатые, можно я их поглажу, у меня руки чистые!

— Валяй, — в голос воскликнули Кирюшка и Лизавета.

Те, кто начинает нахваливать Мулю и Аду, вмиг становятся друзьями наших детей.

— Не трогай собак, у них глисты, — взвизгнула маменька.

Кирюша явно хотел ответить: «У тебя у самой солитер!», но Лизавета наступила ему на ногу и приветливо сказала Магдалене:

— У нас дома еще две собаки есть: Рейчел и Рамик.

— Клево! — завистливо вздохнула девочка. — А у нас даже хомячка нет.

— Попрошу брачующихся пройти в зал, — торжественно возвестила грудастая тетка, перепоясанная широкой красной лентой с надписью «Администратор».

Похоже, в Бонакове бейджики были не в ходу, тут любили значки и перевязи.

Все цепочкой потянулись вперед. Первыми, естественно, шли Вовка и Ната. Я обратила внимание, что невеста за все время не вымолвила ни слова. И вообще, она не выглядела особо счастливой, скорей испуганной и подавленной. Услыхав вопрос: «Добровольно ли вы приняли решение вступить в брак?» — Ната дернулась, покраснела и ответила еле слышно: «Да».

— Теперь возьми жену на руки, — засуетилась маменька, когда все стали выходить из загса.

Но Вовка проигнорировал приказ тещи и просто обнял молодую супругу за плечи.

— Эх, торопись, — потер ладони тесть, — стол накрыт, суп кипит, залезай, ребя, в автобус!

— Замолчи, — мигом пнула его жена, — не позорь меня! Тебе бы, Юрка, только напиться. Проходите, гости дорогие, в автобус, садитесь, сейчас поедем по городу кататься!

— Зачем? — спросила Лизавета.

Маменька нахмурилась, но все же ответила:

— Положено так, чтобы как у людей было: сначала к памятнику павшим, потом в Музей города.

Мы покорно подошли к автобусу.

— А сюда все не влезут, — отрезала теща.

— Ну и хорошо, — заявил Андрей, — я сам не сяду в катафалк с надписью «Ритуал», мне еще рановато на кладбище.

Мамаша глянула на ветровое стекло автобуса и на секунду замерла с открытым ртом, потом завопила, перекрывая гул людских голосов:

— Юрка! Гад! Ничего поручить нельзя! Ты какой автобус на своей базе взял?!

Новоиспеченный тесть вылез из машины и забубнил:

— Ладно тебе, Клавка, табличку снять забыли, с кем не бывает. Делов-то, картонку убрать, чего буянишь!

— Ну погоди, — прошипела жена, — я с тобой потом разберусь!

Очевидно, Клавдию душила злоба, потому что она мигом отвесила затрещину Магдалене, тихо стоящей рядом. Девочка, не ожидавшая ничего плохого, пошатнулась и стукнулась головой об автобус.

Мы с Катюшей переглянулись, но удержались от замечаний, а Юлечка воскликнула:

— За что вы ее?

— Сами в своей семье разберемся, — процедила сквозь зубы маменька и исчезла в салоне. Юра и Магдалена влезли следом.

— Да уж, — протянул Сережка, — мне совершенно расхотелось ехать в этот ресторан при бензоколонке.

— Харчевня на автобазе, — машинально поправила Катюша и добавила: — Нам все равно придется сидеть за праздничным столом, если сейчас уедем, это будет выглядеть демонстративно. И потом, мы обидим Володю.

— Уговорила, — буркнул Сережка. — Вот не повезло Вовке, ну и семья!

— Может, все еще не так и страшно. — Катюша тут же принялась заниматься психотерапией. — Как хирург, могу сказать, что в стрессовых ситуациях большинство людей ведет себя неадекватно.

— Так тут же свадьба, а не горе! — влез Кирюшка.

— Стресс случается и от радости, — пояснила Катя.

Автобус развернулся, водитель высунулся из окна и крикнул:

— Эй, кто на своих автомобилях, хвостом поедете.

Мы сели в машины. В заднем окне автобуса маячило личико Магдалены. Девочка улыбалась и махала нам рукой. Лизавета, сидевшая на переднем сиденье, подняла Аду и стала трясти ее правой лапой. Магдалена начала хохотать, но тут около нее появилась Клава и отвесила дочери новую оплеуху.

— Вот гадина, — прошипела Лизавета.

— Ничего, — мстительно заявил Кирюшка, — еще не вечер.

ГЛАВА 3

Я не буду вам описывать поездку по городу. Скажу лишь, что мотались мы почти четыре часа, останавливаясь у местных достопримечательностей.

Открывали там очередную бутылку шампанского, пили из пластиковых стаканчиков и отправлялись дальше. На третьем бокале я, чувствуя, как тяжелеет голова, наплевала на все приличия и стала выливать шипучку на землю. Гости же со стороны невесты охотно поглощали хмельную газировку и в конце концов слегка опьянели. Не пили из них только трое: Юра, Клава и Магдалена. Скорей всего отец Наты с большим удовольствием приложился бы к бутылке, но около него злобным Аргусом стояла жена. Она настолько была поглощена слежкой за супругом, что упустила из виду Магдалену. Девочка влезла в машину к Катюше и безостановочно поглаживала мопсих, приговаривая:

— Ой, какая, ой!

Муля и Ада, обожавшие ласку, растеклись по сиденьям и постанывали от удовольствия. Потом, опасливо глянув в сторону матери, Магдалена поцеловала собачек в складчатые мордочки и прошептала:

— Они так суперски пахнут, жвачкой!

— Это шампунь, — пояснила Лиза, — собачий!

— Для них мыло делают? — изумилась Магдалена.

— А вот еще, смотри, — Кирюшка раскрыл сумку.

— Ого! — воскликнула новая знакомая.

Дети начали самозабвенно рыться в игрушках, которые мы скупаем в ветеринарном магазине «Марквет».

К пяти часам вечера кавалькада прикатила во двор, весь заставленный грузовиками и автобусами, мы протиснулись между какими-то ржавыми остовами машин, вошли в длинное здание, поднялись на второй этаж и оказались в зале. Я чуть не скончалась на месте.

Огромные окна, от пола до потолка, делали помещение похожим на аквариум. Солнце било в стекла, занавесок или жалюзи тут не предусматривалось, кондиционера тоже не было. Под потолком бешено вертел лопастями вентилятор, но толку от него было чуть, жара в помещении стояла эфиопская, и мой тонкий брючный костюм из невесомого шелка мигом прилип к вспотевшему телу.

А еще в воздухе висел удушающий запах дешевой столовой. Те из вас, кто хоть один раз обедал в системе того, старого, советского общепита, поймет, что я имею в виду. «Люля кебаб с гарниром» и компот... Тарелочку с золотым ободочком и граненый стакан, где в мутной желтоватой водице плавает кружок яблока, ставили на столик, покрытый пластиком. Не успевали вы взять слегка липкую алюминиевую ложку с мятой ручкой, как откуда ни возьмись появлялась бабища самого неопрятного вида. Вместо фартука она была повязана грязным полотенцем. Ворча, уборщица начинала возить по столешнице куском серого от «чистоты» вафельного полотенца, распространявшего миазмы.

— Ну народ, едрить вас в корень, наплевали, нагваздали, а я убирай!

Так вот, в зале, где сейчас начинался праздничный ужин, воняло котлетами и тряпкой. Но хуже всего выглядела еда. Салаты «Оливье» и «Рыбный», утонувшие в майонезе, мясное ассорти, блестевшее от жира, розеточки со слегка обветренной красной икрой, пирожки... Создавалось ощущение, что на календаре год этак восьмидесятый, причем зима, потому что на столе полностью отсутствовали овощи и фрукты. Я приуныла, есть хотелось зверски, но подобные «деликатесы» я не употребляю в пищу, люблю легкие салаты без мяса или колбасы, а таких тут нет. Вот чего было много, так это выпивки, причем не вина, а водки, теплой и, очевидно, противной.

Не успели мы сесть на отведенные места, как из двери, ведущей на кухню, выскочил вертлявый лысоватый мужичонка и заверещал:

— Гости дорогие, начинаем нашу свадьбу! Поприветствуем молодых! Сейчас выясним, кто из них будет в доме главным. А ну, кусайте эту булку одновременно с двух сторон!

Вовка и Ната повиновались с несчастными лицами, а я поняла, что место проведения ужина и меню еще ничего, самое ужасное — наемный тамада, массовик-затейник, неутомимый и бесцеремонно веселый.

Вечер потек по заготовленному сценарию. Мужики и бабы налетели на выпивку и угощенье, ведущий хохмил без устали. Причем все его шуточки были таковы, что процитировать здесь я не могу ни одну. Через час мне стало понятно: если сейчас не умоюсь, то просто сойду с ума!

Туалет был на первом этаже. Я открыла кран с холодной водой и сунула руки под вяло текущую струю. Хорошо-то как! Бедный Вовка, ну и родственнички же ему достались! Интересно, кем работает эта Клава? Юрий, похоже, водитель автобуса. А Ната? Я вообще ничего про нее не знаю.

Закрыв кран, я уставилась в окно. Мы с Катюшей проявили преступное безразличие. Следовало сразу, как только Костин заявил о женитьбе, поинтересоваться: кто у невесты родители? Может, узнав правду, мы сумели бы открыть майору глаза, но теперь уже поздно! Хотя мы живем не в католической Италии, разводы в России разрешены.

Внезапно мне стало грустно. Выбирал Вовка, выбирал и довыбирался, отрыл себе красивую, умную, из хорошей семьи. Да где были его глаза? Или правда так влюблен, что ослеп?

Я продолжала тупо смотреть в окно. Перед глазами расстилался пустырь, покрытый чахлой, серо-желтой травкой, окно выходило на задний двор. Сбоку стояла скамеечка, на ней курил парень лет двадцати пяти; выглядел он весьма эксцентрично. Волосы юноши были крашеными: верх светлый, низ черный. Длинные пряди, спереди свисавшие почти до плеч, сзади были собраны в хвост. А зеленые ботинки совершенно не сочетались с его жемчужно-серым костюмом. Наверное, кто-то со стороны жениха, как и я, устав от духоты и шума, решил освежиться на воздухе.

Я уже собралась возвратиться в зал, как к скамейке подлетела девушка в пышном белом платье. Паренек вскочил и схватил Нату за плечо. Невеста отдернула руку и что-то гневно сказала. Юноша тоже рассердился, и несколько минут парочка бурно выясняла отношения. Потом он вдруг обнял Нату, та обвила его шею руками, последовал долгий страстный поцелуй.

Я чуть не упала на выщербленную плитку. Ну и ну, только пять секунд замужем — и что вытворяет!

Парочка не собиралась разъединять объятий. Юноша начал целовать шею, потом плечи Наты, его руки принялись расстегивать крючки на ее платье. Внезапно он остановился и потянул ее куда-то в сторону. Она покорно пошла за ним. Я чуть не свернула шею, пытаясь увидеть, куда они направились.

Очевидно, парень хорошо знал автобазу, потому что втащил Нату в сооружение, больше всего напоминающее трансформаторную будку. Дверь украшал огромный замок, но парень пошарил рукой где-то слева и выудил ключ.

Я вновь пустила холодную воду и принялась умываться. Черт с ней, с косметикой.

Минут через десять парочка появилась во дворе. Паренек застегнул крючки на платье партнерши, Ната кинулась ему на шею. Было видно, что они знакомы давно и, наверное, не первый раз посещают эту будку.

Внезапно Ната заплакала, юноша вынул из кармана носовой платок, нежно промокнул ей глаза, потом поцеловал в нос и подтолкнул. Девушка пошла назад. На ее лице застыло выражение такого отчаянья, такого безмерного горя, что мне стало жаль ее до глубины души. Я снова открыла воду. Но умыться в очередной раз не успела, за дверью послышались быстрые шажки, и чья-то рука повернула ручку. В мгновение ока я заскочила в кабинку и заперлась.

Вошедшая тоже пустила воду, а потом стала плакать, да так горько, что у меня сжалось сердце. Устав стоять, я прислонилась было к стене, но тут же обвалила уродскую железную конструкцию, выполнявшую тут роль держателя для туалетной бумаги. Плач моментально стих. Пришлось дернуть ручку слива воды и выйти как ни в чем не бывало наружу.

Над умывальником склонилась Ната.

— Безумно душно, — сказала она, плеская на лицо

воду, — придется заново краситься, вся тушь от жары стекла.

— Вы плакали? — в лоб спросила я.

— Кто?

— Вы.

— Плакала?

— Ну да, мне послышались рыдания.

Ната улыбнулась:

— Наверное, напевала. У меня привычка петь, когда умываюсь, а с голосом и слухом беда, вот вам и показалось!

— Но у вас красные глаза и нос, — не успокаивалась я.

— Да? — изумилась Ната и посмотрела в зеркало. — Действительно. Наверное, в салатах есть яйца, вот и началась аллергия. Ничего, сейчас выпью кларитин и подкрашусь. Прямо беда, яйца-то везде кладут, а мне их даже нюхать нельзя, видите, как не повезло!

Продолжая болтать, она открыла сумочку и принялась деловито намазывать на лоб и щеки тональный крем.

— У вас весь подол платья в пыли, — пробормотала я.

Ната подняла пышную юбку и улыбнулась:

— Да уж! Грязь на платье невесты! Звучит как название любовного романа! Ну, я не стану вам мешать, небось тоже подкраситься хотите.

С этими словами она выскользнула за дверь, я вытащила пудреницу и привела в порядок лицо. Однако эта маленькая Ната — отлично владеющая собой дрянь.

Когда я поднялась наверх, тамада затеял конкурсы. Сначала выстроил гостей шеренгами и заставил передавать друг другу носовые платки без помощи рук. Затем водрузил в конце зала бутылку с шампанским, выдернул из кучи гостей Сережку и незнакомого мне красномордого мужика и дал им по мешку. Я чуть не подавилась — бег в мешках, национальная забава советских людей, проводивших отпуск в профсоюзных здравницах.

— Давненько я в смокинге в мешке не скакал, — пробормотал Сережка, распутывая серо-зеленую ткань.

Я отошла в сторону и села в кресло, ко мне тут же подскочила вертлявая тетка и без особых церемоний спросила:

— Привет, ты кто?

— Лампа.

Женщина засмеялась:

— Какая? Электрическая?

Я улыбнулась в ответ, люди никак не могут придумать ничего оригинальнее. Этот вопрос я слышу постоянно.

— Меня зовут Евлампия, сокращенно Лампа.

— Аня, — бойко представилась бабенка. — Похоже, ты не из наших? Не из невестиных? Или я путаю? Тут еще Клавкины родичи из деревни есть, всех не знаю.

— Я подруга жениха.

— Кто? — подскочила Аня. — Ну ни фига себе! Он с бабами дружит!

Поняв, что все родственники со стороны Наты идиоты, я решила исправить положение:

— Мы с Володей родственники.

— Какие? — подозрительно спросила Аня, ощупывая цепким взглядом мою фигуру.

— Двоюродный брат он мне, — лихо соврала я.

Лицо Ани разгладилось:

— Ясненько, а то — подруга! Звучит-то плохо!

Я хотела было сердито сказать: «Ваша невеста, между прочим, тот еще фрукт», но промолчала. Какой смысл вступать в перебранку?

— Значитца, породнились теперь, — подвела итог Аня. — Я — племянница троюродной тетки Юрки. Поняла?

— Да, — проборомотала я, — чего не понять. Племянница троюродной тетки — очень просто.

— Не удалась свадьба! — покачала головой Аня, плюхаясь в кресло возле меня.

— А на мой взгляд, здорово получилось, — покривила я душой. — В загсе очень торжественно было, хорошо покатались по городу, еда вкусная, всем весело...

Аня махнула рукой:

— Ничего запоминающегося, так у всех. Вот Матвейкины полгода назад женились, так Бонаково до сих пор гудит.

Мне стало интересно.

— И что же у них было?

Аня наклонилась ко мне:

— Не знаешь?

— Откуда бы!

Глаза моей собеседницы зажглись радостным огнем:

— Сначала все как у всех: пили, пели, плясали. А потом тесть зятя молодого зарезал. Взял ножик прямо со стола и воткнул. Ровнехонько в сердце угодил! Прикинь, что началось!

— Ужас! — воскликнула я.

— А то! — с горящими от возбуждения глазами неслась дальше Аня. — Такое приключение вышло! Ментов понаехало! Прямо как в кино! До сих пор все обсуждают, вот это да, вот это здорово вышло, а у Натки скукотища. Сейчас папашка ее нажрется до усеру и поколотит Клавку, больше никаких развлечений не предвидится. Только он ее всегда с пьяных глаз лупцует, эка невидаль!

Я уставилась на Аню. Нужных слов для ответа ей я не нашла. Да и что сказать? Честно говоря, я пребывала в растерянности.

— У Власовых, — тарахтела сплетница, — тоже ничего получилось! Светка со свекровью подралась! Вывернула ей «Оливье» на морду! Цирк смотреть!

Странно, однако, устроен человек. Если ваш дедушка благополучно женился на бабушке и прожил с ней в мире и согласии сорок лет, этот факт никого не заинтересует. А вот если на свадьбе вашего дяди новая жена вдруг выскочит из-за стола и на глазах у всех гостей, выпрыгнув в окно, усядется в машину к незнакомому мужику и умчится с ним навсегда из города... Вот тут уж, будьте уверены, все окружающие отлично запомнят происшествие и потом много лет станут говорить: «Это было в тот год, когда от Шурки невеста сбежала».

— А еще у Савченко, — начала новую историю Аня, но я не услышала конца рассказа, потому что раздалось оглушительное «бум».

Над огромным динамиком, из которого только что неслась оглушительная музыка, взметнулось яркое пламя и повалил густо-черный дым. В воздухе резко запахло жженой пластмассой.

Толпа гостей, воя на все голоса, бросилась к двери. Присутствующие были изрядно пьяны, поэтому лишь один Сережка сообразил схватить огнетушитель. Но из красного баллона не появилась пена. Очевидно, он был либо неисправен, либо пуст.

— Воды давай! — заорал Юрий и вылил на пылающий агрегат бутылку... водки.

Вмиг огонь вырос и перекинулся на занавески. Юрий, потерявший спьяну остатки разума, вновь опрокинул на пламя емкость со спиртом. Откуда-то появилась Клава и потащила мужа на выход.

— Погодь! — ревел супружник. — Дай пламя водой залью.

Красные языки заметались по залу. Я никогда не предполагала, что огонь может в считаные секунды охватить все помещение.

— Уходим, — сказал Сережка и вытолкал меня во двор.

Там орали размахивающие руками пьяные люди. Ни огнетушителей, ни ящиков с песком, ни цистерны с водой на автобазе не нашлось. Со здания столовой огонь перекинулся на двухэтажный домик, стоящий поодаль, и тут с оглушительным ревом примчались пожарные машины.

Всех зевак оттеснили за забор. Я устало села на обочину дороги. Ну и денек! Не часто такой выдается. Свадьба, пожар.

— Ничего не видно, — плюхнулась около меня

Аня, — где теперь Юрка с Клавкой жить-то станут? Погорела столовая.

— Ну не в ней же они обитали, — резонно ответила я.

— А наши многие в ней живут, — неожиданно пояснила Аня, — с той стороны подъездик имеется и шесть квартир. Вон, видишь, Фаина плачет? У ней тоже тама однушка была! Правда, Файку свекровь к себе возьмет, а Юрке-то с Клавой куда? Ну и свадьба! Здорово вышло! Таперича весь городок говорить станет!

Я уставилась на раскрасневшуюся от возбуждения Аню. Здорово? По-моему, ужасно. Но самый кошмар ожидал нас впереди, потому что Катюша, Сережа, Лизавета и Юлечка обступили бьющуюся в истерике Клаву и, если я правильно оценила ситуацию, сейчас приглашают погорельцев к нам.

ГЛАВА 4

Прошло два жутких дня. Магдалену поселили в комнате у Лизаветы. Юру и Клаву определили в десятиметровке, которая обычно стоит пустой. В свое время Катюша объединила две квартиры в одну[1], из «лишней» кухни она сделала нечто служащее теперь то ли гладильной, то ли чуланом, то ли гардеробной. Во всяком случае, тут у нас царит безумный беспорядок, но у стены стоит довольно широкий диван, и, когда на голову сваливаются очередные гости, я просто запихиваю валяющиеся шмотки в шкаф, убираю гладильную доску, и «номер» готов. Ната, естественно, жила у Вовки.

Не успев перебраться к нам, Юра запил. Мне, никогда не имевшей дело с алкоголиками, было просто страшно. Он потерял всякий человеческий облик,

---

[1] См. серию книг про Евлампию Романову, там подробно рассказывается об истории семьи Кати и ее знакомстве с Лампой.

появлялся на пороге кухни небритый, в старых тренировочных штанах, которые дал тестю Вовка, сплевывал в раковину, брал очередную бутылку водки и удалялся.

Магдалена вела себя тише воды, ниже травы. От нее даже имелась ощутимая польза. Утром, в восемь, девочка выводила гулять собак. Рейчел и Рамика она слегка побаивалась. Стаффордширская терьериха, правда, отнеслась к Магдалене вполне лояльно и послушно разрешала надевать на себя поводок, а вот двортерьер Рамик демонстрировал просто безобразное поведение. Едва Магдалена приближалась к нему, «дворянин» принимался лаять и скакать, как сумасшедший. Гуляла девочка с псами по часу, затем тщательно мыла им лапы, вытирала. Было видно, что Магдалена без ума от Мули и Ады.

Клава чувствовала себя хозяйкой. Ее резкий голос доносился одновременно из всех углов квартиры и раздражал безумно. Больше всего меня удивлял тот факт, что она не делала никаких замечаний мужу-алкоголику и постоянно злилась на безответную Магдалену. Особо безобразная сцена разыгралась сегодня утром.

Не успела девочка выйти на кухню, как мать налетела на нее:

— Пойди умойся.

— Я только что из ванной, — ответила Магдалена.

— Причешись!

— Мне Лиза косу заплела.

Поняв, что придраться не к чему, Клава на секунду замолкла, но тут же ринулась в атаку:

— Ешь кашу.

— Спасибо, мне не хочется.

— Ешь, говорю!

Магдалена покорно положила в тарелку пару ложек овсянки и с трудом принялась запихивать в себя завтрак.

— Возьми еще, — велела мать.

— Больше не могу.

Клава побагровела:

— Вот оно как! Мать мучается у плиты, готовит с утра, а их высочество нос воротит! Невкусно тебе, да? Икры черной желаешь? А ты на нее заработала, спиногрызка?

Я удивилась. Геркулес с утра я готовила собственноручно, Клава даже не приближалась к плите.

— Очень вкусно, — прошептала Магдалена, — но я наелась уже до отвала.

— Ешь, говорю! — заорала Клава и быстро вылила в тарелку дочери чуть ли не все содержимое кастрюли, стоявшей на плите. — Быстро, с хлебом!

Это было уже слишком. Я хотела встать на защиту ребенка, но меня опередил Кирюшка:

— Нельзя впихивать в человека еду.

— Не лезь не в свое дело, — рявкнула Клава.

— Не орите на меня, — взвелся мальчик, — и вообще, вы у нас в гостях.

Клава уперла руки в боки:

— Да? Мы у своего зятя.

— Он живет в соседней квартире, — не утерпел Кирюха.

Клава отвесила Магдалене оплеуху.

— Вот! Из-за тебя, дрянь, нас, несчастных погорельцев, попрекают! Каши не желаешь! От хлеба нос воротишь!

По лицу девочки поползли слезы.

— Оставьте ее в покое, — возмутилась я, — ребенок должен есть столько, сколько хочет!

— Она обязана слушаться мать, — зашипела Клава. — Я ради блага дочери занимаюсь ее воспитанием, иначе из нее Чикатило вырастет.

— Из Магдалены никогда не вырастет Чикатило, — влезла Лизавета.

— Я точно знаю, — заорала Клава, — не станет слушаться — будет Чикатило.

— Не будет! — топнула ногой Лиза.

— Будет.

— Не будет!!!

— Будет.

Меня затошнило.

— Пожалуйста, прекратите.

— Жри немедленно, — бесновалась Клава, отвешивая девочке очередную затрещину.

Магдалена принялась быстро заглатывать кашу, но и это не помогло.

— А-а-а, — завопила маменька, — значит, можешь жрать, только сначала хотела меня до паралича довести, сволота!

На низко склоненную над тарелкой голову несчастной девочки посыпался град ударов.

Я беспомощно захлопала глазами. Что делать? Магдалена дочь Клавы, и та может делать с ней все, что захочет. Вызвать милицию? Да никто не поедет разбираться в семейных дрязгах, а службы, защищающей детей от насилия, которое чинят над ними родители, в нашей стране нет, или я не знаю ее телефона.

Пока в моей голове носились глупые мысли, Кирюшка подскочил к плите, схватил кастрюлю с остатками овсянки и... надел Клаве на голову.

Давайте я не стану описывать, что было потом! Когда в районе пяти вечера вернулась с работы Катя, скандал только-только утих.

Увидав, как подруга втаскивает на кухню торбы, набитые продуктами, я подскочила к ней, схватила мешки и спросила:

— Мы не можем избавиться от гостей?

— Что случилось? — устало спросила Катюня, рушась на стул.

Выслушав мой рассказ, она вздохнула:

— Ужасно, конечно, но очень многие родители срывают злобу на младших членах семьи. В случае Клавы, думаю, действует несколько факторов. Во-первых, у нее, очевидно, климакс, во-вторых, сильный раздражающий фактор — муж-алкоголик.

— Ну и била бы его!

— Она боится, Юрий может ответить и, наверное, не раз уже отвечал.

— Давай выселим их, всех. Впрочем, Магдалену можно оставить.

Катюша посмотрела на меня:

— Лампуша, потерпи немного. Погорельцам обещают вот-вот дать новые квартиры. Если мы сейчас поругаемся с Клавой, то доставим много неприятностей Вовке, она мать его жены.

Я ушла к себе в комнату и села в кресло. Честно говоря, мне не нравятся все: Клава, Юрий и Ната, ухитрившаяся сбегать налево прямо на собственной свадьбе. Кстати, и Вовка не выглядит безмятежно счастливым. Вчера вечером он заскочил к нам на секундочку и совсем не был похож на довольного молодожена: мрачный, насупленный. На мой вопрос: «Как дела?» — последовал быстрый ответ:

— Прекрасно. Лучше некуда.

Но я-то знаю, что, когда у Володьки все в порядке, он хмыкает и заявляет:

— Дела идут, контора пишет.

Значит, у него какие-то неприятности.

Посидев несколько минут в тяжелых раздумьях, я решила сходить к Костину. Авось Наты нет и мы спокойно поболтаем.

Дверь соседней квартиры, как всегда, оказалась незапертой. Я толкнула ее и очутилась в хорошо знакомой тесной прихожей. Тут же меня постигло горькое разочарование: Ната была на месте. Из глубины квартиры донесся ее чистый, звонкий голосок:

— Главное, не дергайся.

Я хотела было развернуться и тихонечко удалиться, но следующая фраза заставила меня замереть у порога:

— Да нету идиота дома, в свою ментовку побежал, не бойся, никто нас не слышит.

Значит, новобрачная болтает с кем-то по телефону. Стараясь не дышать, я стала подслушивать. Ната, не предполагавшая, что в прихожей могут находиться посторонние, чувствовала себя свободно и разговаривала соответственно:

— Ну мне надо поговорить, срочно. Да, случилось. Отложи работу.

Очевидно, последняя фраза вызвала слишком

бурную реакцию у собеседника, потому что молодая жена замолкла, а потом заявила:

— Ладно, успокойся, но правда очень надо. Хорошо, давай встретимся, где всегда, в восемь часов вечера, ненадолго, мне тоже недосуг, надо из себя заботливую женушку корчить, котлеты вертеть, картошку жарить. Покедова.

И она очень противно захихикала. Я мигом выскочила на лестничную клетку и понеслась в свою квартиру. В голове просто кипело. Вот оно как! Ната совершенно не любит Вовку, вышла за него замуж по расчету. У нее имеется любовник, наверное, тот длинноволосый, крашенный в два цвета парень. Ну, Ната, погоди! Сегодня же соберу всех домашних и расскажу сначала о том, что видела из окна туалета, затем о том, что услышала в прихожей. Представляю, в какое негодование придет Вовка! Он выгонит Нату из дома, а вместе с ней уедут и Клава с Юрием.

Внезапно в голову пришла трезвая мысль. А если Костин мне не поверит? Доказательств измены нет! Я заявлю одно, а наглая Ната начнет рыдать и приговаривать:

— Она врет! Ненавидит меня, вот и придумала гадость.

И на чью сторону станет Костин? Нет, надо добыть неопровержимые улики адюльтера и предъявить их, только тогда жизнь в нашем доме потечет по-прежнему.

Приняв это решение, я опрометью бросилась к шкафу. Надо переодеться, попытаться стать неузнаваемой и проследить за Натой. Она сейчас побежит на свидание, а я за ней с фотоаппаратом, нащелкаю снимков и покажу Вовке, пусть потом решает, нравится ли ему ходить с ветвистыми рогами на башке. Если подобное «украшение» Костину по нраву, спорить не стану, в конце концов это его личная жизнь, но предупредить Вовку я обязана.

Ната вышла из подъезда около половины восьмого и, не оглядываясь, почти побежала к метро. Я поджидала ее в темном углу, возле того места, где жильцы оставляют детские коляски. Присела между «экипажами» и осталась незамеченной. На голове у меня была бейсболка с большим козырьком, на носу сидели огромные очки, и я надела Кирюшкину ветровку темно-синего цвета. Внешне я сильно смахивала на певицу Земфиру, пытающуюся скрыться от вездесущих фанатов.

Ната, не глядя по сторонам, долетела до подземки и вскочила в поезд. Я, следовавшая за ней тенью, встала у дверей, вытащила из сумочки заранее приготовленную газету и стала сквозь проделанную в полосе дырочку следить за негодяйкой.

Мерзавка, одетая в красную ветровку и джинсы, сидела с абсолютно спокойным лицом, более того, она выудила из кармана своей красной куртки тоненькую брошюрку и углубилась в чтение. И как ей только не жарко! Хотя с таким весом она, наверное, постоянно мерзнет. Мне стало интересно: что увлекло противную девицу? Через пару остановок Ната начала зевать и подняла книжонку к лицу, чтобы прикрыть рот. «Сто блюд из мяса, лучшие рецепты русской и европейской кухни». От негодования у меня начался кашель. Эта пакостница усиленно исполняет роль хорошей жены и великолепной хозяйки! Ишь ты, изучает, как готовить вкусные котлеты. Вот хитрюга, понимает, откуда надо подъезжать к Вовке. Костин обожает все мясное.

На «Новокузнецкой» Ната выскочила из вагона, поднялась наверх и встала на площади возле тонара с надписью «хлеб». Я завернула за газетный киоск и сделала вид, будто с интересом изучаю ручки, значки и ластики, выставленные в боковой витрине ларька.

Ната вытащила сигареты, и тут к ней подошел тот самый «двухцветный» парень. Парочка сначала обнялась, потом девушка, очевидно, сказала что-то не слишком приятное. Кавалер оттолкнул ее и замахал руками. Ната сначала стояла спокойно, потом топнула хорошенькой ножкой. Несмотря на теплый, даже жаркий день, вечер был прохладный, и Ната накинула себе на плечи красную куртку, на ногах у нее были

легкие летние сапожки из джинсовой ткани, очень
модные и скорей всего дорогие. Я невольно стала разглядывать ее обувь. Сама хотела приобрести такие, да
остановили два обстоятельства. Вся джинсовая обувь,
попадавшаяся мне на глаза, была на шпильке, а я не
ношу высокие каблуки, у меня на них просто подламы-
ваются ноги. И стоила обувь запредельную цену. А вот
Ната ухитрилась достать где-то высокие ботиночки
из джинсы почти на плоской подошве. Слегка поза-
видовав негодяйке, я расчехлила фотоаппарат и принялась за съемку. Вот они обнимаются, потом руга-
ются, следом целуются. Пленка кончилась, и тут началось самое интересное.

Парень толкнул Нату. Она чуть не упала, ей пришлось схватиться за какую-то женщину, шедшую к
метро. На секунду я потеряла парочку из вида, потому что к остановке подкатили сразу автобус, трол-
лейбус и два маршрутных такси. Из открытых дверей
вывалилось несметное количество народа и направи-
лось к метро. Внезапно раздался резкий звук, гром-
кий, сухой: словно некий великан сломал палку —
«крак». Все было похоже на кино. К метро, высоко
вскидывая ноги, как-то неловко, чуть покачиваясь,
бежит стройная девушка в красной куртке и джинсовых сапожках. Я невольно вновь задержала глаза на
ее обуви, что-то было не так. Последнее, что я увидела, это пистолет в руке у Наты. Вовкина жена влетела в вестибюль. Масса людей в едином порыве шатну-
лась вправо. В тот же момент над площадью понесся
истерический визг и вопль:

— Убили!
— Вот она, ловите!
— Держите!
— Милиция!

Несколько парней в синей форме, только что меланхолично жевавших хот-доги возле палатки, побросали еду и ринулись вперед. На площади повисла
неожиданная тишина. Я перевела глаза вниз и чуть
не заорала. На асфальте, странно изогнувшись, слов-

но тряпичная кукла, брошенная злой хозяйкой, лежал парень с выкрашенными волосами.

— «Скорую» вызовите, — отмерла неожиданно торговка газетами.

Я с ужасом смотрела на то, как под головой несчастного расплывается темно-бордовая лужа. На площадь вновь вернулись звуки. Подъехала машина с милиционерами, появились врачи. Потом толпу стали теснить в сторону. Меня, тихо стоявшую около газетного киоска, никто не заметил. Откуда-то появилась тряпка, больше всего похожая на застиранное байковое одеяло, и кто-то накрыл тело с головой.

Вдруг шум снова стих. Из метро выволокли Нату. Девушка упиралась, но милиционеры ловко тащили ее вперед. Сзади шла тетка в форменной шинели, приговаривая:

— Она это, видела я, она, зашвырнула пистолет в урну и тикать!

Люди, разинув рты, смотрели на сине-бледную Нату, которая принялась кричать:

— С ума посходили! Отпустите меня! Офигели, да? У меня муж в милиции работает, сейчас позвоню, он приедет и вам покажет!

Внезапно мне стало нехорошо. Господи, что же теперь будет? Ната убила своего любовника, никаких сомнений насчет того, кто выстрелил в несчастного парнишку, у меня нет. Я хорошо видела, как Ната, в красной куртке и джинсовых сапожках, неслась к метро, пытаясь скрыться, в руке у нее был зажат револьвер.

Я сняла очки, бейсболку и беспомощно следила за происходящим.

— Отвалите, уроды, — пиналась девушка, — козлы!

Глаза убийцы заметались по толпе, и вдруг она, уставившись на меня, заорала:

— Лампа! Ты! Немедленно сообщи Володе, что меня арестовали.

Присутствующие мигом повернулись в мою сторону. Я хотела шмыгнуть за ларек, но ноги словно приросли к асфальту. Мгновенно около меня возник парень самой неприметной наружности и сухо-официальным голосом поинтересовался:

— Вы знаете эту женщину?

Передо мной явно был представитель правоохранительных органов.

— Да, — ответила я машинально, — она жена Володи Костина, вашего коллеги, майора милиции.

— Пройдемте. — Молодой человек указал в сторону машины с синими номерами.

Я покорно двинулась к ней, но, сделав пару шагов, внезапно обернулась. Менты впихивали Нату в другой автомобиль, она пыталась сопротивляться, но где ей, хрупкой и маленькой, тягаться с плечистыми мужиками. Довольно грубо ткнув задержанную в спину, сержанты засунули ее внутрь салона. Ната упала на сиденье, снаружи на пару секунд осталась нога в джинсовом сапожке на плоской подметке. Внезапно в моей голове зашевелилось нечто смутное, неосознанное. Что-то в этой ужасной ситуации было не так. Но что?

ГЛАВА 5

Надеюсь, вы понимаете, какая атмосфера воцарилась у нас дома? Клавдия слегла с сердечным приступом через час после того, как ей сообщили об аресте Наты. Вечером с подозрением на инфаркт ее отвезли в больницу. Юрий продолжал наливаться водкой, и для меня осталось загадкой, понял ли он, что случилось с его старшей дочерью. Магдалена тенью скользила по квартире и изо всех сил старалась угодить окружающим. Девочка убрала комнаты, начистила картошки, перегладила кучу белья, скопившуюся в шкафу за неделю, и все молчком, не поднимая глаз. Костин к нам не заходил, впрочем, его не было дома. Пару раз я звонила ему в дверь, но никто не спешил открывать, а мобильный Вовки монотонно талдычил: «Абонент отключен или находится вне зоны действия сети».

В среду вечером Вовка неожиданно появился на нашей кухне. Магдалена, стоявшая у плиты, быстро положила половник и мигом выскользнула за дверь. Девочке явно не хотелось встречаться с мужем сестры. Костин сел за стол и положил перед собой руки.

— Хочешь рагу из баранины? — осторожно спросила я. — Вкусно получилось, с картошкой. Давай положу.

— Не надо, — буркнул Вовка, — дай чаю.

Получив дымящуюся кружку, он насыпал в нее сахару и, методично размешивая, неожиданно спросил:

— Ну-ка, что ты делала возле «Новокузнецкой»?

— Э-э, — замялась я, — ну так, по делам ходила.

— Каким?

— Ерунда.

— Говори.

— Может, не надо? — безнадежно сопротивлялась я.

— Колись, голубка, — хмуро сказал Костин, — все равно я уже знаю правду про Нату и Игоря.

— Это кто такой?

— Так звали ее любовника, — пояснил Володя, — Игорь Грачев, студент-медик.

— Надо же, — покачала я головой, — а я решила, что он работает на автобазе.

— Почему? — изогнул бровь Костин. — Какие основания были у тебя для такого умозаключения?

Я растерянно замолчала. Язык мой — враг мой. Эта пословица целиком и полностью оправдывается в моем случае. Ну зачем ляпнула сейчас про свои догадки? Вряд ли Вовке будет приятно узнать, что его только вышедшая из загса женушка убежала от свадебного стола, чтобы закрыться в «трансформаторной будке» с этим Игорем.

— Начинай, — приказал Костин, — да не вздумай врать, я всегда знаю, когда ты выкручиваешься!

— Откуда?

— Не важно; слушаю.

Я набрала побольше воздуха в легкие и рассказала все. Вовка слегка изменился в лице, услыхав о будке, но тем не менее решил уточнить:

— В этой, как ты выражаешься, «трансформаторной будке» были окна?

— Кажется, нет.

— Ты не знаешь точно?

— Откуда? Я стояла в туалете и видела лишь вход в нее.

— Значит, внутрь не заглядывала?

— Нет.

— И не видела, чем занимаются Игорь с Натой?

— Нет, но...

— Так видела?

— Нет, но...

— Значит, просто предполагаешь, что там они занимались любовью? — каменным голосом продолжил допрос Костин.

И тут я обозлилась так, что вспотела. Ну, Вовка, совсем лишился разума! Естественно, они лазили в укромное местечко, чтобы почитать вместе поэму «Руслан и Людмила», бессмертное творение Александра Сергеевича Пушкина.

— Какие у тебя есть основания обвинять Нату? — давил на меня Вовка.

У меня лопнуло терпение:

— Самые простые! Сначала обнимались, потом ушли, затем вернулись, Игорь застегивал крючки у Наты на платье, а еще я подслушала ее телефонный разговор...

— С одной стороны ясно, — процедил майор, — а с другой нет.

— Почему?

— Знаешь, отчего я повел Нату в загс?

Я пожала плечами:

— Кто же ответит на этот вопрос? Наверное, влюбился?

Вовка кивнул:

— Точно, понравилась она мне. Ната категорично заявила — все только лишь после свадьбы, даже целовать себя не позволяла.

Я подавила тяжелый вздох. Опытный ловелас Вовка попался на старую, как мир, уловку. Сколько женщин сумело заманить своих кавалеров в загс, прикинувшись недотрогами? Мужчины — странные существа, заполучив любовницу, мигом остывают и начинают тяготиться возникшими отношениями. Зато, если объект сопротивляется, часто стремятся вступить в брак, чтобы сорвать запретный плод.

— Она была девственницей, — заявил Вовка.

Я покачала головой:

— Ты ошибся.

— Нет, точно говорю, — настаивал Костин.

Можно сохранить физическую нетронутость и быть опытной женщиной, только отчего-то Вовке в голову не приходит эта простая мысль. Со мной в консерватории училась Зульфия Рамазанова, татарка из очень строгой семьи. Так вот Зуля, как звали ее однокурсники, переобжималась со всеми парнями Москвы и Московской области, разрешая им делать с собой все, кроме самого главного. Потом она благополучно вышла замуж за мальчика, которого ей подобрали родители. Меня позвали на свадьбу. Торжество длилось день, ночь и следующий день. Утром к гостям вынесли простыню с пятнами крови. Смущенная Зуля принимала поздравления, опустив вниз бесстыжие глазки. Уж не знаю, как сложилась ее семейная жизнь, но на свадебном пиру не было ни одного родственника, сомневавшегося в чистоте и невинности невесты.

— Точно говорю, — повторил Вовка, — уж поверь мне, есть кое-какие признаки, чисто физические, по которым можно со стопроцентной уверенностью судить о девственности.

Я подавила тяжелый вздох. И этот человек еще работает в милиции! Ну нельзя же быть таким наивным! Знаю я, о каких признаках идет речь! Только сейчас на каждом столбе висят объявления: «Восстанавливаем девственность, дешево». Хорошо, пусть Ната была нетронутой физически, но морально! На мой взгляд, моральная измена хуже!

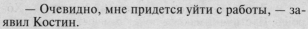
— Очевидно, мне придется уйти с работы, — заявил Костин.

Я уронила ложку.

— Почему?

Володя пожал плечами:

— Не понимаешь? Кто же оставит на службе сотрудника, чья жена осуждена за убийство?

— Они не имеют права тебя сейчас уволить!

— Да? — хмыкнул Вовка.

— Да, — сердито отозвалась я, — сколько продлится следствие?

Приятель махнул рукой:

— При чем тут это?

— А при том, что никто не может быть назван виновным, кроме как по решению суда, — заволновалась я, — презумпция невиновности распространяется на всех, и на жен милиционеров тоже. Пока Нату не осудили, ты имеешь право спокойно служить!

— Сам уйду, — заявил Вовка, — не стану дожидаться, пока прикажут заявление писать.

Я растерялась.

— И куда пойдешь?

Костин вытащил сигареты.

— Сложный вопрос. Скорей всего в частное агентство.

От удивления у меня на секунду пропал голос. Володька всегда более чем презрительно относился к «Шерлокам Холмсам», он вообще считает, что все эти конторы под лихими названиями «Пинкертон», «Лупа», «Алиби» следует закрыть. Не так давно, сидя на том же самом месте, что и сегодня, Вовка плевался огнем:

— Надо запретить деятельность этих, с позволения сказать, сыщиков, только мешают нам нормально работать.

— Но милиция, к сожалению, не всегда хорошо справляется со своими обязанностями, — робко возразила Катюша, — вот не так давно у одной из наших медсестер украли в метро сумочку, так в отделении заявление брать не хотели.

— Ладно, — пошел на попятный Костин. — Хорошо. Пусть занимаются поисками сбежавших болонок и слежкой за неверными супругами, но это все!

— Не любишь ты, однако, коллег, — засмеялась я.

— Этих — да, — отрезал Володька, — и за коллег их не считаю. Гусь свинье не товарищ. Нету у меня никакого уважения к ним...

На том спор и завершился. И вот сейчас Костин заявляет о своем желании устроиться на работу в какое-нибудь агентство!

Очевидно, на моем лице отразилось изумление, потому что приятель сердито продолжил:

— А куда деваться? Ничего не умею, кроме как негодяев ловить! В охрану податься? Стоять у дверей супермаркета? Или кланяться бабам у входа в ювелирную лавку?

Я молчала, до меня постепенно дошел ужас происходящего. Вовка и впрямь ничего не умеет делать. Костин великолепный профессионал в своей области, у него незапятнанная репутация и честное имя. Кроме того, он любит свою работу и потеря ее для него трагедия. Это женщина, если ее выгонят со службы, поплачет, поплачет и утешится. Начнет самозабвенно заниматься домашним хозяйством, воспитывать детей или внуков, станет разводить цветы, запишется в кружок вязания или макраме. Для представительниц слабого пола работа все-таки стоит не на первом месте, главное — семья. А вот у мужчин дело обстоит иначе. Увольнение со службы они воспринимают как крах жизни. Кроме того, имеется еще такой немаловажный фактор, как зарплата. Ну на что Вовка будет жить? Я точно знаю: никаких сбережений у него нет. Впрочем, мы не дадим ему умереть с голоду, но Костин не из тех особей, которые с удовольствием садятся бабам на шею.

— Сегодня уезжаю, — неожиданно брякнул Вовка, — на двадцать четыре дня.

— Куда?!

— На Селигер, в дом отдыха, отпуск взял, — хмуро сообщил Костин.

Я схватила его за руку:

— Послушай, не глупи, все уладится.

— Что? — грустно спросил майор. — Дело ясное, никаких сомнений у следователя нет. Этот Игорь и Ната целый год были вместе. Может, они бы и поженились, только ее родители оказались против, не понравился им предполагаемый зять.

Я молча слушала Володю.

— Потом Ната его бросила, — продолжал он, — и у нас завязался роман. Игорь ревновал, звонил бывшей невесте, пугал ее, требовал вернуться к нему, а затем случилось то, что случилось!

— Но тогда не она должна была его убить, а он ее! — логично возразила я.

Вовка нахмурился, но промолчал.

— А что Ната говорит? — полюбопытствовала я.

— Ушла в глухую несознанку, — ответил майор, — не отрицает, что была знакома с Игорем, подтверждает, что пришла к нему на свидание, но лишь с одной целью: попросить его оставить ее в покое, навсегда.

— Зачем тогда стреляла?

— Она говорит, что толкнула парня и ушла, кипя от злости, в метро. Спустилась на перрон и села на скамейку. Хотела привести нервы в порядок, а тут налетели менты, подбежала дежурная. Ната клянется, что не стреляла и в глаза не видела револьвера!

— Очень глупо! Я собственными глазами наблюдала, как она несется к зданию метро, сжимая огнестрельное оружие. Кстати, на площади было полно свидетелей.

— И тем не менее она плачет и твердит: «Не я!» — мрачно завершил рассказ Костин.

Вечером мы вместе с Кирюшей смотрели видик. Мальчик решил развеселить меня и, сбегав в прокат, приволок глупейшую комедию, герои которой швыряли друг другу в лицо тарелки с едой и попадали ногами в унитаз. Пару дней назад я бы уже согнулась от хохота, но сегодня лишь натянуто улыбалась, чтобы не обидеть Кирюшку. В голове крутились мысли, не имеющие никакого отношения к действию, разворачивающемуся на экране. Бедный Вовка! Надо же так вляпаться! И что делать с Юрием, который никак не выходит из запоя? И как поступить с Магдаленой, если Клава задержится в больнице надолго?

— Ну и дура! — воскликнул Кирюшка.

— Кто? — машинально спросила я.

— Эта Софи, — ткнул мальчик пальцем в экран, — за ней гонятся, а она на каблучищах шкандыбает! Ежу понятно, чтобы убежать, нужно надеть кроссовки, ну, на худой конец, ботинки без каблуков. Разве на таких ходулях скроешься?

Я включила зрение и увидела на экране маленькую, хрупкую фигурку, которая, покачиваясь, бежала по улице. Внезапно перед глазами возникла совсем иная картина. Вот Ната, рассердившись на Игоря, топает ножкой, обутой в джинсовый сапог. Подошва у него почти плоская, помнится, я еще позавидовала: ну где Вовкина жена ухитрилась раздобыть такие удобные и модные сапожки?

Так, что было потом? Толпа, сошедшая с автобуса, двинулась к метро и закрыла мне на пару минут обзор. Затем раздался выстрел. Я не видела, как Ната стреляет в Игоря, просто услышала резкий звук «крак». А дальше? Народ шарахнулся, и перед взглядом появилась бегущая Ната, она слегка покачивалась... Мне еще тогда показалось что-то странным, и теперь я понимаю *что*. Я в тот момент вновь глянула на ее обувь. Так вот, Ната бежала неловко, покачиваясь, оттого что на ногах у нее были джинсовые сапожки на высокой, десятисантиметровой, шпильке.

Я вскочила с дивана.

— Ты куда? — удивился Кирюшка. — За чаем? Тогда остановлю пленку.

Но мне было не до дурацкой комедии. Отлично помню, что Ната топала ногой, обутой в высокий ботиночек без каблука. Каким образом у бегущей к метро женщины оказались сапожки на шпильке? Напрашивался только один ответ: в сторону подземки торопилась не Ната. А кто? Вновь перед глазами возникла фигурка в красной куртке, с дурацки причесанной головой: кудряшки, на которых висит заколка в виде бабочки.

В полном ажиотаже я влетела на кухню и, сама не знаю почему, дернула ящик, в котором у нас хранятся столовые приборы. Вилки, ложки, ножи веером разлетелись по чисто вымытому линолеуму. Кирюшка вбежал в кухню.

— Лампудель! Ты упала?

Я присела и стала молча собирать рассыпанное. Руки тряслись от напряжения. Девушка в красной куртке, спешившая к зданию «Новокузнецкой», убийца, сжимавшая пистолет, была не Ната. Просто они очень похожи. Внезапно вилки выпали из моих рук и снова оказались на полу. Кто-то решил подставить Вовкину жену и специально обстряпал дело таким образом, что...

— Это тебя! — Кирюша сунул мне в руку телефонную трубку. — Какая-то дура!

— Неприлично так говорить о взрослых. — Я машинально проявила педагогическое занудство и тут же рассердилась на себя.

Получается, что детей можно обзывать дураками.

— Идиотка! — не успокаивался Кирюша. — Прикинь, она спрашивает, когда похороны Лизки.

На секунду я оторопела, потом спросила:

— Кого?

— Лизаветы.

— Какой?

— Нашей!!!

Я схватила трубку и моментально услышала рыдающий голос Алены Мамонтовой.

— Господи, горе какое, горе какое! Лампа, вы держитесь. Хочешь приеду?

— Зачем? — я решила внести ясность.

— Ну помочь, поминки, посуда, блинов напечь, сковородки помыть, — зачастила Алена, — когда хороним?

— Кого?

— Лизоньку.

— Какую?

Алена на секунду замолчала, потом голосом, полным сочувствия, продолжила:

— Понимаю, тебе плохо, но...

— Если имеешь в виду нашу Лизавету, — перебила я глупую Мамонтову, — то девочка живехонька-здоровехонька, позавчера уехала на дачу к своей подружке на неделю, час тому назад я с ней разговаривала по телефону.

— Да? — растерянно протянула Алена. — Ну и ну...

— С чего тебе в голову пришло, что Лизавета скончалась? — обозлилась я.

— Э... а... у, — стала издавать нечленораздельные звуки Алена.

Я швырнула трубку на диван и с чувством произнесла:

— Дура! Недаром от нее два мужа сбежали.

— Идиотка! — подхватил Кирюшка. — Вот уж придумала так придумала.

— Балда! — я никак не могла прийти в себя.

— Балбеска стоеросовая, — охотно согласился Кирюшка.

Во мне внезапно вновь проснулся педагог.

— Нехорошо так говорить, некрасиво!

Кирик склонил голову набок.

— Ну согласись, она кретинка!

Пару секунд во мне боролись Макаренко и возмущенный обыватель. Наконец второй одержал верх.

— Кретинка! Жуткая! Тупее не бывает!

Кирюшка захихикал.

— Ты, Лампудель, не говори так о взрослых, это неприлично! Странно, что родители тебе в свое время не объяснили, как следует себя вести!

Я хотела треснуть его газетой по лбу, но тут вновь ожил телефон.

— Небось опять она, — покачал головой Кирюшка. — Ну, сейчас все скажу!

Я выхватила у мальчика из рук трубку.

— Не надо, лучше сама ей врежу.

Но из трубки послышался тихий голосок Тани Водопьяновой.

— Добрый вечер, Лампуша.

— Здравствуй.

— И как вы?

— Ничего, спасибо, а ты?

— Да у нас все в порядке, — напряженно ответила Танечка и замолчала.

Послушав пару секунд тишину, я вздохнула:

—Ты чего звонишь?

— Когда похороны? — выдавила из себя Водопьянова.

Я почувствовала легкое головокружение, но все же решила уточнить:

— Чьи?

— Лизины.

Так, весь мир решил сойти с ума! Спокойной, рассудительной Танечке Водопьяновой пришла в голову точь-в-точь такая же идиотская шутка, как кретинке Мамонтовой.

— Лиза, — четко выговаривая слова, сообщила я, — чувствует себя просто великолепно и на тот свет собирается лет через девяносто, а то и позже. У нее стопроцентное здоровье и чудесное расположение духа.

— Ага, — забубнила Таня, — ага, ага... Значит, она не умерла? Ошибочка вышла?

Я снова швырнула трубку в кресло, но промахнулась, и она шлепнулась на ковер.

— Сейчас кто? — поинтересовался Кирюшка.

— Теперь Водопьянова спрашивает про похороны Лизаветы, — растерянно ответила я.

— Ошизеть!

— Полностью с тобой согласна!

Телефон вновь ожил. На этот раз на том конце провода оказался Коля Тягунов. Не сказав «здрассти», он мигом заявил:

— Деньги нужны?

— Ты встречал человека, который на подобный вопрос ответит «нет»? — не утерпела я.

— Только скажи, сколько?

Удивленная, я ответила:

— Честно говоря, мы собираемся покупать новый

телевизор в гостиную. А ты в долг предлагаешь? Или решил по какой-то причине нам подарок сделать?

Николай помолчал и ответил:

— Конечно, хорошо, что ты не потеряла присутствие духа, но в этой ситуации шутка звучит по-идиотски. Похороны — дорогое дело, вот, решил помочь.

Я села на диван и гаркнула:

— У нас все живы!

— И Лиза?

— Она в первую очередь!

— Однако, — начал что-то быстро говорить Коля, — я получил только...

Но я уже отсоединилась.

— Чего это с ними? — растерянно повернулся ко мне Кирюша.

— Понятия не имею. Случай поголовного безумия. «Дзынь-дзынь», — зазвякала трубка.

Я нажала на зеленую кнопочку и, не дожидаясь никаких вопросов, рявкнула:

— Лиза жива и здорова. Похороны отменяются, поминки тоже, надеюсь, я не очень вас разочаровала.

— Ну ты, Лампа, даешь, — ответила Лизавета, — естественно, я пока не собираюсь в могилу! По какой причине делаешь такое программное заявление?

— Да люди ума лишились, — воскликнула я, — сначала Мамонтова позвонила, потом Водопьянова, следом Колька Тягунов. Прикинь, они все интересовались, когда твои похороны!

— Лампа! — заорала Лиза. — Я так и знала! Чувствовала, что тебе ничего нельзя доверить, и вот результат! Какая же ты, однако!

— Что я сделала не так?

— В том-то и дело, что ничего! — кипела девочка.

— Тогда почему ты злишься?

— С ума сойти! — визжала Лизавета. — Ты меня убила! Кошмар!

У меня начала болеть голова.

— Для убитой девочки ты слишком громко кричишь! Прошу тебя сбавить тон и нормально объяснить, в чем дело, — каменным голосом произнесла я.

— Она еще и обижается, — прошипела Лизавета. — Ты проверяла программу, говорила ей о том, что я жива? А?

Мигом вспомнив, о чем речь, я рванулась в комнату к Лизе, уронив по дороге отчаянно пищавшую трубку.

Два года назад Сережка подарил на день рождения Лизавете компьютер. Первое время девочка его боялась и лишь играла в «бродилки» и «стрелялки», но потом постепенно начала изучать машину, и теперь она «продвинутый юзер»[1], а у нас нет проблем, что дарить ей на праздники. Сейчас комната Лизы забита всякими приборами: принтер, сканер, модем... Какие-то еще ящички, коробочки, шарики, моргающие зелеными и красными огоньками. Девочка лазает по всему Интернету и скачивает оттуда рефераты для школы. Не могу сказать, что мне это нравится. Один раз, увидав, как Лиза распечатывает на принтере готовый доклад на тему «Эволюция человека», я не утерпела и заявила:

— Лучше самой написать.

— Это почему? — захихикала лентяйка. — Прикинь, сколько времени потеряю, листая справочники, а в результате получится то же самое, — и она щелкнула пальцем по бумаге, мирно выползающей из отверстия.

— Зато выучишь предмет, а так останешься дурочкой.

— Не занудничай, Лампа, тебе не идет, — мигом отозвалась девочка, — во-первых, дурацкая биология вместе с зоологией и ботаникой мне никогда не понадобятся. Ну-ка, скажи, кто жил раньше, неандерталец или австралопитек?

Я растерялась, но потом честно призналась:

— Не помню. Впрочем, когда-то знала, а потом забыла.

---

[1] Продвинутый юзер — активный пользователь.

— Вот видишь, — кивнула Лиза, — и что? Очень страдаешь от этого?

— Нет.

— Едем дальше, — усмехнулась девочка, — второй момент. Помнишь, ты рассказывала, что вас, студентов консерватории, заставляли учить научный коммунизм?

Я кивнула:

— Было дело, правда, тогда, в советские времена, его проходили везде, абсолютно бесполезный предмет. Сколько часов на него потратила! До сих пор жаль!

— А теперь представь, что ты имела возможность ткнуть пальцем в клавишу и получить готовый текст реферата. И что? Полезла бы в учебник? — хитро прищурилась Лизавета.

Поколебавшись секунду, я с тяжелым вздохом ответила:

— Конечно, нет.

— Еще замечания станешь делать?

Пришлось спешно ретироваться.

Лиза обожает свой комп и постоянно впихивает туда все новые программы. Позавчера она подтащила меня к экрану и сообщила:

— Лампудель, я уезжаю на дачу к Машке Ломтевой.

— Очень хорошо, — кивнула я, — сейчас Кирюшка сдаст экзамены, мы тоже переберемся в Алябьево, и ты позовешь Машеньку к нам.

— Слушай внимательно, — перебила меня девочка, — каждый день, пока меня нет, нужно включать комп и кликать сюда, в красное окошко. Только обязательно, а то беда случится.

— Почему? — удивилась я.

Лиза пустилась в объяснения.

— Я поставила еще одну программу. В случае моей смерти она разошлет всем, кто включен в контактный лист, сообщение: «Лиза скончалась», а потом методично уничтожит всю информацию в компе.

— Тебе еще рано думать о смерти!

— Ты поняла? — рассердилась Лиза. — Сообразила, где щелкать надо?

— Но зачем?

— Этой программе надо каждое утро сообщать, что ты жива! Если в течение дня она не получает подтверждение, то начинает считать пользователя умершим!

— Бред!

— Ни о чем попросить нельзя! — обозлилась Лиза. — Кругом безответственные люди, не желающие помочь!

Пришлось согласиться. Я положила около своей кровати листок с надписью: «Сказать компьютеру, что Лиза не умерла» и, проснувшись, мигом бежала в комнату к девочке. Но сегодня бумажка с тумбочки исчезла, и я благополучно забыла о поручении.

Не чуя под собой ног, я влетела в Лизину спальню и ткнула пальцем в большую кнопку на системном блоке. Послышались звуки бессмертного произведения Моцарта «Реквием». Экран замерцал, появилось изображение могилы с крестом, потом мрачно-торжественный голос из динамика объявил: «Лиза умерла. Информация уничтожается».

— Нет, — завопила я, щелкая по красному окошку, — остановись сейчас же, идиотская консервная банка!

Но дерзкая машина, продолжая играть пронзительно-щемящую мелодию, не собиралась мне подчиняться.

— Да уж, — воскликнул вошедший следом Кирюшка, — Лизка тебя убьет. У нее в контактном листе столько народа! Прикинь, они все получили похоронное извещение и сейчас станут нам звонить.

ГЛАВА 6

Утром я приняла решение. Надо искать того, кто поставил спектакль. Честно говоря, судьба Наты меня не слишком интересовала и скорей всего ради девушки я не стала бы предпринимать никаких шагов. Нет, конечно, я постаралась бы добраться до следователя и сообщить ему про сапожки на шпильке. Только скорей всего тот ответит:

— Вы, наверное, перепутали. У нас много свидетелей, видевших девушку.

И бесполезно будет объяснять парню, что женщина никогда не ошибется, вспоминая, как выглядела чужая обувь. Тем более если сама хочет такую же.

Сделав заявление следователю, я бы посчитала свой гражданский долг выполненным и занялась своими проблемами. Но в данном случае я начну сама искать настоящего убийцу и сделаю это только ради Вовки. Если с Наты снимут обвинение, Костин сможет остаться в милиции.

Взяв листок белой бумаги, я принялась рисовать на нем кружочки и домики. Где искать киллера, куда пойти? Впрочем, ясно, что начинать надо с этого Игоря Грачева. Почему, спросите вы. Да очень просто. Женщина, задумавшая преступление, знала о времени и месте встречи любовников. Откуда? Скорей всего она подслушала телефонный разговор Игоря. Ната-то была дома одна. У Вовки в квартире просто негде спрятаться, и вряд ли Ната стала бы вести столь откровенную беседу в присутствии третьего лица. Можно, конечно, предположить, что некто потихоньку вошел в прихожую, Вовка всегда забывает закрыть дверь в свою квартиру, но в крохотном пространстве возле ботиночницы стояла я, больше там никого не было. Следовательно, убийца-свидетель был со стороны Игоря. Собственно говоря, дело выеденного яйца не стоит. Надо разузнать координаты этого Игоря, порасспрашивать его знакомых, и убийца в моих руках.

Схватив запасные ключи от Вовкиной квартиры, я побежала к приятелю.

Все-таки мужчины очень неаккуратны. Вы только полюбуйтесь, уехал на двадцать четыре дня в дом отдыха и оставил в квартире все так, словно сегодня вернется. Во-первых, не разморозил холодильник, оставил в нем продукты, во-вторых, не вытряхнул пе-

пельницу, в-третьих, не помыл посуду, в-четвертых, не застелил постель...

Ругаясь сквозь зубы на неряху, я навела порядок. Освободила в холодильнике полки, отнеся к нам на кухню пакет с молоком, пачку масла и упаковку сосисок. Потом отскоблила сковородку и набросила на диван плед. Очень не люблю беспорядок, вид раскиданных повсюду вещей раздражает меня ужасно, до зубной боли. Ну как можно швырнуть в кресло пиджак, брюки, рубашку, а сверху кинуть стопку прочитанных газет?

Я вытащила из шкафа вешалку и уже собиралась повесить Вовкин костюм, как увидела на столе элегантную записную книжку в кожаном переплете. Вещица принадлежала Нате, потому что Костин пользуется старым блокнотом, из которого вываливаются листочки.

Забыв про костюм, я схватила книжечку и стала просматривать странички. Игорь Грачев нашелся сразу. На букву «Г» он был записан один.

Плохо соображая, что делаю, я быстро набрала номер.

— Да, — послышался бойкий голосок.
— Простите, это квартира Игоря Грачева?
— Точно, — подтвердила женщина, — была его, теперь моя.

Ну что ж, люди иногда меняют жилплощадь, значит, незадолго до смерти Игорь переехал.

— Простите, пожалуйста, меня зовут Евлампия, можно просто Лампа, мы с Игорем очень давно не разговаривали, не подскажете его новый телефон?

Собеседница то ли хихикнула, то ли кашлянула и ответила:

— А нет телефона!
— Да ну? В новый спальный район перебрался?
— Нет, на кладбище. Игорь умер.

Я старательно изобразила ужас, смешанный с недоумением.

— Не может быть! Он же совсем молодой.
— Все под богом ходим, — заявила женщина.

— Все-таки подскажите его новый адрес.

— А он никуда не съезжал, здесь жил.

— Вы ему кто? — не выдержала я.

— Жена.

— Кто?! — подскочила я.

— Жена, — по-прежнему без следов скорби повторила она, — вернее, теперь, наверное, следует говорить «вдова».

В моей голове мигом всплыло название оперетты «Веселая вдова». Не похоже, чтобы эта вдова убивалась по безвременно ушедшему мужу.

— Можно мне к вам подъехать?

— Пожалуйста, весь день собираюсь тут убираться, столько грязи, — зачастила она, — ну просто свинюшник, мужики дико неаккуратные, чистые свиньи.

Я невольно покосилась на кресло, в котором валялся измятый Вовкин костюм.

— Адрес подскажите, я забыла.

— Бульвар Карпенко, двенадцать, — бодро сообщила бабенка.

Следующее удивление я испытала, когда она открыла мне дверь. На пороге стояла полная блондинка с простовато-хитрым лицом. На вид тетке было лет тридцать пять. Впрочем, может, это теща Игоря?

— Здравствуйте, — вежливо улыбнулась я, — мне бы поговорить со вдовой Грачева, позовите ее, пожалуйста!

— Это я, — без всяких признаков скорби в голосе заявила баба, — Зосей меня звать, да проходите, не стесняйтесь. Уж извините, я только уборку начала.

Я прошла в маленькую, действительно очень грязную кухоньку, села на табуретку и решила приступить к допросу.

— Простите, я не знала, что Игорь был женат, примите мои соболезнования. Уж извините, если скажу бестактность, но у Грачева имелась любимая девушка, Ната... Вам, наверное, неприятно такое слышать.

Зося засмеялась:

— Мне однофигственно, с кем он жил.

— Да? — совсем растерялась я. — А вы давно женаты?

— Третий год, — совершенно спокойно заявила Зося.

— Вам, простите, сколько лет?

— Тридцать восемь, — сообщила она и, нагло засмеявшись, добавила: — Любовь у нас была жуткая, а что касается возраста, так он не помеха счастью. Кстати, вы тоже не девочка, значит, Игореша был этот, как его... ну... забыла, слово такое... геронтофоб!

— Геронтофил, — машинально поправила я и мгновенно рассердилась: — При чем тут это?

— Небось спал с вами, — подмигнула мне Зося, — да не стесняйтесь, сама люблю молодых, чего со старыми пердунами делать, только кефир пить!

На мгновение я онемела, но потом пришла в себя и с негодованием заявила:

— Вы с ума сошли!

— Чего тогда заявилась? — отбрила меня Зося, переходя на «ты».

— Я ищу убийцу Игоря!

Она стала серьезной.

— Из милиции? Покажи документы.

Я вытащила из сумочки паспорт и протянула ей.

— Ну и что? — удивилась та. — У ментов удостоверение есть.

Понимая, что Зося, как жена, должна в деталях знать об окружении мужа, я вздохнула.

— Послушайте, пожалуйста. У меня есть лучший друг, Володя Костин...

Через десять минут она уточнила:

— Значит, ты просто ищешь ту бабу с пистолетом?

— Да.

— Это не я.

— На тебя я и не подумала. Девушка, бежавшая к метро, была худенькой, а... ты...

— ...весишь под сто кило, — засмеялась Зося.

— Извини.

— Я не обижаюсь, — продолжала веселиться

та, — чем больше хорошего человека, тем лучше. Только помочь тебе не смогу.

— Почему?

— Не знаю никого.

— Игорь никогда не приводил домой друзей?

— Понятия не имею, я не жила тут.

Ощущая себя полной идиоткой, я поинтересовалась:

— Как же так? Муж здесь, а ты где?

Зося вытащила пачку «Парламента».

— Ты никак не врубишься. Дело-то житейское, фиктивный брак был. Никто обо мне не знал, а теперь получается, что как вдова, прописанная на одной жилплощади с покойным мужем, я получаю в наследство эту квартиренку. На такое я и не рассчитывала. Ладно, — криво улыбнулась Зося, — дело было так.

Зося приехала в Москву из Западной Украины, а точнее, из Львова. Очень красивое место: старинные здания, узкие улочки... Но работы нет, цены на продукты такие, что при одном взгляде на витрины пропадает аппетит. Да еще Зося, несмотря на свое католическое имя, является православной, в ее семье говорят только на русском языке, «ридну мову» не освоили, а жители западных областей Украины после обретения независимости демонстративно отворачиваются, заслышав «язык москалей». Да еще в паспорте в графе «национальность» у Зоси записано: «русская».

Откушав полной ложкой того, что на языке газет называется «притеснением по национальному признаку», Зосенька решила наплевать на незалежную Украину и подалась в Москву. В отличие от очень многих украинок, которые вынуждены зарабатывать себе на пропитание, торгуя овощами или выходя на панель, Зося твердо знала: она в столице России не пропадет, а все потому, что имеет в руках отличную профессию парикмахера. Причем Зося была мастером от бога и могла из трех волосинок соорудить на голове шикарную прическу. Так что на перрон Киевского вокзала она сошла с самыми радужными надеждами. Во Львове остались мама и десятилетний сын, которых

Зося обещала, устроившись, тоже перевезти в Москву. А еще она ухитрилась пронести через таможню все свои сбережения, около пяти тысяч долларов. Соседка по лестничной клетке, разбитная Галя, ездившая в Россию на заработки, уверяла, что за эти деньги можно в Москве купить квартиру где-нибудь на окраине.

Месяца Зосе хватило, чтобы понять: жить в Москве намного хуже, чем во Львове. Хозяева салонов, увидав, как она ловко управляется с ножницами и расческой, мигом соглашались оформить Зосю на работу, но как только из ее сумочки появлялся на свет украинский паспорт, приветливые улыбки стекали с лиц и следовал категоричный отказ. Наличие регистрации не имело никакого значения. Москвичи предпочитали иметь дело только со своими. Квартиру за пять тысяч долларов было не купить, пришлось снимать комнату. Хорошо хоть хозяйка попалась замечательная, веселая девушка лет двадцати по имени Маша. Однажды, когда Зося, придя домой, разрыдалась от отчаянья, Маша погладила ее по голове и сказала:

— Знаешь, кажется, я могу тебе помочь.

— Каким образом? — всхлипнула Зося.

— Тебе надо выйти замуж за москвича, получить прописку в столице, и все будет отлично. Так многие делают.

— И где найти такого? — шмыгнула носом Зося.

Маша улыбнулась.

— У меня Надя, подружка, работает в брачном агентстве, сходи к ней, авось подберет кандидатуру.

Зося утерла слезы и отправилась по указанному адресу. Надя очень спокойно выслушала ее, взяла у нее пятьсот рублей за подбор вариантов и через неделю дала три кандидатуры.

Зося встретилась с каждым претендентом и снова испытала горькое разочарование: один был инвалид без ноги, другой вдовец с тремя маленькими детьми, третий жил с парализованной, прикованной к постели мамой... Всем им была нужна бесплатная домработница, нянька, сиделка. Получив вожделенную столичную прописку, Зося одновременно со штампом в паспорте обретала такое количество проблем, что сразу становилось понятно: лучше не ввязываться в историю.

— А ты как хотела? — развела руками Надя. — Нормальный мужик сюда не пойдет, сам свои проблемы решит. Ладно, не плачь, еще подумаю.

Спустя десять дней Надя позвонила и заявила:

— Есть вариант.

Не чуя ног от счастья, Зося прилетела в агентство и услышала:

— Имеешь четыре тысячи долларов?

Украинка насторожилась. Это было все, что лежало в тайнике под матрасом.

— Ну, — осторожно ответила она, — могу домой позвонить, мама пришлет, только зачем?

— Слушай, — велела Надя, — есть у меня знакомый, Игорь Грачев, машину хочет, только денег нет. Он паренек молодой, холостой, здоровый, бездетный. Оформит с тобой брак и пропишет к себе. Ты ему четыре тысячи баксов за это дашь и расписку, что жить вместе с ним не станешь. Квартиру тебе снимать придется, как и раньше.

— Не обманет? — замирающим от счастья голосом поинтересовалась Зося. — А то возьмет бабки, и ау.

— Он честный человек, — успокоила ее Надя, — не бойся.

Через пару месяцев Зося стала полноправной москвичкой, мигом устроилась на работу, обросла кучей клиентов и за год скопила денег на комнату в коммуналке, Игорь ее не беспокоил, как разбежались, выйдя из загса, так и не встречались больше. Парень, правда, предупредил:

— Брак наш не навсегда. Захочу жениться — разведемся.

— Без проблем, — пообещала Зося, — ты мне не нужен, звони, когда надумаешь свадьбу играть.

Но Игорь словно в воду канул, а Зося сама его не искала. Она о замужестве не думала, штамп, стоящий в ее паспорте, принес счастье, и она суеверно боялась стать «разведенкой», хотя уже давно приобрела комнату в коммуналке и прописала туда маму с сыном. Следовало разыскать Игоря и выписаться из его квартиры, но сначала было недосуг, а потом Зося решила оставить все как есть. Надумает парень жениться — позвонит.

— Любит меня господь, — даже не пыталась сейчас скрыть радость Зося. — Игоря убили, а квартира-то! Теперь продам ее и свою комнату, денежки сложу, чуть-чуть добавлю, получится «двушка», вздохнем свободно...

И что сказать в этом случае? От полной безнадежности я спросила:

— Случайно телефон его родителей не знаешь?

— Да нет, — сказала Зося, — зачем он тебе? Не ходи к матери, не знает она про парня ничего. Сама посуди, он на мне женился, взял доллары и купил себе машину. А мать даже не заволновалась, откуда у сына деньги, да и жил он в этой квартире один давно. Родители его за городом обитают, в каком-то поселке... дай бог памяти, забыла название. Они богатые люди, а денег сыночку на авто пожалели... Врубаешься в ситуацию?

Я кивнула. В словах Зоси есть определенный резон.

— Ты бы лучше с девкой поговорила, которая от него ребенка родила, — выпалила Зося.

Я подскочила:

— С кем?

— Ну с полюбовницей, Люда ее зовут.

— Это кто такая?

Зося развела руками:

— А за час до твоего прихода телефон зазвонил...

Счастливая обладательница квартиры сняла трубку и услышала тихий, нежный голосок:

— Игоря позовите.

На всякий случай Зося сначала дипломатично ответила:

— Не могу.

Ну не говорить же сразу: его убили. Вот сейчас девушка поинтересуется: «Почему?» — и тогда Зося объяснит. Но из трубки донеслось:

— Пожалуйста, передайте ему, что мы с Антоном уезжаем, пусть оформит у нотариуса согласие на выезд.

— Куда? — машинально спросила Зося.

— Он знает.

— Кому?

— Вы только скажите про Антона, Игорек сам сообразит.

— Игорь умер, — Зося решила внести ясность.

— Совсем? — глупо спросила девушка.

— В общем, да, — подтвердила Зося, — убили его.

Из трубки раздался вскрик.

— Как же это, что же это, мне ведь обещали, — твердила девушка, — вот ерунда вышла...

Через пять минут Зосе стало известно, что звонившую зовут Людочка и что у нее есть годовалый сынишка от Игоря.

— Она мне свой телефон оставила, — полезла в карман фартука Зося, — просила сообщить день похорон, наверное, хочет вместе с Антоном пойти. Прикинь, каково этой змее, то ли матери, то ли мачехе, придется? Справа я, жена, слева эта Люда с Антоном... Ну, цирк прямо.

— Ты собираешься идти на кладбище?

— А как же! — воскликнула Зося. — Мне Надька все разобъяснила. Следует обязательно заявиться в черном платье и плакать. Пусть народ видит: жена по мужу убивается. Конечно, у родственников шансов нет квартиру отобрать, но зачем им лишний повод для разговоров в суде давать. А так все тип-топ получится.

— Давай телефон этой Люды, а заодно адресок агентства, в котором работает Надя, — велела я.

ГЛАВА 7

Молодая мать безукоризненно владела собой. Услыхав, что с ней хочет поговорить следователь, занимающийся поисками убийцы Игоря Грачева, она спокойно ответила:

— Не могу к вам прийти, ребенок заболел.

— Тогда я сама приеду, хорошо?

— Пожалуйста, только у нас сильный насморк.

— Ничего, я не боюсь инфекции.

— Хорошо, — сдалась Люда и продиктовала адрес.

Я села в машину, вытащила из «бардачка» атлас и принялась прокладывать путь. Права я получила самым законным образом, сначала занималась в автошколе, потом ездила с инструктором, но, очевидно, у меня начисто отсутствует ген, ответственный за талант шофера. Если бы пешеходы знали, как я вожу машину, они бы никогда не нарушали правила и всегда переходили дорогу только на зеленый свет, предварительно повертев головой в разные стороны. Лично я, получив права, стала очень внимательно переходить дорогу. Меня все время преследует мысль: вдруг вон в той хорошенькой иномарке сидит какая-нибудь Лампа, путающая педали? Ну жмет не туда, куда надо, с перепугу...

Еще я совершенно не понимаю, где у машины зад, а где перед. Вернее, капот от багажника великолепно отличаю. В последний кладу сумки с продуктами, а первый никогда не открываю, понимая бесполезность этого действия. Ну увижу кучу всяких разных железок, и что? Я не воспринимаю габариты машины, не чувствую их совершенно. Иногда кажется: в эту щель не проеду никогда, и вдруг с легкостью паркуюсь. А в иной раз вижу огромное пространство и... раздается противный звук скрежещущего металла.

Есть еще одно обстоятельство, которое доставляет мне неприятные ощущения, — езда по неизвестному маршруту. Дорогу от родного дома до рынка с заездом в «Рамстор» я освоила филигранно и даже ношусь с ужасающей скоростью пятьдесят километров в час, но как только нужно проехать в новое место, на меня нападает страх. Господи, где там перестраиваться! Вдруг, не дай бог, попадется светофор на горе? Я обязательно заглохну! Поэтому я приобрела атлас и предварительно прокладываю путь по карте, тщательно запоминая все повороты налево. Человека, никогда не сидевшего за рулем, очевидно, удивила моя последняя фраза. Поясняю, я всегда езжу только в крайнем правом ряду, поэтому, сами понимаете, с поворотом направо проблем нет. Но чтобы свернуть влево, надо перестроиться, влезть в скоростной ряд, промчаться в нем какое-то время. А наши автолюбители очень нервные. Стоит только мне устроиться слева, смахнуть пот со лба и перевести дух, как сзади начинают светить фарами, гудеть, в общем, намекать, что я должна либо жать сильней на газ, либо уступить дорогу. Честно говоря, мне намного удобней и спокойней в метро, там, прислонившись к двери и читая детектив, я отдыхаю.

Отчего я езжу на машине? Сама не знаю. Сережка говорит, что на десять цирковых медведей, освоивших мотоцикл, приходится один, который так и не научился рулить, несмотря на все полученные колотушки. Наверное, это мой вариант. Впрочем, Катюша и Юлечка, отлично управляющиеся с автомобилем, подбадривают меня, говоря:

— Ничего, Лампудель, скоро привыкнешь, ужас пройдет, а кайф появится.

Я очень надеюсь на то, что они правы, но пока нахожусь на стадии ужаса. Включив все внимание и собрав шоферские навыки в кулак, я покатила вперед, свернула направо, вырулила на проспект, замерла у светофора и перевела дух. Уф, можно пару раз вздохнуть. Мне бы еще научиться дышать во время движения, наверное, тогда станет немного легче.

Внезапно я дернулась вперед, голова боднула лобовое стекло, руль больно стукнул по груди. «Бах», — раздалось сзади. Мои «Жигули» пролетели вперед, прямо на пешеходную «зебру». Две бабульки, тащившиеся через проспект, с воплем отскочили в сторону, а затем, проявив несвойственную для их возраста прыть, козами поскакали вперед.

Секунду я обалдело крутила головой в разные стороны, не понимая, что произошло, но потом возле дверцы замаячил высокий парень и принялся бубнить:

— Извините, сам не понимаю, как вышло. Оплачу ремонт вашего зада.

Я вылезла из автомобиля, обежала его и уставилась на покореженный багажник.

— Зад я вам починю, — нудил водитель, — не сомневайтесь, только дайте адрес и телефон, ваш зад станет как новенький...

— Мой зад, — сердито заявила я, — ощущает себя прекрасно, ему не требуется ремонт.

— Но, — растерялся парень, тыча пальцем в погнутое железо, — ваш зад, того, уже не зад.

— Мой зад при мне, — обозлилась я, — ношу его с собой, иногда сижу на нем, а вот задняя часть «Жигулей» в самом деле побита!

— Ладно, ладно, — покорно согласился мужчина, — хорошо. Артем.

— Простите, не поняла. Артем?

— Ну да, — кивнул виновник происшествия, — меня так зовут, впрочем, можно просто Тема.

Внезапно он улыбнулся, я невольно ответила ему улыбкой. Только сейчас я увидела, какой Артем симпатичный: высокий, крепкий, белокурый, голубоглазый, а мне всегда нравились мужчины нордической внешности. Мой бывший муж Михаил, отбывающий сейчас длительное наказание на зоне, был как раз таким, и одно время я его любила. Или мне это просто казалось?[1]

Выбросив из головы ненужные воспоминания, я постаралась обозлиться.

— Мне теперь из-за вас придется ремонтировать машину!

— Все сделаю сам, — засуетился Артем, — не беспокойтесь! Через два дня «Жигули», как новенькие, появятся у вашего подъезда.

Я старательно пыталась нахмуриться, но губы, как назло, улыбались.

Примерно через час появились представители

---

[1] См. книгу Дарьи Донцовой «Маникюр для покойника».

ГИБДД. За то время, что мы потратили на их ожидание, Артем успел сбегать в ларек, купить газированной воды, шоколадку, чипсы, килограмм персиков... Все продукты он заботливо подсовывал мне, приговаривая:

— Угощайтесь, пожалуйста.

Время от времени у него трезвонил мобильный, он откидывал крышечку и говорил:

— Очень занят, позднее свяжитесь со мной.

Сержант, прикативший на бело-голубом «Форде», стал неторопливо рисовать схему места происшествия и выяснять обстоятельства произошедшего. Наконец мы подписали протокол. Я пошла к «Жигулям», багажник разбит, но мотор в порядке.

— Вы оставьте машину мне, — посоветовал Артем, — возьмите деньги на такси.

Я посмотрела на протянутые купюры.

— Спасибо, не надо, я очень люблю метро.

Я понеслась к подземке, благо в двух шагах возвышался столб с буквой «М».

— Евлампия, — неожиданно послышалось сзади.

Я обернулась. Тема стоял у моей машины. Откуда ни возьмись налетел ветер и растрепал его белокурые, чуть вьющиеся волосы. Артем убрал со лба прядь, улыбнулся и спросил:

— Вам оставить прежний цвет?

Внезапно у меня отчего-то пересохло в горле.

— Что вы имеете в виду? — прошептала я.

С лица Темы сошла улыбка, и он абсолютно серьезно заявил:

— Машину, конечно, а не ваши волосы, у них совершенно изумительный оттенок, никогда не встречал женщин с такой красивой прической! Вам никто не говорил, что вы потрясающая красавица?

— Делайте, что хотите, — просипела я и понеслась к метро, чувствуя, как к лицу приливает жар.

В вагоне я достала пудреницу и глянула в крохотное зеркальце. Посеребренное стекло отразило один глаз с потекшей тушью, часть красной, словно запрещающий сигнал светофора, щеки и всклокоченные, стоящие дыбом прядки — не так давно по совету Юлечки я постриглась под ежика. Интересно, я и впрямь понравилась этому Артему? Не успев так подумать, я страшно обозлилась на самое себя. Просто отвратительно демонстрировать комплексы двенадцатилетней девочки, услыхав дежурный комплимент. Этот Тема, фигов водитель, заснул за рулем, устроил аварию, а потом принялся лебезить, чтобы я не устроила скандала. Небось у мужика жена и семеро детей по лавкам скачут.

Люда жила в красивом новом доме из красного кирпича. Лифт поднял меня на шестнадцатый этаж. Лестничная клетка была застелена ковром, по углам стояли деревца в кадках, а двери квартир выглядели одинаково, все были выполнены из темного дерева и украшены бронзовыми ручками.

— Долго добирались, — заметила хозяйка, протягивая мне новенькие клетчатые тапочки, — наверное, сначала на Лиховский проезд отправились. Вечно народ Лиховскую улицу с проездом путает.

— Да нет, я сразу нашла, — ответила я, идя за Людой по коридору, оборудованному встроенными шкафами.

— Не против на кухне посидеть? — спросила хозяйка.

— Очень хорошо, там уютней всего, — быстро согласилась я.

Минут десять мы болтали ни о чем. Люда заварила чай, не мой любимый, цейлонский, но все равно вкусный, открыла коробочку с конфетами и банку с печеньем. Наконец я решила, что светские церемонии завершены, и осторожно спросила:

— Игорь отец вашего сына?

Люда молча встала и вышла. Я осталась одна и стала разглядывать кухню. Скорей всего Люда не нуждается в средствах. Большой, двухкамерный импортный холодильник, плита из нержавейки, шкафчики, похоже, итальянские... На столе коробка хорошего печенья и дорогие шоколадные конфеты.

— Вот, — заявила, вернувшись, Люда и положила на стол свидетельство о рождении сына, — смотрите — Антон Игоревич Грачев.

— Примите мои соболезнования, — пробормотала я.

Повисла тишина, потом девушка глубоко вздохнула и неожиданно сказала:

— Вы не волнуйтесь, я не стану претендовать на имущество.

— Какое?

Люда прищурилась:

— Да ладно вам! Великолепно понимаю, зачем вы явились сюда.

— Я ищу убийцу Игоря...

Хозяйка замахала руками:

— Ладно-ладно, я ведь уже сделала вид, что поверила вам. Честно говоря, я побаивалась, а ну как драться начнете, но вы такая симпатичная... не беспокойтесь, я хорошо обеспечена, ваши капиталы не трону!

— Вы о чем?

— Никакая вы не следовательница, — воскликнула Люда, — а мама Игоря.

Я возмутилась до глубины души.

— С ума сошла, да? Я что, похожа на мать парня, справившего пару лет назад двадцатипятилетие? Так старо выгляжу?

— Смотритесь вы очень молодо, — не дрогнула Люда, — с вашими деньгами небось любые подтяжки сделать можно.

— Меня зовут Евлампия Романова, сокращенно Лампа.

Люда рассмеялась:

— Поглупей еще что-нибудь придумайте, таких имен нет!

Я вытащила из сумочки паспорт и сунула под нос девушке.

— Действительно, — пробормотала та, — кто вы? Только не врите, что из милиции.

— Я ищу убийцу Игоря Грачева...

— Вот, — стукнула кулачком по столу Люда, —

снова-здорово! Если вас сюда отправила его мамаша, так и скажите!

— Выслушайте меня до конца! — возмутилась я.

— Ну, говорите, — вздохнула Люда и потянулась к сигаретам.

Когда я закончила свой достаточно обстоятельный рассказ, Люда помолчала, а потом уточнила:

— И вы решили, что Игоря убила я?

— Нет, такое не приходило мне в голову. Просто я подумала, что вы, очевидно, хорошо знаете окружение Грачева. Можете рассказать, кому он досадил? Вдруг взял в долг большую сумму денег и не отдал? Или обманул кого?

Люда стала возить по столу пустую кружку, видно было, что она пытается сообразить, как лучше поступить, наконец решение было принято.

— Ничем не смогу помочь! — решительно отрезала она. — Мы с Игорем мало общались.

— Но вы звонили ему домой и сказали, что мальчика надо вывезти за рубеж!

Люда пожала плечами:

— И что?

— А говорите — мало общались!

— Если честно, мы с ним виделись всего два раза, — преспокойно заявила Люда, — когда познакомились, а потом на регистрации ребенка.

Я постаралась сохранить самообладание.

— Вы забеременели, решили оставить ребенка, а Игорь усыновил дитя?

— Ну, — замялась Люда, — вроде так. Мы с ним не пересекались.

— И вы не требовали алименты?

— Зачем? С одной стороны, я сама хорошо зарабатываю, с другой — что можно взять с нищего студента?

— Ну вы сами только что приняли меня за мать Игоря, очень обеспеченную женщину. Неужели у вас никогда не возникало соблазна показать внука бабушке?

— Нет, — рявкнула Люда, — я не собиралась иметь никаких дел с этой семьей.

— Зачем тогда звонили?

— Я хочу уехать с Антоном в Испанию, на море, а без нотариально заверенного разрешения от отца ребенка не пустят за границу, — объяснила Люда.

Но ей не удалось договорить, потому что из коридора послышались тяжелые шаги и в кухню вошел полный мужчина с пакетами.

— На, — отдуваясь, сказал он, — разбери, там фрукты и всякое-разное. Тоша спит?

Потом взгляд мужика упал на меня, и он весьма недовольно спросил:

— У тебя гости?

— Это частный детектив, — выпалила Люда. — Игоря Грачева убили, отца Антона.

— Так, — протянул мужчина, садясь на стул, — интересное кино! Кто же его, а?

Я хотела было открыть рот, но Люда, неожиданно впав в истерику, закричала:

— Вот она думает, что я! Намекала тут на богатство его родителей...

— Так, — голосом, не предвещающим ничего хорошего, повторил мужик, — ясненько!

— Глупости! — вспылила я. — Ваша Люда...

— С чего ты взяла, что она моя? — напрягся мужик.

— Ну... я просто так сказала.

— Гриша, — подскочила Люда, — все понятно, ее Алена подослала!

Гриша разинул рот, потом вытащил из кармана брюк шелковый носовой платок, вытер потное лицо и пробормотал:

— Ну и откуда бы ей, типа того, знать, а?

В ту же секунду я, глядя на сарделеобразные пальцы, унизанные перстнями с бриллиантами, поняла: Гриша — дурак. В самом прямом смысле этого слова.

— Нет, это ее рук дело, — наседала Люда, — видно, решила разнюхать, не такая уж она и несчастненькая.

— Ну, типа того, — забурчал Гриша, — не права ты! Аленка нормальная.

— Вот! — взвизгнула Люда. — Вечно ты так! Ей все, а мне фигу! Между прочим, ребенка тебе родила я!

С этими словами она схватила одну из красивых кружек с изображениями собачек и шмякнула ее об пол. Веер осколков разлетелся в разные стороны. Людочка топнула ногой и выскочила из кухни. Я с жалостью посмотрела на руины чашки. Недавно видела похожую в магазине «Крокус-сити» и даже держала ее в руках, но не купила, отпугнула цена. Фарфоровая чашечка стоила около семисот рублей, и мне это показалось неоправданно дорого.

— Ну, Людка, — покачал головой Гриша, — прям огонь! Во, как меня любит! Чуть чего, посуду колошматит! Ну не поверишь, третий сервиз покупаю! Ты лучше правду скажи, тебя Алена наняла?

— Это кто такая?

— Жена моя, — вздохнул Гриша, — Алена Сергеевна Маханина, промежду прочим, директором школы работает!

В его последних словах послышалась гордость.

— Нет, — улыбнулась я, — никогда не была знакома с Аленой Сергеевной Маханиной, директором школы. Наверное, она очень достойная женщина, но дела с ней я никогда не имела.

Гриша молча смотрел на меня круглыми глазами барана. Потом на дне зрачков заплескался признак какой-то мысли, через секунду он, сопя, вытащил из барсетки толстую пачку долларов и предложил:

— Ну, говори, сколько тебе Алена заплатила? Дам в два раза больше, поедешь к ней и скажешь: все фигня, набрехали люди, не бывает там Гришка. Ну, чего молчишь? Тебе, типа, деньги не нужны?

Я вздохнула и попыталась перейти на понятный парню язык.

— Ты, типа, не врубился, браток. Алену-то я не знаю. Мне, типа, требуется разнюхать, кто Игорьку на тот свет проездной документ выписал, вот я и явилась к Людке побазарить. Она, типа, жена Игоря.

Гриша насупился:

— Ты, типа, того, думаешь, она его?

— Типа, нет! — категорично ответила я. — Типа, не похоже. Но она может знать, кто его, типа, того!

— Почему? — медленно ворочал мозгами мужик. У меня иссякло терпение.

— Спал он с ней! А многие в кровати бывают откровенны. Вполне возможно, что Игорь рассказывал Людмиле о своих проблемах, упоминал имена приятелей. Может, он деньги брал в долг и вовремя не отдал или обидел кого-нибудь, понимаешь?

— Да нет, — протянул Гриша, — не было этого.

— Чего?

— Не спал он с ней никогда.

— А ребенок откуда взялся?

— Ща, погодь, — ответил Гриша и выудил из кармана крохотный мобильник. — Слушаю! Кто? Ты? Чего? Покупай! Все! Без проблем! Возьми две! Только не переживай!

Он захлопнул крышечку и тяжело вздохнул:

— Ну бабы, блин! Ваще замучили! Какую ей шубу покупать! Ту или эту! Да хватай обе и отвяжись!

Качая головой, он раскрыл пачку самых дешевых сигарет, закурил и, выпустив вонючий дым, сказал:

— Ты, типа, того, послушай, чего расскажу.

ГЛАВА 8

Гриша — шофер и большую часть жизни провел за баранкой, образование у него восемь классов, потом техникум, и все. Собственно говоря, ничего, кроме как управлять автомобилем, он не умеет. Зато жена Грише попалась умная. За годы их брака она успела окончить педагогический институт и вырасти из простой учительницы русского языка до директора школы. Почему Алена Сергеевна жила с неотесанным Гришей, многим было непонятно. Уж очень разными казались супруги, да и детей господь им не дал. К тому же Алена, имевшая много частных учеников, зарабатывала в прежние времена куда больше мужа.

Но чужая жизнь потемки, что-то, очевидно, связывало Маханиных, раз столько лет они вполне мирно существовали бок о бок.

На заре перестройки Гриша, как и многие другие, решил заняться торговлей. А поскольку лучше всего он разбирался в автомобилях, то начал продавать подержанные иномарки, и вот тут выяснилось, что у мужика редкостный талант зарабатывать деньги. Царь Мидас просто отдыхает около Гриши. Их величество превращало в золото все, чего касалось руками, а Григорию было достаточно посмотреть на объект, как из того начинал бить фонтан зеленых купюр. Очень многие предприниматели не продержались на рынке и года. Гриша же словно был женат на удаче. Сейчас он владелец нескольких автосалонов, парочки сервисов, кроме того, ему принадлежит бензозаправка, одним словом, материальных проблем никаких, одни моральные.

С Гришей произошло то, что частенько происходит с мужчинами на пороге пятидесятилетия. Им начинает казаться, что жизнь безвозвратно утекает сквозь пальцы, а они ее и не видели. Он никогда не изменял своей жене, а тут бес попутал. Ехал в дождь по дороге и увидел совершенно мокрую, хорошенькую девчоночку, голосующую на обочине. Сами понимаете, что Гриша не подрабатывает «бомбизбом», он просто пожалел дурочку, ливень хлестал как из ведра.

Через год Людочка родила мальчика, и перед Гришей во всей красе возник извечный вопрос: что делать?

Став отцом в том возрасте, когда многие сверстники уже забавляются с внуками, Гриша безумно полюбил сына. Но он не хотел и не мог оставить Алену. Кроме того, Григорий боялся, что жена узнает о существовании незаконнорожденного отпрыска и попадет в больницу. У Алены больное сердце, Грише очень нравилась веселая Людочка, с ней он становился моложе. Его умиляла манера молодой женщины закатывать истерики. Алена никогда не била посуду и во всех семейных сценах всегда «держала лицо». Гриша же, как правило, выходил из себя и начинал орать. Потом его стали мучить угрызения совести, он покупал жене очередные серьги с бриллиантами и чувствовал себя просто негодяем. Во время скандалов Алена обычно молчала, и Грише всегда казалось, что он несдержанный хам, очень некомфортное ощущение.

Людочка же мигом принималась колотить посуду и орать, один раз она стукнула любовника скалкой. В другой, приревновав Гришу, сложила его новый костюм в пакет и выбросила в окно. Но, несмотря на истерические всплески, с Людочкой Грише было легче, чем со сдержанной, не сказавшей за всю семейную жизнь ни одного бранного слова Аленой. Зато жена могла дать ценный совет, она очень хорошо разбиралась в людях и пару раз удержала мужа от сомнительных сделок. Еще с Аленой было приятно ходить в гости. Умная, начитанная, она могла поддержать любой разговор, и Гриша пыжился от гордости, когда жена спокойно обсуждала с кем-нибудь книгу Мураками.

Людочка же не читала вообще, зато она обожала футбол и азартно болела, подпрыгивая в кресле. С ней можно было особо не церемониться, развалиться в трениках на диване и прихлебывать пиво прямо из бутылки, с Аленой такое не проходило. Зато Алена очень вкусно готовила, пекла изумительные пироги и варила обожаемое Гришей «царское» варенье. Жене было не лень вытаскивать из крыжовника мякоть, отдельно от шкурок готовить ее в сиропе, а потом запихивать в «одежку». Люда не умела пожарить яичницу, но она родила Антошу. Алена же, несмотря на годы, проведенные в клиниках, осталась бесплодной, зато она имела кучу знакомых и десятки благодарных ей родителей. Любую проблему Алена решала при помощи записной книжки. Когда у Гриши возник напряг с покупкой помещения для очередного магазина, именно жена решила эту задачу. В ее школе учился сын бабы, которая занималась продажей нежилых зданий...

В конце концов Гриша запутался окончательно и пришел к неутешительному выводу: он любит обеих. Одно время в его голове зрела дикая идея: позвать

Алену и Люду в ресторан и предложить им жить вместе. Разбогатевший шофер даже провел небольшую разведку. Проявив несвойственную ему хитрость, сказал Алене:

— Прикинь, какая история с друганом приключилась. Родила ему девка сына...

Жена спокойно выслушала мужа и, мягко улыбнувшись, ответила:

— Не знаю, как поступит супруга твоего знакомого.

— А ты бы че сделала? — напрягся Гриша.

Алена категорически заявила:

— Мигом бы собрала вещи и ушла бы. Впрочем, мне повезло, что ты честный человек, не способный на подлые поступки. Я бы недалеко ушла, знаешь ведь про мое больное сердце. Скорей всего подобная новость просто убьет меня. Инфаркт часто случается на фоне стресса.

Гриша растерянно замолчал. Так они и жили какое-то время, но потом Люда устроила дикую истерику:

— У моего сына в графе «отец» стоит прочерк, — вопила любовница, — представляешь, какой позор начнется сначала в детском саду, потом в школе? Его задразнят! Запиши ребенка на себя.

Гриша, с одной стороны, понимал, что Люда права, но с другой — боялся, что любовница подстережет Алену и сунет той под нос свидетельство о рождении мальчика. Люда была способна на такой поступок. Впрочем, она могла так позабавиться и сейчас, но у Гриши оставался теоретический шанс отбиться, бормоча, типа, ничего не знаю, врет она.

А если в руках у Люды появится официальное свидетельство подтверждения его отцовства, тогда как?

От всех переживаний Гриша даже похудел. Ему хотелось взять баб, перемешать вместе и вылепить из них одну, идеальную в его понимании жену. Хозяйственную, простую, без интеллигентских закидонов, но не дуру, не хамку, спокойную тетку, изредка

бьющую посуду, хорошую мать и уважаемую всеми
учительницу. Ясный перец, что такой вариант был невозможен. Если бы Гриша читал Гоголя, он бы мигом
вспомнил его пьесу «Женитьба» и терзания главной
героини, желавшей приставить нос одного своего
кавалера на лицо другого. Но Гриша классику не знал,
чувством юмора не обладал и мучился от казавшейся
безысходной ситуации.

Но, видно, верно говорят люди: если чего-то очень
хотеть, оно исполнится. Гриша приехал в один из своих салонов на инспекцию и наткнулся там на симпа-
тичную молодую женщину Надю, желавшую купить
подержанный «Фольксваген Гольф». У Нади не хватало трехсот долларов, и Гриша сделал ей скидку.

— Эх, — бормотнул он, — кабы мои проблемы так
же легко решились, как ваша! Вот кто бы их за меня
распутал?

— Может, я могу помочь? — участливо спросила
Надя.

Гриша глянул на женщину. Надю нельзя назвать
красивой, но в ее лице было что-то располагающее.
Гриша с утра уже выдержал истерику от Люды, вернулся домой попить кофе, не сдержался, наорал ни за
что ни про что на Алену и теперь чувствовал себя гаже
некуда. В кабинете они сейчас были одни, и неожиданно Гриша выложил незнакомой бабе все свои го-
рести.

В Америке и в Европе люди ходят в подобных
случаях к психотерапевту, но россияне массово путают этого специалиста с психиатром и предпочитают выливать свои проблемы на головы случайных
людей, соседей по купе или мимолетных знакомых.

Надя выслушала Гришу и сказала:

— Проблема проста, как табуретка. Нужно найти
не слишком богатого мужчину, который признает
Антона своим сыном. Чтобы Люда согласилась на
это, вы должны положить на ее имя крупную сумму
или переписать на любовницу часть бизнеса.

Гриша разинул рот. Подобный вариант не прихо-

дил ему в голову, но где найти «папочку»? И снова Надя пришла на помощь.

— Я работаю в брачном агентстве, — сказала
она, — знаю одного паренька, Игоря Грачева. Хороший мальчик, у него какие-то проблемы с родителями, они его из дома выгнали, ну да это нам неинтересно. Игорь нуждается в деньгах, думаю, он согласится!

— Ты, типа, того, — занервничал Гриша, — коли
уломаешь парня, я тебе «Фольксваген» подарю. Да не
бери тот, что купить сейчас решила. Он говно, битый
весь был... Сам найду тачку, усекла?

— Усекла, — хмыкнула Надя, — жди звонка.

Дело уладилось в две недели. Сначала Люда принялась бешено орать и бросать в стену тарелки, но
потом сообразила, что Гриша не собирается от нее
уходить, и замолкла. Окончательно примирила ее с
ситуацией бумага, из которой явствовало, что Людочка теперь является владелицей приносящего не-
малый доход комплекса, состоящего из бензоколон-
ки, магазинчика, кафе и небольшой гостиницы. Все
было оформлено чин-чинарем, и она смирилась. Гриша вздохнул спокойно. Алена ни о чем не подозревала, Людочка вела себя смирно, Надя получила почти
новый «Форд» — короче говоря, все были довольны
и счастливы, пока тут не появилась я.

— Ну теперь, типа, поняла? — тыча в меня пальцем, поинтересовался Гриша.

Я кивнула:

— Вроде разобралась. Похоже, вы тут ни при чем.

— Проблемы опять начнутся, — гудел Гриша.

Я хотела было успокоить его. Наоборот, получается, что у Антона отец умер, и никаких хлопот. Но,
похоже, Гриша боялся, что Люда теперь потребует,
чтобы родной папа признал ребенка.

— Дела, — качал головой папаша, — ну какого хрена его убили? Кто? Небось долгов наделал. Не понравился мне он.

— Игорь?

— Ну да, — кивнул Гриша, — свистун. Видно, что на шмотки деньги спускает.

— Что же тут плохого? — улыбнулась я. — Молодой, хочется хорошо выглядеть.

— Так если бабок совсем нет, на хрена на барахло тратиться, — пожал плечами Гриша, — вложи их в дело, приумножь, а потом хоть на «мерсе» катайся. Нет, похоже, он не из деловых, так, болтун. Значит, тебя не Алена подослала?

— Нет, — успокоила я его, — совершенно другой человек, вы с ним незнакомы. Сейчас я уйду, и больше мы не встретимся.

— Вот и славно, — повеселел Гриша, роясь в карманах, — на, держи визитку, ща, погодь.

Из барсетки появилась золотая ручка устрашающих размеров. Гриша снял колпачок и старательно написал в углу «10%», затем поставил закорючку и, всовывая мне карточку, заявил:

— Надумаешь тачку покупать, заходи, это тебе суперскидка!

— Спасибо, — улыбнулась я, — не премину воспользоваться когда-нибудь.

— Ну, типа, прощай, — сказал Гриша.

— Ну, типа, до свидания, — отозвалась я и ушла.

ГЛАВА 9

Не знаю, как у вас, а в нашей семье раз в год случается настоящий кошмар под названием «переезд на дачу», и хуже его только то, что называется «отъезд в Москву».

Дом наш расположен в Подмосковье, в местечке под названием Алябьево, и он совсем новый, его построили недавно. Историю о том, как развалилась старая фазенда и кто возвел нам эти хоромы, я уже рассказывала и повторять тут не стану[1]. В теперешнем доме

---

[1] См. книгу Дарьи Донцовой «Фиговый листочек от кутюр».

есть все: мебель, холодильник, кухня... Казалось бы, что везти с собой? Так, ерунду, постельное белье, носильные вещи, телевизоры, радиоприемник, стиральный порошок, цветы, обувь, подушки, одеяла, пледы, любимые книги, компьютер для Лизы, кучу игрушек для Кирюши, два велосипеда, ролики, столовые приборы, тарелки, кастрюли, тазики, удлинители, настольные лампы...

Впрочем, большинство из вещей нужно просто купить в двойном размере и оставить одну часть на даче. К слову сказать, так оно и было, пока нас не ограбили. Воры утащили все, что смогли, а оставшееся разломали и испачкали. После этого случая мы таскаем все с собой. Перед отъездом я бегу на рынок, приобретаю там безразмерные баулы, знаете, такие бело-синие или бело-красные, с которыми «челноки» мотаются в Турцию, и запихиваю в них все, подлежащее вывозу.

В этом году я планировала отъезд позже, чем обычно, потому что Кирюшка сдает экзамены. Поэтому представьте мое удивление, когда, вернувшись домой, я обнаружила в коридоре шеренгу туго набитых сумок и всклоченных Юлю с Магдаленой, азартно запаковывающих вещи.

— Где ты шляешься? — налетела на меня Сережкина жена. — А ну живо начинай собираться.

— Но...

— Давай, двигайся, — велела Юлечка, — завтра в девять утра едем в Алябьево.

— Почему? Хотели же позже туда перебираться! Кирюша же экзамены сдает!

— Ничего с ним не случится, — пыхтела Юля, пытаясь закрыть молнию на очередном бауле, — на электричке пару раз в город съездит, не развалится.

— Отчего такая спешка? — недоумевала я.

Юля села на стул и устало пояснила:

— Сережка отправляется в Коктебель на фестиваль рекламы за счет своей фирмы.

— Вот повезло! — обрадовалась я. — На дармовщину отдохнет!

— Точно, — кивнула Юля, — но самое невероятное, что мой журнал посылает меня туда же в командировку!

— Такое раз в жизни случается!

— Именно, — ухмыльнулась Юлечка, — как ты одна выезжать будешь, а? От Кати толку нет.

— Вовка поможет, — бодро начала я и осеклась. Костин уехал на Селигер.

Юля встала и принялась расправлять очередную сумку.

— Завтра мы на трех машинах выедем в Алябьево, устроим вас там и со спокойной душой махнем в Коктебель.

— Мои «Жигули» в ремонте, — напомнила я.

— Поедешь на Вовкиной машине, — отрезала Юля, — а теперь ступай запаковывать кастрюли.

Я пошла на кухню, шаркая тапками, словно столетняя бабка. Надо же, я считала, что до кошмара есть еще время, а он, оказывается, уже тут как тут. Еще я не люблю ездить на Вовкиной «шестерке», потому что и со своей-то управляюсь без всякого удовольствия. И похоже, сегодня поспать не удастся.

Ровно в восемь утра мы начали процесс запихивания тюков в багажники.

— В прошлом году было меньше вещей, — констатировал Сережка, — чего вы понабрали, а? Ерунду всякую.

— Тут только самое необходимое, — пояснила я.

— Сто семьдесят тысяч крайне нужных вещей, — бубнил он, пытаясь поднять самый большой баул, — вы прихватили чугунные батареи? Вырвали их из стены?

— Здесь кастрюли, — заявила я.

— Чтоб им сгореть, — выдохнул Сережка и водрузил сумищу на крышу «Жигулей».

Дальше пошло легче. Спустя примерно час шмотки были утрамбованы.

— Несите веревки, — велел Сережка.

— Зачем? — удивилась я.

— Лампудель, — взвыл он, — каждый год ты с тупым упорством задаешь один и тот же вопрос. Пора запомнить! Сумки, те, которые на крыше, привязывают! А теперь живо неси бечевки.

Естественно, ничего даже отдаленно похожего на шпагат у нас не нашлось, и пришлось бежать в магазин.

— Ты двигаешься со скоростью беременной черепахи, — разозлился Сережка, получив мотки, — уже половина десятого, а мы еще тут.

— Извини, — отдуваясь, оправдывалась я, — пришлось идти на проспект, потому что...

— Она же шелковая! — перебил меня Сережка. — Лампудель! Ты купила скользкие веревки!

— И что?

— Их невозможно хорошо завязать!

— Ладно, побегу искать другие, — покорно согласилась я.

— Нет уж, — категорично заявила Юлечка, — так мы до ужина не уедем, крепи этими.

— Развяжутся! — сопротивлялся Сережка.

— Нет!

— Да!!

— Нет!!!

— Да!!!!

Понимая, что сейчас супруги начнут открытые военные действия, я хотела было сказать: «Мухой слетаю за веревками», но тут вдруг Сережка вполне мирно заявил:

— Ладно, будь по-твоему, но, если сумки слетят...

— Не слетят, — топнула ногой Юлечка, — прекрасно доедут. Багажник на крыше только у Вовкиной машины, за рулем будет Лампа, она ездит тихо.

После привязывания баулов наступил следующий этап. Из дома вывели собак. Животные понимали, что происходит нечто неординарное, и нервно поскуливали. Юля открыла дверцу:

— Эй, сюда!

Рейчел спокойно вспрыгнула на заднее сиденье, коротколапые Муля и Ада бестолково суетились, пытаясь оттолкнуть друг друга, Рамик перепрыгнул через них и сел впереди.

— Интересное дело, — возмутилась я, — они что, все со мной?

— У нас сиденья забиты, — хором ответили супруги, — дети тоже с тобой!

— Потом Мулю всегда тошнит, — заявил Сережка, — терпеть не могу ее возить!

Ага, а я обожаю катать собачку, которая обладает синдромом обратной перистальтики. Кстати, Ада во время дороги воет, Рейчел начинает громко икать, а Рамик трясется, словно сидит под током. Почему мне всегда достается самая неприятная задача? Хорошо хоть кошка Пингва путешествует в перевозке.

Не успела я возмутиться, как из подъезда появилась Магдалена с небольшой кадкой, из которой торчал длинный ствол, украшенный шапочкой листьев. Пальма!

Несколько лет назад одна из подружек подарила Лизавете на день рождения это жуткое растение. Сначала в небольшом горшочке жил крохотный росточек, но уже к зиме он вымахал, и его пришлось пересаживать. Пальма становилась все выше, горшки все объемнее. Теперь у нас кадка, а само растение, примерно метрового роста, выглядит отвратительно. Довольно тонкая, неправдоподобно длинная нога, венчающаяся тремя листочками. Толку от пальмы никакого. Она не пахнет, не цветет и не дает съедобных плодов. Над ней летают мошки, а еще Лиза поливает ее какой-то вонючей жидкостью. Вот уже несколько лет я надеюсь, что она засохнет. Однажды, когда Лизавета уехала на зимние каникулы, я не поливала пальму и, потирая руки, поджидала ее смерти. Но отчего-то дитя африканского континента даже не сбросило ни одного листочка. Похоже, пальма переживет меня.

— Магдалена, — скомандовала Юля, — садись на переднее сиденье, кадку ставь на пол и держи ее ногами, поняла?

— Ага, — пискнула девочка и полезла в «Жигули».

Рамик покорно перебрался на заднее сиденье.

Следом из подъезда вырулил Кирюшка с аквариумом, в котором мирно спала жаба.

— Ты к собакам, — велел Сережка.

— Меня укачивает, — заныл мальчик, — пусть Магдалена сидит сзади.

Девочка безропотно повиновалась, Кирюшка устроился на ее месте. Через секунду Магдалена пробормотала:

— Пальма не лезет.

— Не может быть, — обозлился Сережка, — только что же входила!

— А теперь нет.

Мы заглянули внутрь и констатировали странное обстоятельство. Мерзкое растение на самом деле было согнуто и грозило сломаться. Отчего это произошло, я не понимаю до сих пор! Машина-то одинаковая по высоте что спереди, что сзади.

— Пусть так едет! — обрадованно воскликнула я, тайно надеясь, что сейчас-то уж точно лишусь пальмы навсегда.

— Ага! — фыркнула Юля. — А потом Лизка нас убьет. Ну-ка, меняйтесь местами!

Магдалена беззвучно выполнила приказ.

— Меня тошнит сзади, — уперся Кирюша.

— Тогда отдай аквариум и бери пальму, — не растерялась Юля.

— Ни за что! — взвыл мальчик. — Не поеду с идиотским горшком! Вообще тут останусь! Не нужна мне ваша дача на фиг!

Магдалена тихо стояла у машины, сжимая кадку. Я вздохнула. Может, правы те, кто утверждает, что детей надо бить? Клава небось все детство лупила дочку, и вот она теперь само послушание.

— Немедленно полезай назад, — приказал Сережка.

— Меня стошнит, — зудел Кирюшка, — плохо станет.

— Давайте привяжем кадку наверху, — предложила я.

Секунду Сережка стоял с раскрытым ртом, потом, слегка покраснев, заорал во всю мощь легких:

— Молчать!!!

Кирюшка мигом переместился назад, Магдалена юркнула вперед, я села за руль, включила зажигание и медленно тронулась с места. На крыше загрохотали кастрюли, Ада завыла, Муля закашляла, Рейчел стала издавать квакающие звуки, Пингва зашипела, Рамик заворчал, по салону поплыл отвратительный запах удобрений... Мы выехали на проспект, и тут Магдалена тихо спросила:

— Едем на дачу?

За рулем все мое внимание отдано дороге, поэтому я ответила односложно:

— Да.

— Надолго?

— На все лето.

— Сюда не вернемся?

— Только осенью.

— А как же папа? Он в комнате спит, пьяный!

От неожиданности я со всей силы нажала на тормоз. Собаки завизжали, Кирюшка завопил:

— С ума сошла! Не картошку везешь! Детей!

На мой взгляд, почти двухметровый подросток потерял статус маленького ребенка, но раздумывать на эту интересную тему сейчас было недосуг. В кармане ожил мобильный.

— Что стряслось? — раздался недовольный голос Сережи. — Чего встала?

— Мы забыли Юрия! Он спит!

Слова, которые произнес Сережка, я тут повторять не стану, моя мама их бы не одобрила.

Спустя полчаса мы повторили попытку выезда. Теперь на заднем сиденье рядом с Мулей, Адой, Рейчел, Рамиком, Пингвой, Жабой и Кирюшкой сидел еще и отец Магдалены. Он находился в стадии амнезии. Сережка с большим трудом сунул его в салон. Одна радость, Юрий мгновенно заснул. Зато теперь к запаху навоза, которым Лизавета любовно поливает пальму, присоединился аромат перегара.

— Откройте все окна, — велела я.

Стало ненамного лучше, в салон ворвался пропитанный бензиновыми парами воздух.

— Тошнит, — ныл Кирюша, — Юрий жутко воняет, давай купим ему «Орбит».

— Он не сможет его жевать во сне, — резонно ответила Магдалена. — Мама папе в рот освежитель прыскает, в ларьке берет самый дешевый, для туалета.

Чувствуя, что сейчас опьянею, настолько сильна была в воздухе концентрация алкоголя, я притормозила у палатки и попросила Кирюшу:

— Купи дезодорант.

Мальчик кряхтя вылез и не спеша пошел к ларьку. Сережка и Юлечка давно умчались вперед, они, наверное, скоро уже выедут на шоссе, а мне еще предстоит только добраться до МКАД.

Минут через двадцать я вырулила на Кольцевую, встала за большим грузовиком и сконцентрировалась на дороге.

— Смотри, — заорал внезапно Кирюшка, — там лошадки!

Я машинально повернула голову, испугалась, тут же вернула ее на место и увидела прямо перед носом грязную заднюю часть самосвала. Нога мигом вдавила педаль тормоза в пол. Сзади раздался скрежет, звон, вопль... Ада и Муля взвыли, Рейчел залаяла... Понимая, что случилась неприятность, я вышла из машины и замерла. Сережка оказался прав, скользкие веревки — вещь ненадежная. Каким-то образом многочисленные узлы развязались, сумки с кухонной утварью свалились, и теперь дорога была усеяна нашими кастрюлями, сковородками и мисками.

— Офигела, блин, — заорал дядька из стоящего за мной «Вольво».

Я заметалась по трассе, пытаясь собрать утварь, на помощь мне кинулись Магдалена и Кирюшка. Мальчик забыл закрыть заднюю дверь, собаки выскочили на проезжую часть. Ада мигом пописала, Муля пристроилась покакать, Рейчел тошнило, Рамик просто сел посреди шоссе. У меня опустились руки. Надеюсь, никто из вас никогда не оказывался в подобной ситуации: на окружной дороге, среди раскиданных котелков и плошек, в окружении безобразничающих собак, да еще в компании озлобленных шоферов, безостановочно нажимающих на клаксоны. Хорошо еще, что водители, увидав произошедшее, остановились.

Не успела я взять себя в руки, как с воем подлетела машина ДПС, и два сержанта гневно заорали:

— Пробку создали!

— Лучше помогите, — взмолилась я.

Парни переглянулись и начали собирать кастрюли.

— Отгоните машину на обочину, — велел один.

— Не могу, — всхлипнула я, — руки трясутся, сделайте милость, отпаркуйте сами.

В присутствии дорожно-постовой службы остальные водители присмирели и замолчали. Один из сержантов сел в «Жигули». Я перевела дух, кастрюли почти собраны, собаки помыны...

И тут из машины выбрался Юрий. Он обвел мутным взором милиционеров и с криком: «Не дамся, гады!» — понесся по дороге, лавируя между машинами.

За ним с воплями «стой!» кинулись Кирюшка и Магдалена.

В арьергарде скакала Рейчел и ковыляли мопсихи. Я уронила сумку, миски снова покатились по дороге. Это было уже слишком, последние силы покинули меня. Ноги подломились, я опустилась прямо на грязный, горячий от жары асфальт и заревела в голос.

— Всех убью, — выл, удаляясь, Юрий.

Собаки лаяли, миски валялись на дороге, жизнь повернулась ко мне задом.

Внезапно захлопали дверцы машин и чьи-то руки подняли меня. Дальше ситуация стала развиваться без моего участия, непонятным образом я оказалась внутри прохладного, пахнущего дорогими духами салона «Мерседеса». Кто-то сунул мне в руку бутылочку «Спрайта» и упаковку бумажных носовых платков. Пока я утирала сопли, парочка незнакомых парней поймала Юрия, надавала ему затрещин и всунула в

«Жигули». Неизвестная женщина в джинсах и футболочке стрейч сложила кастрюли. Сержанты где-то добыли толстую бельевую веревку и ловко примотали торбы. Собак отловили и тоже впихнули в машину. Магдалена подхватила пальму, я вылезла из «мерса»... И тут во весь голос зарыдал Кирюшка.

Его мигом окружила толпа. Кто-то совал мальчику воду, кто-то протягивал шоколадку.

— Не плачь, — успокаивала его женщина в футболке, — всякое случается! Подумаешь, папа пьяный в жопу и кастрюли растеряли, эка невидаль! Сейчас на дачу с мамой приедешь!

— Гертруда погибла, — закричал Кирюша.

Все замолчали.

— Это твоя бабушка? — тихо поинтересовался владелец «мерса».

— Жаба! — рыдал Кирик. — Жаба! Пока мы за Юрием бегали, она из аквариума убежала и теперь умрет!

Как-то принято считать, что люди сейчас стали злыми, неприветливыми и никогда не помогают друг другу. Я понимаю, что вы мне не поверите, но все участники пробки на МКАД принялись искать Гертруду. Движение было парализовано, причем с обеих сторон. Потому что поток машин, кативший навстречу, притормозил, и водители начали высовываться из окон, задавая вопросы.

— Чего ищите?

— Кино снимают, да?

— Игра какая-то на деньги?

Гертруду обнаружил владелец «мерса». Зареванный Кирик прижал жабу к груди. Я села на водительское место и постаралась взять себя в руки. Женщина в футболке подбежала ко мне и шепнула:

— Возьми-ка, у меня муж пил похлеще твоего, купила и дала ему, словно рукой сняло, попробуй, волшебное средство.

Я сунула протянутую бумажку в карман. Движение на МКАД восстановилось, поток автомобилей плавно побежал вперед. Надо было рулить в Алябьево.

— Слышь, гражданочка, — всунул голову в «Жигули» один из сержантов, — вы навсегда из Москвы отбываете?

— На лето, а что?

— Ничего, — тяжело вздохнул парень, — значит, еще назад поедете... Авось не в нашу смену.

ГЛАВА 10

К девушке Наде, столь усиленно помогавшей Игорю Грачеву, я сумела поехать только в четверг. До этого, скрипя зубами от злости, обустраивалась на даче, раскладывала по местам вещи. Еще у меня каждый раз в душе оживали неприятные воспоминания при взгляде на роскошный дом, стоящий на соседнем участке[1]. Слава богу, что там теперь живут другие люди, на первый взгляд, милые, но близко знакомиться с ними я не хочу!

Брачное агентство расположилось в небольшом, но уютном помещении. Хозяева явно постарались сделать так, чтобы клиенты почувствовали себя в комфортной, домашней обстановке — никакой офисной мебели серого цвета и холодных кожаных диванов, у стены стояла мягкая софа, покрытая уютным, клетчатым пледом, посредине комнаты громоздился круглый стол, накрытый красивой скатертью, и четыре стула. Окна закрыты занавесками, горела настольная лампа, и было прохладно. После жаркой, солнечной, гомонящей на все голоса улицы вы попадали в райское местечко: тихое, со свежим воздухом.

Да и Надя располагала к себе, круглая толстушка с яркими карими глазами и приветливой улыбкой. При взгляде на такую девушку не возникнут комплексы, которые невольно появляются, когда смотришь

---

[1] См. книгу Дарьи Донцовой «Фиговый листочек от кутюр».

на безукоризненно одетых и волшебно красивых сотрудниц преуспевающих банков.

Надя зажгла торшер.

— Садитесь сюда, в кресло. Ну, в чем проблема?

На всякий случай я решила начать издалека и смущенно пробормотала:

— Ну просто... Сами понимаете...

— Замуж хотите? — уточнила Надюша.

— Честно говоря, не очень, — вырвалось у меня.

Вот ведь глупость сказала! Сейчас служащая удивится и задаст вопрос: «Зачем тогда пришла?»

Но Надя понимающе кивнула.

— Хорошо. Давайте уточним данные.

— Кого? — растерялась я.

— Вашего будущего любовника, — без тени смущения ответила она, — у нас обширная картотека для тех, кто не хочет оформлять отношения, а ищет друга. Начнем с возраста... Лет сорок, думаю?

Передо мной появился альбом с фотографиями. Я машинально перелистала страницы. Честно говоря, я была удивлена и не предполагала, что столько мужчин обращаются в брачное агентство. Снимка Игоря Грачева не было.

Я захлопнула альбом и попробовала вплотную приступить к интересующей теме.

— Понимаете, я имею собственную фирму и довольно неплохо зарабатываю... А вот личная жизнь никак не складывается.

— Бывает такое, — легко согласилась Надя, — сплошь и рядом. Сюда много женщин приходит, но вы особо не волнуйтесь, подберем вам пару, тем, кто ищет не мужа, а любовника, легче. Кстати, вы хотите свободного мужчину?

— В каком смысле?

— В прямом, — пояснила Надя, — женатый не подойдет?

— А у вас есть семейные кавалеры?

Девушка кивнула и вытащила новый альбом.

— Только те, кто имеет штамп в паспорте, предпочитают замужних женщин.

— Почему?

— Хлопот меньше, — улыбнулась Надя, — встретились два раза в неделю и разбежались. Ни он, ни она семьи рушить не собираются, претензий друг к другу не предъявляют, сцен ревности не устраивают. Да и болтать о любовнике замужняя не станет!

— Зачем тогда мужу изменяет, если разводиться не собирается?

Надюша вытащила длинный ящик и начала перебирать карточки.

— Всякое случается. Некоторым нужен чисто сексуальный партнер. Супруг со всех сторон хорош, а в постели слабоват, другие хотят душевных разговоров. Не всякий муж интересуется делами жены... У людей разные причины, наша задача соединить тех, кто подходит друг другу, вот поэтому я всегда прошу клиентов: мы тут с вами наедине, дальше меня информация не пойдет, расскажите честно: зачем пришли? Только тогда я сумею помочь. Но люди иногда боятся откровенно разговаривать, из-за этого возникают нелепые ситуации. Вот недавно явился мужчина, наплел тут с три короба, любовницу искал. Ну я ему и подобрала очень сексуально активную даму. Что бы вы подумали? Неделю назад он приходит, мнется. Оказывается, он давно импотент, никакая виагра не помогает, а женщина ему требуется для представительских целей: на прием сходить, в ресторане потусоваться, чтобы коллеги по бизнесу в его ориентации не сомневались. Подобрала ему другую даму, теперь он доволен. Спрашивается, почему сразу не сказал?

— Постеснялся, наверное, — предположила я, — не всякий мужчина способен заявить: «Здравствуйте, перед вами импотент».

Надюша подняла вверх указательный палец:

— Вот! Основная ошибка! В этом кабинете следует вести себя, как у врача! Вижу, например, сейчас, что вам никто не нравится из альбомчиков, лучше честно скажите: зачем пришли?

— Ну, — закривлялась я, — хорошо. Наверное, и

впрямь стесняться не надо. Меня привлекают молодые юноши, совсем юные.

Наденька отставила ящик и предостерегающе сказала:

— У нас только с восемнадцати лет, мы соблюдаем
закон.

— Нет-нет, — быстро сказала я, — педофилией
не страдаю, чуть старше двадцати, самый мой возраст.

— Без проблем, — успокоила меня Надя и вытащила еще один альбом, но и там не оказалось фото-
графии Игоря Грачева.

Наверное, на моем лице промелькнуло разочарование, потому что она заботливо переспросила:

— И здесь вам никто не пришелся по душе?

— Понимаете, — забубнила я, — у одной из моих
подруг был кавалер, Игорь Грачев, она с ним познакомилась через ваше агентство. Очень мне паренек
понравился. Сейчас моя знакомая уехала на посто-
янное местожительство в Израиль одна, я и подумала, что Игорь, наверное, свободен.

Надюша кивнула.

— Есть у нас такой, Игорь Грачев, только он вам
не подойдет.

— Почему?

— Игорь платный партнер.

— Простите, я не совсем поняла...

Надюша встала.

— Вас не затруднит пройти в соседнюю комнату?

За другой дверью находился безукоризненно отде-
ланный офис. Надя села за письменный стол и включила компьютер.

— У нас есть определенная категория клиентов, —
пустилась она в объяснения, — которым требуется
не любовь, не душевные разговоры, не секс и не счастливая семья. Просто какая-нибудь бизнес-вумен не
хочет появляться на тусовке в одиночестве, вот и нанимает кавалера, оплата почасовая.

— Мужская проституция, — вырвалось у меня.

Надюша нахмурилась.

— Ничего общего. Во-первых, среди наших работников поровну мужчин и женщин, а во-вторых, об оказании интимных услуг речи не идет, только сопровождение. Впрочем, если кто захочет потом лечь в постель, это не наше дело, но оплачивается лишь работа: поход в ресторан, в гости, на концерт... Так вот, Игорь из платных партнеров, и он, конечно, не согласится заводить амуры просто так. Кстати, он забрал свою карточку, ушел от нас.

— Почему? — насторожилась я. — Поругался с кем-нибудь?

— Нет, просто нашел себе другое место работы.

— Какое?

Надюша секунду смотрела в мерцающий экран компа, потом продолжила:

— Садитесь на мое место, изучите контингент, кое-кто не так уж и дорого стоит.

— Мне нужен Игорь!

Надя развела руками.

— Раньше я вызвала бы его к вам сразу после оплаты квитанции, но сейчас, увы. Грачев больше не работает.

— Дайте его адрес.

— Не могу, вернее, не знаю. Игорь ушел, его карточка уничтожена.

— Ага, — обиженно протянула я, — просто я не понравилась вам, раз такого красавца, как Грачев, прячете! Или сомневаетесь в моей платежеспособности? Конечно, одеваюсь просто, украшений не ношу, но, поверьте, на свои прихоти могу потратить любую сумму.

— Вот Максим Кулагин, — щелкнула мышкой Надя, — взгляните, хорош собой, воспитан, владеет двумя языками.

— Да, — ныла я, — а Грачева прячете.

— Вовсе нет.

— А вот и да! Зосе его сразу в качестве мужа предложили, а Люде — в «папочки» для Антона.

Надя выключила компьютер и сердито спросила:

— Вы кто? Только не надо больше врать, что хотите подобрать себе партнера. Зачем вам Игорь понадобился? Говорите честно, предупредила же, я смогу помочь лишь в случае предельной откровенности. Чего кругами ходите? По какой причине на Грачеве заклинило? Он и правда у нас больше не работает. Надеюсь, хорошо устроился на новом месте.

— Вряд ли Игорю теперь понадобится какая-нибудь служба, — вздохнула я.

Настал Надин черед удивляться:

— Почему?

— Его убили.

— Как?! — подскочила она.

— Выстрелили в голову пару дней назад, у входа в метро «Новокузнецкая», я ищу его убийцу.

— Так вы из милиции, — пробормотала Надя, — значит, хотели меня разговорить и что-нибудь выудить. Да уж, менты подлые люди, только зря старались, у нас все по закону, мы ничем таким не занимаемся. Лучше бы «Зеленую розу» проверили, там такое творится!

— Я частный детектив, к органам МВД отношения не имею, работаю на клиента, вот, смотрите.

Надя уставилась на удостоверение.

— Начальник оперативно-розыскного отдела агентства «Шерлок». Ну и ну... А за что Игоря убили?

Я спрятала в сумочку «корочки». Мой служебный документ производит неизгладимое впечатление на граждан. Хорошо, что в нем не написана нелицеприятная правда. Агентство «Шерлок» еле-еле держится на плаву, работают в нем всего два человека. Хозяйка предприятия Федора и я, заведующая отделом розыска. Зарплат мы не получаем, потому что клиентов нет. Вернее, Федора иногда берется следить за неверными супругами или пытается раскрыть мелкие кражи. Но что-то в последнее время удача совсем от нее отвернулась. Две недели назад Федька взяла заказ от одной экзальтированной дамочки. Очевидно, моя подруга оказалась не слишком осторожна, потому что объект слежки, шестидесятилетний дядька, поймал ее, разбил дорогой фотоаппарат и вознамерился как следует отлупить и саму Федору. Федьке, слава богу, удалось убежать.

— Я пришла к вам, чтобы узнать, может, Игорь поконфликтовал с кем-то из клиенток? В него стреляла женщина.

Надя тяжело вздохнула:

— Бывает, конечно, что возникают дрязги, все же живые люди, но Игорек такой приветливый, милый, услужливый... Господи, его что, правда убили?

— Нет, в шутку, — обозлилась я, — «правдее» некуда! Лучше попытайтесь вспомнить его клиенток!

Надя включила компьютер.

— Так, ничего особенного. Из постоянных только Оля Фуфаева, стоматолог. Она его примерно два раза в неделю вызывала. Остальные так, случайные клиентки.

— А Зося? Почему он на ней женился?

Надя подняла на меня спокойные глаза.

— Игорек в деньгах постоянно нуждался. Молодой очень, вот и хотелось всего сразу: машину, одежду, кредитную карточку... Еще он совершенно не умел распоряжаться средствами, деньги просто утекали у него между пальцев. Он поэтому в конце концов от нас и ушел, нарыл более высокооплачиваемую работу. А насчет Зоси... Почему бы и нет? Женщина предложила хорошие деньги, Игоря этот брак не обременял.

— Он и Антона «усыновил» из денежных расчетов?

— Естественно, — фыркнула Надя, — Игорек очень хотел заработать.

— У него же вроде обеспеченные родители!

Надя принялась возить по столу мышкой от компьютера.

— Мы с ним были не настолько знакомы, чтобы обсуждать семейные обстоятельства. Но на сына богатых предков он совсем не тянул. Купил на те деньги, что заплатила Зося, подержанную иномарку и казался до неприличия счастливым, все предлагал мне:

— Давай до дому подброшу, садись!

— А как он к вам попал?

Надюша отставила мышку.

— Лада Вергасова привела, наша девочка, тоже в сопровождении работает. Вроде Игорек какой-то ее родственник, не слишком-то я вдавалась в подробности. Ладка спросила: «Нам хорошие парни нужны?», я ответила: «Приводи». Так вот и познакомились.

— Можете дать мне координаты этой Фуфаевой?

Надя заколебалась. Видя ее сомнения, я стала упрашивать Надю:

— Пожалуйста, поверьте, мне очень надо.

— Наши клиенты не заинтересованы в рекламе, — пробормотала она, — им не понравится, если я скажу телефоны!

— Сейчас в убийстве Игоря подозревается одна молодая женщина, — с жаром воскликнула я, — все улики против нее, но я твердо уверена, она тут ни при чем. Пожалуйста, помогите, иначе невинный человек может быть осужден!

Надюша снова потянулась к мышке.

— Раз такое дело, то ладно, но очень прошу вас, не говорите, что я подсказала номер, придумайте что-нибудь, мне правда здорово влетит!

— Ни одним словом не обмолвлюсь, — прижала я руки к груди, — резать станут, не выдам.

Наденька засмеялась.

— Ну это вряд ли! Оля интеллигентная дама, и скорей всего она просто не захочет иметь с вами дело.

— И телефончик Лады Вергасовой напишите. — Я решила ковать железо, пока горячо.

Надя вздохнула, покачала головой, но вывела еще одну цепочку цифр.

В полном восторге я выскочила на улицу. Ну-ка, где мой мобильный! Вообще говоря, я стараюсь не пользоваться аппаратом без особой необходимости, но ради такого случая... И куда он провалился? Я судорожно рылась в сумочке, но под руку, как назло, попадались совершенно ненужные предметы: губная помада, расческа, упаковка жвачки, пачка бумажных носовых платков.

«Тра-ля-ля, тра-ля-ля», — понеслось из кармана. Я вытащила «Нокиа», он вовсе не в сумке находился.

— Лампа, — сурово сказал Кирюша, — привези мне тетрадку, такую красную, толстую, она на столе лежит.

Ну вот, начинается! Теперь все лето мы будем подтаскивать на дачу то, что позабыли на городской квартире.

— Сегодня я не собиралась заезжать домой. — Я решила посопротивляться.

— У меня послезавтра экзамен, — закричал Кирюша, — если конспекта не будет, получу двойку. Имей в виду, в этом случае виноватой станешь ты!

Очень не люблю, когда со мной начинают разговаривать хамским тоном.

— Вот что, дружок, — прошипела я, — между прочим, я нахожусь сейчас на работе. Ты сам забыл про свою тетрадь, садись на электричку и катись в город!

— Ага, — заныл Кирюшка, — Лизка-то у подружки, только завтра приедет, на кого я тут всех оставлю?

— Если ты имеешь в виду собак, то просто запри их в доме, — посоветовала я.

— Так не о них речь!

— О ком тогда?

— О Юрии, он с утра водки выпил, — стал объяснять Кирюша, — теперь по дому шарахается, с лестницы упал, орет. Его одного оставить никак нельзя.

— А где Магдалена?

— В комнате заперлась и плачет.

— Ты ее обидел?

— Да никогда в жизни, — заорал Кирюшка, — нужна мне эта подлиза! Нет, она отца боится, говорит, что он, когда в таком состоянии, всегда ее лупит, вот и спряталась, и выходить не собирается.

— Ладно, — сдалась я, — хорошо, привезу тетрадь, но, пока еду до дому, попробуй припомнить, может, еще чего надо?

— Только записи, — заверил меня мальчик.

Пришлось отложить визит к Ольге.

В городской квартире было на редкость душно.

Я распахнула балконную дверь, проветрила немного помещение, нашла тетрадь, увидела на столе банку с кормом для Гертруды и тоже сунула в пакет. Потом села у телефона. Ольга Фуфаева не снимала трубку, Лада Вергасова тоже где-то бегала. Я взглянула на часы, середина рабочего дня, Надюша дала мне домашние телефоны, соединяться с дамами следует либо вечером, либо утром.

Решив поехать на дачу, я спустилась во двор и побрела к метро. Конечно, я плохо вожу машину и не получаю никакого удовольствия от сидения за рулем, но иногда автомобиль бывает очень полезен. Вот сейчас мне придется пилить на Киевский вокзал, потом трястись в переполненной электричке, где не будет сидячего места, затем бежать пару километров сквозь лес, потому что маршрутное такси, естественно, уедет из-под носа. А если бы мои «Жигули» были в порядке...

Внезапно я притормозила. Только сейчас до меня дошло, какую глупость я сделала! Отдала совершенно незнакомому парню «шестерку». Вместе с ключами и документами. Да я даже не знаю номера его телефона! Представляю, в какое негодование придет Сережка, узнав об этом происшествии. Скорей всего я никогда больше не увижу свою тачку. И поделом мне! Глупость должна быть наказана!

— Евлампия, — донеслось сбоку.

Я повернула голову. Возле сверкающей красной машины улыбался... Тема.

— Куда же вы подевались? — спросил он. — Я звонил-звонил в дверь, никого. Телефон тоже не отвечает. Стою тут с утра, поджидаю. Или вам колеса не нужны? Смотрите, какая красавица!

Я уставилась на нечто, больше всего напоминающее пожарную мини-машину.

— Это мое?

— Да, — гордо ответил Тема, — здорово покрасили!

На его лице появилась такая счастливая улыбка, что мне пришлось кивнуть:

— Потрясающе!

— Такой антиаварийный цвет, — ликовал Тема, — вас в потоке за полкилометра будет видно.

— Спасибо, просто замечательно.

— Давайте обмоем!

— Что?

— Ну, новую краску, — засмеялся Тема, — вы какое вино любите: красное, белое?

— Большое спасибо, я предпочитаю «Буратино» или «Колокольчик», и... у меня мало времени.

— Можно пойти в пиццерию, — Тема не сдался так просто, — там быстро, или в какой-нибудь «Ростик», курятинки пожевать. Самое время подкрепиться, ну, соглашайтесь, Евлампия.

— Большое спасибо, — пробормотала я, — но, право, я спешу, надо успеть добраться до дачи, детей покормить.

— Вы замужем? — расстроенным голосом спросил Тема.

— Нет.

— Сколько у вас детей?

Назойливость нового знакомца стала меня раздражать. Проигнорировав его последний вопрос, я села в «Жигули» и сухо поинтересовалась:

— Какую сумму я должна вам?

Тема отступил в сторону.

— За что?

— Вы перекрасили мою машину.

— Я был виновником ДТП, — пробормотал Тема.

— Но следовало лишь заняться багажником.

— Я хотел как лучше, даже не предлагайте мне деньги, — отчеканил он, — просто пообедайте со мной.

— Извините, как-нибудь потом.

— Ладно, — грустно ответил Тема, — тогда прощайте.

Я тихонечко тронулась с места и в зеркальце увидела, как он побрел в сторону метро. Сердце кольнула жалость. Тема прикатил сюда мою машину сам, следовательно, ему теперь придется добираться домой на общественном транспорте. Чувствуя себя негодяйкой, я высунулась в окно.

— Артем!

— Вы передумали?! — радостно воскликнул тот.

— В ресторан я не пойду, давайте довезу вас до дома.

— Спасибо, — обрадовался Тема и сел на переднее сиденье.

ГЛАВА 11

В Алябьево я заявилась через два часа. Тема очень симпатичный человек, и, кажется, я ему понравилась. По дороге домой парень упорно пытался назначить мне свидание. Но он слишком похож на моего бывшего мужа Михаила, поэтому я сделала вид, что не понимаю намеков, и, высадив Артема возле блочной многоэтажки, решительно заявила:

— Большое спасибо, прощайте.

— Но, — он попытался удержать меня, — погодите...

— Нет, — отрезала я, — прощайте, надеюсь, вы не станете приставать, у меня нет ни малейшего желания заводить с вами шашни, поищите другой объект, свободный от детей и обязательств.

Наш дом встретил меня ярко зажженными во всех комнатах люстрами.

— Вспомнила наконец о детях, — буркнул Кирюшка, — спасибо, хоть ночевать явилась.

Муля, Ада, Рейчел и Рамик заскакали вокруг сумок. Я оттеснила собак, спрятала в холодильник купленную по дороге телятину и бодро спросила:

— Как дела?

— Спасибо, ужасно, — язвительно ответил Кирюшка.

— Чего так? — Я решила поддержать разговор, одним глазком кося на висящее в простенке зеркало.

Тема всю дорогу твердил, что никогда еще в жизни не встречал такой красавицы, как я. Правда, если учесть, что моему кавалеру скорей всего уже стукнуло сорок, у него, вероятно, проблемы со зрением: астигматизм, дальнозоркость, что там еще бывает с глазами. Хотя я и впрямь еще ничего, особых морщин не видно.

— Этот козел весь день орал! — начал рассказ Кирюшка.

Во мне мигом проснулся педагог.

— Кирилл! Так нельзя говорить о взрослых!

— А как назвать дядьку, который, напившись до свинского состояния, носится по дому с воплем: «Отстаньте, черти!»

На секунду я растерялась. Действительно, как? Но уже через секунду нашелся ответ:

— Зови его по имени.

Кирюша скривился.

— Хорошо хоть не по отчеству. Этот Юрий все в сад хотел выбежать, но я его не пустил. Прикинь, как весело денек прошел! Все дети на великах гоняли! Меня сто раз купаться звали! А пришлось с козлом, прости, с Юрием, сидеть. Магдалена в комнате заперлась и все время ревела, боится она отца. Знаешь, что хуже всего?

— Ну?

— Приехала сюда Настя Кочергина и стала меня уговаривать на станцию за мороженым съездить. Я, как дурак, бубню: не могу — завтра экзамен. И тут распахивается дверь, появляется козел, то есть Юрий, и давай блажить! Еле-еле его в спальню затолкал. Прикинь, что Настя спросила!

— Ну?

— Твоя мама замуж вышла? — От негодования у Кирюшки на секунду пропал голос.

Я тяжело вздохнула. Да уж, не слишком хорошо вышло.

— И как ты отреагировал?

Кирюша развел руками:

— Сказал, естественно, нет. Только Настька мне не очень-то поверила...

Мальчик хотел было продолжить рассказ, но тут со второго этажа донесся вопль:

— Клавка!.. Клавка!

— Во! — воскликнул Кирюша. — Снова ожил! Теперь твоя очередь, начинай.

— Что? — испугалась я.

Но Кирюшка, не отвечая, быстро выскользнул за дверь.

— Клавка!.. Клавка! — надрывался Юрий. — Неси бутылку!

Я подошла к лестнице и крикнула:

— Юрий, успокойтесь, Клава лежит в больнице.

В ту же секунду послышался слоновий топот, и по ступенькам с трудом спустился Юрий.

— Ты кто?

— Лампа, — осторожно ответила я и отступила назад.

Пару секунд мужик смотрел на меня тяжелым взглядом, потом пробормотал:

— Почему не горишь?

— В каком смысле? — попятилась я дальше.

— Включись, — велел Юрий и заорал: — Клавка ... где бутылка? Магда ... беги в ларек. Ах, суки, попрятались. А ну, Кланька, вымай денежки.

С этими словами он, растопырив руки, пошел на меня. Я вжалась в угол. Совершенно не знаю, как вести себя с алкоголиками. В моей семье никто никогда не напивался до состояния остекленения. Собственно говоря, я только один раз видела своего отца подшофе. Несмотря на то что папа был генерал, он никогда не злоупотреблял спиртным. Единственное, что позволял себе мой отец, — это пятьдесят грамм хорошего коньяка за ужином. Но такая доза, сами понимаете, не способна оказать никакого действия на мужчину весом более ста килограммов. А сейчас передо мной покачивалась абсолютно невменяемая личность с мутным взором идиота.

— Клавка, — выл Юрий, — а ну, ... гони за бутылкой.

С видимым усилием алкоголик сделал шаг вперед, я испугалась окончательно. Но тут вдруг пьяница остановился и жалобно спросил:

— Это кто?

— Где? — дрожащим голосом поинтересовалась я.

— А вот тут, у меня на ботинках, — вполне нормальным голосом поинтересовался Юрий.

Я уставилась на его разбитые кроссовки.

— Ничего, только шнурки.

— По брюкам ползут, — зашептал Юрий, — ой, мама, выше... Ой, спасите, колют, бьют.

Не успела я сообразить, что делать, как он рухнул на пол и начал кататься на спине, колотя ногами по паркету и выкрикивая:

— Клавка ... где ты? Смети их с меня.

— Кого? — Я попыталась сориентироваться в ситуации.

— Так чертей же, вон как булавками тычут, — зарыдал Юрий.

Я ринулась к телефону и набрала «02».

— Милиция, двенадцатая слушает.

— Помогите, мужчине плохо.

— Вам следует набрать «03», — ответила девушка и отсоединилась.

Действительно, я со страха перепутала номер. Сотрудники «Скорой помощи» не спешили, простите за дурацкий каламбур, на помощь. Трубку сняли лишь на двадцатом гудке.

— Семнадцатая, что случилось? — вяло спросил женский голос.

— Помогите!

— Объясните спокойно.

С ужасом глядя на воющего Юрия, я собрала в кулак остатки самообладания и попыталась связно объяснить ситуацию.

— Ясно, — вздохнула диспетчер, — белочку поймал.

— Нет, — возразила я, — при чем тут белки? То есть они, конечно, имеются у нас на участке, даже кормушки для них поставили, но Юрий сегодня весь день провел в доме, пил в спальне. Если вы полагаете, что какая-нибудь белка укусила его и он заболел бешенством, то ошибаетесь...

— Белая горячка у него, — перебила женщина, — телефончик запишите.

— Чей?

— Похмельщика, — пояснила она. — Конечно, я могу наших прислать, только лучше специальную бригаду вызвать, но, предупреждаю, услуга платная.

— Хорошо-хорошо, — дрожащим голосом согласилась я, — сколько угодно отдашь, чтобы от подобного зрелища избавиться.

Ночь прошла без сна. Сначала приехавшие врачи наладили капельницы, потом делали бесчисленное множество уколов, наконец, предъявили счет. Я выгребла из заначки уйму денег — приведение алкоголика в чувство оказалось очень дорогим удовольствием.

— Вашему мужу следует лечиться, — сурово сказал доктор, представившийся как Виктор Николаевич.

— Юрий мне не муж, — поспешила я внести ясность, — он тесть друга семьи.

— Мужчину надо отвести к наркологу, — продолжил Виктор Николаевич, — завтра к вечеру проснется, дадите таблетку, а в понедельник звоните вот по этому телефону, готов вас курировать.

— Хорошо, — кивнула я.

Я не собираюсь заниматься лечением пьяницы! Вот выйдет Клава из больницы — и пусть прыгает вокруг муженька.

— Имейте в виду, — сурово заявил Виктор Николаевич, — новый приступ белой горячки может его убить, или он вас убьет.

— Кто? — испуганно переспросила я, не поняв корявую фразу. — Кто и почему меня убьет?

— Сожитель ваш, — ткнул пальцем в мирно спящего Юрия доктор. — В состоянии алкогольной невменяемости человек полностью теряет контроль над собой. Вон вчера приехали на вызов, а там четыре трупа. Мужик в горячке всю семью положил: тещу, жену, детей.

У меня подкосились ноги.

— Такое возможно?

— Запросто, — «успокоил» меня добрый доктор, — милиция к вам на семейный скандал не поедет, мы тоже не успеем, так что лучше лечить.

— Хорошо, — дрожащим голосом пообещала я, — в понедельник приду, обязательно.

Когда медики ушли, я старательно заперла снаружи дверь комнаты, где храпел Юрий, потом подумала немного, принесла швабру, всунула ее в ручку, следом придвинула к двери комод. Последний оказался очень тяжелым, я толкала его часа два. Он продвигался вперед буквально по сантиметру, мои руки дрожали, ноги подкашивались, спина покрылась потом. Наконец комод подпер дверь. Я пошла к себе и рухнула в кровать, забыв умыться и почистить зубы.

Будильник вырвал меня из сна ровно в семь. Пару секунд я смотрела в потолок, плохо понимая, где нахожусь. Отчего перед глазами не трехрожковая люстра, а плоская тарелка? Наконец мозг заработал. Так, мы не на городской квартире, перебрались на дачу. Сейчас нужно растолкать Кирюшку и везти в город, у мальчика экзамен.

— Зачем в такую рань подняла, — заныл Кирюшка, — экзамен в десять.

— Нам в восемь выезжать, я медленно веду машину.

— Из-за того, что ты не умеешь рулить, должны страдать бедные дети, — забубнил Кирик, нащупывая тапки.

Я вышла в гостиную и взяла телефон. Конечно, неприлично звонить людям в такое время, но ни днем, ни вечером милые дамы не снимают трубки.

Сейчас мне повезло сразу.

— Да, — ответил звонкий голос.

— Простите за ранний звонок, можно Ольгу Фуфаеву?

— Слушаю вас.

Наверное, полубессонная ночь повлияла на мои мыслительные способности, потому что я сразу ляпнула:

— Вы знакомы с Игорем Грачевым?

Ответ прозвучал мгновенно:

— Что за вопросы? Кто звонит?

— Начальник оперативно-розыскного отдела Романова, — гаркнула я. — Грачев убит, идет следствие.

— Ой, — раздалось из трубки, — ужас! Не может быть! Как убит?!

— Выстрелом в голову.

— Не может быть! Игорь никому не делал зла!

— Нам надо поговорить сегодня. — Я старательно изображала жестокого профессионала.

— Но у меня дела, — растерянно ответила Ольга, — до часу дня ни минутки свободной.

— Говорите адрес поликлиники, сама подъеду.

— Только не на работу, — испугалась Фуфаева, — давайте в четырнадцать ноль-ноль на Кутузовском проезде, дом девять. Около него скамеечка стоит, там и встретимся.

— Отлично, — согласилась я и ринулась собираться.

Сначала отволоку Кирюшку в школу, потом поеду на Кутузовский проезд.

— Можно, я с вами? — прошептала Магдалена, выходя на кухню.

— А кто твоего папеньку сторожить будет? — хмыкнул Кирюшка. — Еще проснется не ровен час.

Магдалена сильно побледнела:

— Я его боюсь, он дерется, когда с похмелья мучается, заставляет деньги давать на водку.

Мне стало жалко девочку.

— Давно Юрий пьет?

— А всегда, — ответила Магдалена, — папа запойный, недельник.

— Это как? — заинтересовался Кирюшка.

— Просто, — пояснила Магдалена, — семь дней квасит, остальное время до конца месяца — трезвый.

Сейчас почему-то в длинный запой вошел, может, из-за пожара?

— Тебе придется остаться, — вздохнула я, — где-то в районе обеда приедет Лизавета, вам будет веселей вдвоем.

— Я боюсь...

— Не надо, Юрий крепко спит, доктор пообещал, что он проснется только вечером, трезвый!

— Хорошо, — прошептала девочка, — как скажете.

Мне стало совсем не по себе. Бедная Магдалена абсолютно сломлена, у нее нет никаких сил, чтобы сопротивляться обстоятельствам.

— Ты ложись в саду на раскладушку, — предложила я, — возьми вот эти вкусные конфеты, книгу и спокойно жди Лизу.

— Хорошо, — прошелестела она и покорно протянула руку за коробкой шоколадок.

— Послушай, — сердито сказал Кирюшка, — оставь в покое набор.

Магдалена отдернула руку и затравленно посмотрела на мальчика. Я обозлилась донельзя, вот уж совершенно не ожидала от Кирюшки такой зловредности.

— Как тебе не стыдно! Магдочка, бери, бери конфетки!

Девочка вновь нацелилась на коробку.

— А ну не трожь! — гаркнул Кирюша.

— Прекрати! Пожалел конфет для девочки! Это отвратительно! — не выдержала я. — Магдалена, немедленно бери шоколад!

— Ну нельзя быть такой лапшой переваренной, — завопил Кирилл. — Лампа, Магдалена терпеть не может сладкое, шоколад, зефир, мармелад вообще не ест!

Я растерянно посмотрела на девочку:

— Но почему ты мне не сказала об этом?

— Вы же приказали мне взять коробку, — прошептала она.

— Вот! — констатировал Кирик. — Любуйся, Лампудель, перед тобой редкий случай слишком воспитанного ребенка! Боится слово сказать! Ты о таких детях мечтаешь, когда говоришь нам с Лизкой, чтобы брали пример с Магды?

Иногда своими бесцеремонными вопросами Кирюшка ставит меня в тупик.

— Сделай одолжение, Магда, покорми собак, — я решила перевести разговор на другую тему.

Магдалена молча встала и направилась к холодильнику. Я была потрясена. Ну что нужно было сделать с ребенком, чтобы добиться от него столь невероятного послушания? Ладно, я согласна, с такой девочкой очень удобно дома. Она не станет топать ногами, грубить и закатывать истерики. Но каково придется самой Магдалене? Приученная во всем повиноваться взрослым, боящаяся высказать собственное мнение даже по поводу конфет, будет ли она счастлива в семейной жизни? Добьется ли успеха на работе? Магдалене следует отрастить зубы и когти. Только как это сделать?

— Эх, — пробормотал Кирюша, глядя, как Магдалена покорно раскладывает по мискам кашу, — жаль, что озверина на самом деле не существует, Магде бы он на пользу пошел.

На Кутузовском проезде я очутилась без пятнадцати два, нашла нужный дом и села на скамеечку. По тихой, сонной улочке шло несколько женщин, но ни одна из них не повернула головы в сторону лавки. Ровно в четырнадцать ноль-ноль из-за угла вырулила серебристая иномарка, из нее вылезла элегантно одетая дама лет тридцати пяти. Щелкнув брелком сигнализации, она подлетела ко мне и без всяких церемоний сказала:

— Это вы из милиции? Показывайте удостоверение!

Повертев в руках корочки, она отдала их назад, села на скамейку, вытащила сигареты и пробормотала:

— Значит, не шутка. Игоря и впрямь убили.

— Среди ваших знакомых есть способные пошутить подобным образом? — не растерялась я.

— Идиотов полно, — буркнула Ольга, — завистников еще больше, только ничем помочь не могу. Я его не убивала.

Я внимательно посмотрела на Фуфаеву. Великолепно сшитый нежно-зеленый брючный костюм не скрывал пышные формы стоматолога. Оля носит размер не меньше пятьдесят второго, а девушка, бежавшая к метро с пистолетом в руке, выглядела, как тростинка, такой и сорок четвертый будет велик.

Впрочем, стрелять могла наемная киллерша, а заказчица до поры до времени прячется в тени. Только одно простое соображение мешало мне поверить в то, что убийца был куплен за доллары. Ну зачем ему, профессионалу, стрелять в Игоря на глазах у десятков людей? К чему такой риск? Намного проще подстеречь Грачева в подъезде, там и в помине нет лифтера. Нет, человек, задумавший спектакль, сам сыграл в нем главную роль, переоделся, нацепил парик, джинсовые сапожки... Это была женщина, мечтавшая не только расправиться с Игорем, но и посадить Нату. Это точно была не Ната, она не умеет стрелять. И надо признать, затея удалась: не обрати я внимания на каблуки, задуманное прошло бы без сучка и задоринки. Похоже, Ольга и в самом деле ни при чем, она толще неизвестной киллерши в два раза!

— Мне и в голову не пришло подозревать вас, — улыбнулась я, — просто я знаю, что вы часто общались с Игорем, вот и хочу спросить: среди его знакомых не было ли случайно обиженной женщины?

Оля пожала плечами.

— Понятия не имею.

— Первое, что приходит на ум, когда размышляешь об этой истории, — отчеканила я, — Игоря убила любовница. Предположим, он пообещал жениться на ней, а потом закрутил роман с вами.

Оля нахмурилась, отшвырнула окурок, вытащила новую сигарету, повертела в пальцах, отбросила в сторону и наконец решилась...

— У нас не было постельных отношений.

Я усмехнулась.

— Ага, вы по вечерам пересаживали кактусы.

— Нет, — совершенно серьезно ответила Ольга, — ходили по тусовкам, это моя работа.

— А мне казалось, вы стоматолог.

— Абсолютно верно, я владею клиникой «Улыбка 120», кстати, у вас на переднем зубе отвратительная пломба, если обратитесь ко мне, сделаем так, что никто и не догадается про залеченный зуб.

— Боюсь, ваши цены мне не по карману, — прервала я стоматолога. — Так зачем вы ходите по тусовкам? Только не говорите, что носите с собой бормашину и оказываете на месте помощь тем, у кого выпала пломба.

— Нет, конечно, — улыбнулась Ольга. — Хотя это интересный вариант, можно подумать над ним. Я понимаю, альтернативы у меня нет? Придется рассказать об Игоре?

Я кивнула:

— Одно обещаю, дальше меня информация не пойдет.

— Собственно говоря, ничего стыдного я не делала, — спокойно начала Ольга.

ГЛАВА 12

Отчего одним людям везет, а другие тщетно пытаются поймать за хвост птицу удачи? Нет ответа на этот вопрос. Когда Оля Фуфаева, самый обычный, если не сказать, посредственный зубной врач, решила открыть собственную клинику, все вокруг считали, что затея обречена на провал.

— Лучше не начинай, — советовали Ольге ближайшие подружки, — да и денег у тебя нет. Где возьмешь средства?

Но Фуфаева упорно шла к поставленной цели, продала свою роскошную, доставшуюся от родителей многокомнатную квартиру, переехала в грязную коммуналку и таким образом обрела стартовый капитал.

— Дура, — пели друзья, — останешься на всю жизнь в сарае, совсем головы лишилась.

Но Ольге неожиданно повалила удача. Сначала она нашла очень удобное и недорогое помещение возле метро, затем переманила в новую клинику отличных врачей, которые отчего-то побросали насиженные места и кинулись к Фуфаевой. А потом вообще произошел случай из разряда фантастических.

Не успела клиника открыться, как туда ворвался мужчина с невероятно знакомым лицом. Через секунду Оля узнала эстрадного певца Андрея, который каждый день кривлялся на телеэкране, исполняя свои хиты.

— Помогите! — кричал Андрей.

— Что случилось? — поинтересовалась Ольга.

Певец бестолково размахивал руками, наконец Фуфаева сообразила, в чем дело.

Андрей едет в телецентр, через пару часов у него прямой эфир в программе «Танцуй и пой», миллионы зрителей прильнут к экрану, чтобы узреть любимца, но Андрей не может выступить. Десять минут назад он послал своего охранника в ларек за «Сникерсом». При всех своих деньгах Андрей обожает всякую дрянь: чипсы, шоколадки, сухарики... Вот и сейчас решил слопать сладкий батончик с орехами и сломал зуб.

— Кошмар, — метался по кабинету певец, пока врачи готовили инструменты, — сделайте хоть что-нибудь! Кое-как приклейте мне коронку! Завтра пойду к своему доктору! Вот жуть! Хорошо, на дороге ваша вывеска попалаеь.

— Зачем же после нас к другому идти? — спокойно спросила Ольга.

— Да знаю я, — взвизгнул Андрей, — как в России зубы лечат! Ой, я боюсь боли!

— Вы ничего не почувствуете, — заверили врачи. — Ну-ка, откройте ротик.

— За что мне это! — взвыл певец и покорился.

Так началась дружба Андрея и стоматологов. Певец оказался прирожденным пиарщиком. Оказываясь на тусовках, он мигом начинал нахваливать «Улыбку 120».

— Отлично работают, никаких неприятных ощущений, а цены прямо смешные.

В клинику потек сначала тоненький ручеек клиентов, потом он превратился в бурный поток. Ольга Фуфаева купила еще одно здание, открыла хирургическое отделение со стационаром. У нее хватило ума понять: она отличная хозяйка и великолепный администратор, но, как врачу, ей грош цена. Поэтому в отличие от многих хозяев клиник, самих ведущих приемы, Ольга не вставала к зубоврачебному креслу. Зато она переманила к себе высококлассных специалистов. И еще, Олечка умела привлекать клиентов. Теперь, став светской дамой, она не упускала ни одной мало-мальски модной тусовки, щедро раздавая визитные карточки с адресом своей клиники. Оля воспринимала хождение по вечеринкам как тяжелую работу. Бизнесменша на самом деле была тихой, скромной женщиной, больше всего любившей посидеть в укромном уголке с книгой, но реклама потребовала постоянного пребывания на людях.

Одна беда, в отличие от великолепно поставленного дела ее личная жизнь не сложилась. Отчего-то мужчины не обращали внимания на Олечку. Честно говоря, было непонятно почему. Госпожа Фуфаева хорошо воспитана, не истерична, не нуждается в деньгах, имеет машину, квартиру, дачу. Единственный недостаток — полнота, но в глазах многих представителей сильного пола он превращается в достоинство, тем более что Оля не походит на бесформенную кучу, так, скорее обладает приятной пышностью форм. А вот поди ж ты, кавалеры сторонились ее. Оля стеснялась появляться на мероприятиях в одиночестве. Наша женщина, даже успешная бизнес-вумен, уверена, что без мужика она ущербна. Поэтому пару раз Оля «одалживала» мужей у близких подруг, потом обратилась в агентство. С Игорем ее познакомили не сразу, сначала были другие кавалеры. После вечеринок парни начинали делать недвусмысленные предложения, а Оля не настолько глупа, чтобы не понять: платных партнеров привлекает не она сама, а ее деньги. Наконец ей дали Игоря.

Грачев ее устраивал по всем статьям. Во-первых, он был хорошим актером. Оля честно сказала юноше:

— Мне надо, чтобы все вокруг считали тебя моим любовником.

Студент кивнул и приступил к выполнению поставленной задачи.

— Олечка, накинь платок, — суетился он вокруг Фуфаевой, — очень дует. Тебе принести воды? Не кури так много, помни о своем кашле.

Но как только парочка садилась в машину, Игорь начинал называть хозяйку Ольгой Николаевной и никогда не делал никаких попыток к сближению. Частенько Оля давала Игорю конверты, где лежала «премия». Парень, не скрывая радости, прятал деньги в барсетку и говорил:

— Большое спасибо, Ольга Николаевна.

Собственно говоря, это было все.

— Неужели он никогда не рассказывал о себе? — удивилась я.

Оля скорчила гримасу.

— Когда? На светских мероприятиях подобный разговор невозможен.

— А в машине? Вы же, наверное, вместе приезжали и вместе уезжали?

Фуфаева кивнула.

— Конечно, но в автомобиле мы слушали радио. Разговорился он лишь один раз. Сказал, что учится в медицинском институте, но работать по профессии не станет.

Ольга поинтересовалась:

— Зачем тогда поступал?

— Чтобы угодить маме, — пояснил кавалер, — в

нашей семье по ее линии все врачи. Только теперь я понимаю, зря пошел. Вот получу диплом и займусь чем угодно, только не терапией, не мое это дело.

— А как же мама? — поинтересовалась Ольга.

— Она умерла, — сухо пояснил Игорь.

— Прости, пожалуйста, — тихо сказала Ольга.

— Ничего, — ответил парень, — вы же не обязаны быть в курсе моих проблем.

На этом разговор и завершился.

— И вы больше про него ничего не знаете? — безнадежно спросила я.

Оля покачала головой:

— Нет. Поверьте, я очень хочу вам помочь, мне нравился Игорь — как человек, я имею в виду. Он был молчаливый, воспитанный и совершенно не походил на наемных мальчиков, которые сопровождают богатых женщин. Игорек никогда не просил у меня денег взаймы, не ел за мой счет и не пытался раскрутить меня на подарки. Мы с ним общались больше года, и я решила сделать ему презент на день рождения. Специально выяснила в агентстве дату и купила часы, не самые дорогие, но очень хорошие, среднего класса. Так не поверите, он стал красный как рак, взял подарок и пробормотал: «Спасибо большое, но, право, мне неудобно, больше никогда не делайте таких дорогих подарков!»

Я тяжело вздохнула. Действительно, подобное поведение не свойственно молодым людям, торгующим собственной внешностью.

— Игорек очень нуждался в средствах, — подытожила стоматолог, — это было сразу понятно.

— Он вам жаловался на безденежье? — уцепилась я за последнюю соломинку.

— Нет, — поморщилась Ольга, — я уже говорила. Игорь был воспитан. Просто, когда я позвонила в агентство, чтобы оформить очередную заявку, мне сказали: «Грачев уволился», — и предложили другую кандидатуру. Я очень расстроилась.

Фуфаева позвонила юноше домой. Игорь взял трубку и спокойно объяснил:

— Извините, Ольга Николаевна, мне предложили высокооплачиваемую работу, вот я и ушел.

— Ты меня так подвел! — в сердцах воскликнула Ольга. — Завтра в семь вечера огромное мероприятие! Ежегодный бал, который устраивает «М-банк»! Нет бы тебе предупредить меня за пару дней о том, что собираешься уходить! Где я теперь кавалера подыщу.

— Неудобно вышло, — согласился Игорь, — но мне условие такое поставили: либо я мгновенно выхожу на новую службу, либо могу не беспокоиться. Зарплата очень хорошая, еще и чаевые, вот я и согласился.

— А мне что делать? — злилась Оля.

— Ну пусть вам в агентстве кого-нибудь подберут, — мирно посоветовал Игорь. — Я, правда, никого там не знаю, но думаю...

— Неправильно думаешь, — оборвала его Ольга, — мне совсем не хочется ходить на мероприятие с парнем, который похож на динозавра.

— В каком смысле? — не понял Грачев. — Стариков у нас нет, все молодые, кажется.

— Дело не в возрасте, — слегка остыла Фуфаева, — я имею в виду совсем другое, ну представь себе внешний вид динозавра: много мышц и маленькая голова. Мозгов у них не было, у ящеров, оттого и вымерли!

Игорь издал звук, похожий на смешок, и предложил:

— Давайте познакомлю вас с одним человеком, он нормальный, может, вам понравится? А если подойдет, то хоть к банкирам не одна отправитесь.

Пришлось Ольге согласиться и идти на фуршет с неким Геной.

— Приятный кавалер? — для поддержания разговора спросила я.

Ольга дернула полным плечиком:

— Нет. Сладкий такой, прямо липкий. Да еще вообразил себе бог знает что! Расплатилась с ним вечером, так представьте, начал названивать, навязываться, приставать. Еле-еле от него избавилась.

— И вы не позвонили Игорю и не высказали ему «фи» по поводу рекомендованного парня? — удивилась я.

Ольга снова дернула плечом.

— Нет. Зачем? Сама виновата. Сначала этот Гена показался мне вполне симпатичным, приятный такой мужчинка, ростом, правда, не вышел, ну да это ерунда. Но потом он на фуршете выпил фужер коньяка, и понеслось. А с Игорем я больше не встречалась.

— Куда он перешел на работу?

— Понятия не имею, одно знаю точно, это не была фирма, которая занимается оказанием эскорт-услуг, потому что я поинтересовалась: «Может, найму тебя через другое агентство?» А Игорь ответил: «Извините, Ольга Николаевна, но я больше не занимаюсь сопровождением».

— А этот Гена близкий приятель Игоря? — абсолютно безнадежно спросила я. — У вас случайно не сохранился его телефон? Ольга вытащила из сумочки визитницу и пробормотала:

— Где-то был, нет, не могу найти, не расстраивайтесь, ничем вам этот Гена не поможет!

— Почему? — навострила я уши.

— Примерно неделю назад, — пояснила Оля, — я заехала в «Седьмой континент» ночью. Иду вдоль прилавков и вдруг вижу этого Гену в самом роскошном виде.

Ольга слегка удивилась. Честно говоря, кавалер раньше выглядел не ахти. Нет, он надел тогда, в их первое и единственное свидание, аккуратно отглаженные брюки, и ботинки его были тщательно вычищены, но и костюм, и обувь Гена, очевидно, купил в дешевом магазине, и пахло от кавалера незатейливым одеколоном польского производства. Сейчас же он был в «двойке» от Хуго Босс, на руке его сверкали часы «Патек Филипп», а на ногах красовались ботинки из кожи кенгуру.

— Добрый день, — машинально сказала Оля и попыталась протолкнуть свою тележку мимо Геннадия.

Но тот неожиданно заулыбался во весь рот:

— Олечка! Сколько лет, сколько зим! Ты по-прежнему владеешь зубоврачебной клиникой? Дай адресочек, коронку поставить надо. Надеюсь, по старой дружбе посоветуешь самого хорошего из своих докторов, не бракодела.

Ольга оторопела. До этого она общалась с Геной всего один раз, когда нанимала его в качестве «любовника», а он сейчас разговаривал так, будто его с Фуфаевой связывают годы дружбы. Оля собралась поставить хама на место, но тут к Геннадию подошла полная дама примерно сорока лет, вся обвешанная бриллиантами и жемчужными ожерельями.

— С кем ты тут разговариваешь? — ревниво поинтересовалась она, окидывая Ольгу злым взглядом.

— Познакомься, Риночка, — как ни в чем не бывало заявил Гена, — это Ольга, владелица стоматологической клиники «Улыбка 120».

Лицо Рины разгладилось, на нем даже появилась вполне дружелюбная гримаса.

— Слышала вашу рекламу на радио «Маяк», такая смешная, про третьи, самые хорошие зубы!

Оля рассмеялась:

— Да уж, здорово придумали, обратилась к молодым ребятам из рекламного агентства, это их идея.

— Дорого взяли? — деловито спросила Рина.

— Не слишком, — ответила Оля, — ребятишки только раскручиваются, думаю, через год они начнут брать совсем другие деньги.

— Телефончик не подскажете? — попросила Рина. — Я ищу как раз таких, не с мутными мозгами и не обалдевших от доходов. Реклама — двигатель торговли, надо мне ролик заказать. Кстати, вот моя визитка.

Оля глянула на карточку. «Савоськина Ирина Федосеевна, фирма «Барон», директор». Фамилия Геннадия была Савоськин, это Оля знала от Игоря. Сразу все стало понятно. Геннадий, как говорили раньше, сделал «хорошую партию», вот откуда костюм от Хуго Босс, эксклюзивные часы и дорогая обувь.

Оля подавила желание прищемить мужику хвост и принялась болтать с Риной. Расстались они почти друзьями. Рина пошла к йогуртам, а Оля и Гена остались возле холодильника с креветками.

— Как там Игорь? — спросила Ольга.

Вопрос она задала исключительно для проформы, беседовать с Геннадием ей было решительно не о чем, уходить просто так показалось невежливым. Гена пожал плечами:

— Не знаю, не видел его очень давно.

— Почему? — изумилась Оля. — Вы же вроде друзья? Или я ошибаюсь?

— Мы соседи, — пояснил Гена, — жили рядом, только я переехал, и все, не встречаемся и не перезваниваемся, вообще не общаемся. Ну, до свидания.

Он толкнул свою набитую доверху продуктами тележку и пошел к жене. Оля тоже ушла.

— И телефона его у меня нет, — повторила собеседница, — но, как мне кажется, он ничегошеньки не знает об Игоре — не общаются они, да и не дружили, оказывается, совсем, просто соседствовали.

Я попрощалась с Ольгой и осторожно выехала на Кутузовский проспект. Так, похоже, я пока топчусь на месте, но не беда, я человек упорный, в конце концов добьюсь своего, одна беда — время поджимает. Как только Вовка вернется с Селигера, он подаст заявление об уходе.

Из сумочки понеслась заунывная мелодия.

— Лампа, — сурово сказала Лиза, — я приехала на дачу.

— Очень хорошо.

— Наоборот, крайне плохо, — отрезала она, — ты в курсе?

— Чего?

— Того, что творится в Алябьево?

— Только не говори, что наш дом снова рухнул! — в ужасе воскликнула я[1].

— Пока нет, — отрезала Лизавета, — но если Юрий задержится тут еще на сутки, вполне вероятно, что мы останемся без дачи.

— Он опять буянит?

— Носится по лестнице со столовым ножом, — пояснила Лиза.

— И как только он выбрался из комнаты? Я же придвинула к двери тяжелую мебель! Немедленно забирайте собак и уходите!

— Так давно все убежали, — вздохнула Лиза, — заперли этого урода внутри, а сами сидим на скамейке. Магдалена ревет, Муля икает, Ада воет, Рамик стонет, одной Рейчел все по фигу. Я ей завидую. Да уж, хорошенькое лето нам предстоит.

— А где Кирюшка?

— Как все мужчины, — философски заявила Лизавета, — он предпочел убежать в момент неприятностей. Немедленно приезжай и наведи порядок!

Я повернула в сторону Минского шоссе. Что же делать? Опять вызвать похмельщика? Но, честно говоря, доверия этому врачу больше нет. Он пообещал, что Юрий проснется только поздно вечером, беспомощный, как однодневный птенец, а на самом деле вышло иначе. На второй визит врача денег не хватит. Доктор, который выводит людей из запоя, оказался очень дорогим удовольствием. Так что же делать? Пальцы сами собой набрали «02».

— Милиция, пятая, слушаю.

— У меня приятель напился и буянит.

— И чего? — равнодушно спросила диспетчер. — Побегает и успокоится.

— Он с ножом.

— Купите бутылку водки, — предложила тетка, —

---

[1] См. роман Дарьи Донцовой «Фиговый листочек от кутюр».

и дайте ему. Выпьет — заснет. Завтра разберетесь, когда проспится.

— Но он грозится нас убить!

— Так ведь не убил же еще, — меланхолично ответила дежурная.

— Вы не имеете права отказывать мне в помощи, приезжайте и заберите его в вытрезвитель!

«Ту-ту-ту», — донеслось из трубки. Вот оно как! «Так ведь не убил же еще!» Ничего себе заявление! Значит, если Юрий нас всех зарежет, доблестная милиция явится по вызову, а пока люди живы, менты не шелохнутся, ну и ну. Надо позвонить Кате, пусть посоветует какое-нибудь лекарство.

Но и здесь меня ожидала неудача, Катерина оказалась в операционной.

— Звоните часа через четыре, не раньше, — вежливо сказали мне в ординаторской, — очень тяжелый случай.

Я растерянно огляделась по сторонам. Аптека! Пойду поговорю с фармацевтом.

В крохотной комнатке, за маленьким прилавком скучала девушка, на вид чуть старше Лизы. Увидав меня, она отложила газету и зевнула.

— Простите, есть что-нибудь от алкоголизма? Девчонка ткнула пальцем влево.

— Там на стене реклама.

Я повернула голову и увидела небольшой плакат. На нежно-голубом фоне была изображена красивая белокурая женщина, невероятно похожая на молодую Брижит Бардо. Одной рукой красотка обнимала прехорошенькую девочку, в другой, вытянутой вперед, сжимала ярко-синий баллончик. Через всю листовку шла надпись, сделанная красными буквами, — «Купи «Антипей», спаси свою семью».

— Это средство помогает? — решила я уточнить.

— Покупают хорошо, — лениво пояснила девица.

— Как им пользоваться?

Нехотя, словно делая мне огромное одолжение,

она встала, открыла ящик, вынула упаковку и стала читать вслух аннотацию.

— Распылять в открытый рот в течение одной-двух минут.

Я с сомнением посмотрела на баллончик.

— Другие лекарства есть? Ну чтобы в чай налить или в таблетках?

— Только «Антипей», — отрезала фармацевт.

— Давайте, — тоскливо сказала я, — похоже, альтернативы нет.

— Тысяча пятьсот семьдесят два рубля три копейки, — сообщила девчонка.

— Сколько?! — подскочила я.

— Тысяча пятьсот семьдесят два рубля три копейки, — с легким раздражением повторила продавщица.

— Но почему так дорого!

— А я откуда знаю! — обозлилась аптекарша. — Берете или нет?

В моей душе началась борьба. С одной стороны, цена невероятная, с другой — баллончик большой, небось его надолго хватит, с третьей — денег осталось совсем мало.

И тут зазвонил телефон.

— Лампа, — заорала Лиза, — ну где же ты? Юрий из окон стулья выбрасывает!

— Давайте, — быстро сказала я фармацевту, — вот деньги.

— Еще три копейки, — без всякой улыбки вымолвила девчонка.

Я принялась рыться в кошельке. Три копейки при сумме в одну тысячу пятьсот семьдесят два рубля — это умилительно.

ГЛАВА 13

Дети встретили меня во дворе. Магдалена, скрючившись, сидела на скамейке, прижав к себе Мулю. Лизавета стояла возле гаража, ее гневный голос разносился по участку.

— Как ты мог нас бросить?!

— Так я не знал, что он опять буянит, — оправдывался Кирюшка.

Увидав меня, они перестали ругаться и закричали в один голос:

— Наконец-то! Сейчас же успокой его! Вызови милицию!

Я хотела было сказать, что стражи порядка не собираются бросаться нам на помощь, но в эту самую минуту в окне второго этажа появился всклокоченный, красный Юрий и с воплем: «А ну... держи... на фиг!..» — метнул вниз настольную лампу.

Раздалось жалобное «дзынь», по асфальтовой дорожке разлетелись осколки. Я вытащила из сумки баллончик.

— Всем внимание! Слушать меня! Ставлю задачу: следует поймать Юрия, открыть ему рот и в течение двух минут распылять туда «Антипей».

— Ну и кто будет проводить эту операцию? — вытаращился Кирюшка.

— Папа ни за что не станет сидеть с открытым ртом, — пискнула Магдалена.

— Ну уж и купила лекарство, — покачала головой Лизавета. — Вечно ты, Лампа, выпендриться хочешь, нет бы таблеточек приобрести или капли.

— Папа ничего есть не станет, — вновь ожила Магдалена, — даже предлагать не надо!

Я рассердилась:

— Других медикаментов не нашлось! Какой смысл сейчас зудеть, лучше придумайте, как воспользоваться волшебным средством «Антипей»!

Дети усиленно зашевелили мозгами.

— Запереть его в комнате и распылить лекарство в воздухе, — предложил Кирюшка.

Лиза мигом лягнула его.

— Ты чем слушаешь, а? Надо в рот прыскать!

— Дать ему палкой по башке, — выдвинул новое предложение Кирюшка, — а когда упадет без сознания...

— Нет-нет, — испугалась я, — пожалуйста, без членовредительства.

— Может, попросить его? — предложила Лиза. — Подойти и вежливенько так сказать: «Уважаемый Юрий, не соблаговолите ли открыть ротик для впшикивания туда лекарства?»

— Я думала, ты что-нибудь дельное предложишь, — вздохнула я.

Лизавета прищурилась:

— Вечно ты всем недовольна! По башке — грубо, ласково попросить — плохо! Сама что-нибудь придумай! Легко других критиковать!

— Ну, — замялась я, — право, не знаю, сложная задача. Может, взять гречку, распылить в нее «Антипей» и угостить дядьку?

— Бред, — фыркнул Кирюшка. — Тут написано, только на слизистую, в рот!

Лизавета потрясла ярко мелированной головой.

— Ну слизистая не только во рту есть! Может, пойти другим путем?

— Каким? — удивился Кирюшка.

— С черного хода, — хихикнула Лизавета.

Мы уставились на девочку.

— Что ты имеешь в виду? — полюбопытствовала я.

Лиза вздохнула:— Господи! Это же так понятно! Если не получается через рот, надо действовать через попу!

Я потеряла дар речи от злости. Лизавета, как все подростки, абсолютно неадекватна! В ситуации, когда следует проявить находчивость и сообразительность, она начинает идиотничать!

— Прикольно, — захихикал Кирюшка, — только как до его попы добраться?

— Штаны стащить, — не дрогнула Лизавета.

— Папа ни за что не даст снять с себя брюки, — забубнила Магдалена.

— Несговорчивый какой, — покачал головой Кирюшка, — рот не откроет, штаны не расстегнет.

Интересно, а как, ваще, этим лекарством другие пользуются?

Я посмотрела на баллончик. Действительно, как?

— У вас на лестнице лежит дорожка, — тихо сказала Магда.

— Ага, — кивнул Кирюшка, — зачем только постелили! Она ездит по ступенькам.

— Это Лампа купила, — не упустила момент «ущипнуть» меня Лизавета, — паласик бросила, а о прутьях не подумала!

— Вечно ей в голову славные идеи приходят, — запел в унисон Кирюшка, — помнишь спрей для обуви?

Лизавета захохотала. Я опять разозлилась. Пару месяцев назад я купила средство для краски обуви. У Кати на новых туфлях появилась «ссадина», и я решила закрасить содранное место. Ну кто же мог знать, что хваленая краска не станет держаться на ботинках, зато прочно осядет на паркете и руках? Теперь у нас в углу, возле вешалки, темно-вишневое пятно, и все гости немедленно спрашивают:

— Кого вы убили в коридоре?

Самое противное, что Лизавета и Кирюшка, услыхав этот глупый вопрос, мигом отвечают хором:

— Это Лампа, вы на ее лапы гляньте!

Руки у меня и впрямь довольно долго имели бордовый оттенок. Мигом исчезнувшая с туфель краска никак не смывалась с моей кожи.

— Обрати внимание, — серьезно заявил Кирюша, — и тогда, и теперь она приобрела средство в баллончике! Лампу заклинило на аэрозолях!

Понимая, что они сейчас начнут со сладострастием вспоминать все допущенные мною за год промахи, я нахмурилась, но сказать ничего не успела, потому что из окна второго этажа донесся вопль, а затем перед нами шлепнулся стул.

— Классно, — отскочила в сторону Лизавета.

— На лестнице лежит дорожка, — робко продолжила Магдалена.

— Ну и чего? — перебил ее Кирюша.

Девочка замолчала.

— Говори-говори, — приободрила ее я.

— На лестнице лежит дорожка...

— Да слышали мы уже, — отмахнулась Лизавета.

Магда захлопнула рот.

— Дайте человеку сказать все до конца, — вздохнула я.

— Пусть не жвачится, — отбрила Лиза.

— На лестнице лежит дорожка...

— Дальше!!! — заорали мои невоспитанные дети. — Быстрей говори!

— Надо выманить отца на ступеньки, а потом дернуть ковер. Папа упадет, разинет рот, а мы ему туда «Антипей» и напшикаем.

Я с удивлением глянула на Магдалену. Однако у этой чрезмерно воспитанной и излишне тихой девочки в голове бродят кровожадные мысли.

— Стебно! — подскочил Кирюша. — Значит, так! Юрка идет по ступенькам, Магда и Лизка стоят сбоку, я дергаю покрытие, Юрка летит вниз, девочки садятся ему на ноги, Лампа прыгает на грудь и пуляет спрей в рот.

— Вечно мне приходится хуже всех, — не выдержала я.

— Так ты самая старшая! — возразили негодники.

Через пять минут, слегка поспорив, мы приступили к действиям. Кирюшка, стоя у подножия лестницы, громко крикнул:

— Эй, Юрий, тут бутылка стоит.

Мужик мигом высунулся со второго этажа.

— Где?

— Здесь, — Кирюшка ткнул пальцем в сторону кухни, — гляди, «Гжелка», очень вкусная!

Я судорожно вздохнула. По-моему, о водке нельзя сказать, что она очень вкусная. Но у Юрия, очевидно, было другое мнение по этому вопросу, потому что, постояв пару секунд на площадке второго этажа, мужик обвел нас мутным взглядом и стал, сопя, спускаться по лестнице.

— Дергай, — завопила Лизавета, когда Юрий добрался до середины, — чего ждешь!

Дорожка рывком прыгнула вперед. Юрий взмахнул руками и упал. С громким воплем «йес» Кирюшка и Лизавета сели ему на ноги. Магдалена без толку суетилась рядом.

— Лампа! — заорала Лиза. — Скорей, он вырывается!

Я ринулась вперед, но в ту же секунду растерянно спросила:

— Но как же пшикать? Он лежит на животе!

— Переворачивай, — взвизгнул Кирюшка.

Юрий начал вырываться. Мы с детьми тщетно пытались перекатить его на спину, не тут-то было. Тело его оказалось каменно-тяжелым. Еще очень мешали суетящиеся под ногами собаки. Мопсихи решили, что хозяева затеяли невероятно веселую игру, и с лаем носились взад-вперед по гостиной. Спасибо хоть Рейчел и Рамик не вмешивались. Стаффордширская терьериха сидела в углу и молча наблюдала за происходящим, повернув набок свою крупную морду.

— ... — выл Юрий.

— ... — ответил Кирюшка.

— Не смей ругаться, — пропыхтела я, удерживая пьяницу, — в присутствии женщин это крайне неприлично!

— ... — завопила Лизавета.

Я собралась сделать и ей замечание, но тут Юрий ловко выскользнул из наших рук, вскочил и ринулся вверх по лестнице. Неожиданно Магда сильно дернула ковер. Отец девочки вновь скатился к подножью лестницы, на этот раз он оказался на спине.

— Пшикай скорей, — завопили дети.

— ... — орал Юрий, — ... ...

Я с ужасом обнаружила, что баллончик пропал.

— «Антипей» исчез!

— Блин, — зашипел Кирюша.

— На, — Магда сунула мне в руки лекарство, — держи.

Я мгновенно нажала на головку распылителя и направила струю в рот отчаянно матерящегося мужика. В аннотации было велено разбрызгивать лекарство в течение двух минут, но лучше, думается, не останавливаться все четыре минуты.

Юрий всхлипнул и замолк. Из его глаз потекли слезы, потом веки захлопнулись, и мужик перестал сопротивляться.

Кирюшка встал.

— Здоровское средство!

— Мигом отключило, — покачала головой Лиза.

— Зря мы тебя ругали, — признал мальчик.

— Спасибо, — улыбнулась я, — только что теперь с Юрием делать?

— Связать покрепче, — разумно предложила Лизавета, — давайте положим его на софу и примотаем веревками.

Я не буду вам описывать, как мы катили Юрия по полу, втаскивали на диван и шнуровали при помощи огромного мотка бечевки. Поверьте, это было совсем даже не просто. Те из вас, кто видел мультик «Приключение Гулливера в стране лилипутов», более или менее сумеют представить себе ситуацию. Помните, как крохотные человечки пытались водрузить великана на платформу, чтобы отвезти его в столицу? Под конец «процедуры» мы стали похожи на портовых грузчиков: все красные, потные, всклокоченные.

Наконец Юрий был крепко-накрепко примотан к дивану. Присутствующие перевели дух.

— До сих пор в себя не пришел, — испугалась я, — может, я слишком много напрыскала?

— Навряд ли, — успокоил Кирюшка, — ну-ка, дай посмотрю!

Он взял баллончик, который я поставила на стол, и громко прочитал:

— «Комбат» — средство для борьбы с ползающими насекомыми, уничтожает тараканов быстро и эффективно». Эй, это что такое?

Лизавета выдернула у него из рук ярко-красный цилиндр.

— Ни в коем случае не давать детям, не распылять возле огня, не употреблять внутрь... А где «Антипей»? Лампа! Ты что пшикала?

— Мне Магда дала, — растерянно забубнила я, — ой, что же будет!

— Где «Антипей»? — налетели на девочку Лизавета с Кирюшкой.

— Я случайно перепутала, — зарыдала та, — схватила аэрозоль со столика!

— Мы его отравили, — пробормотал Кирюша, — как таракана! Быстро и эффективно!

— Ну Юрка побольше прусака будет, — возразила Лиза, — авось обойдется. Он дышит?

Мы прислушались. По комнате разносилось мерное сопение. Магдалена продолжала обливаться слезами.

— Перестань, — велела Лизавета, — ничего не произойдет.

— Действительно, — приободрился Кирюшка, — если бы алкоголиков можно было как насекомых вытравить, их бы давно извели. Прикинь, ловко выходит, пшикнешь — и готово!

Но я не разделяла их оптимизма и поэтому схватилась за телефонную трубку.

— Алло, «Скорая»?

— Слушаю, что случилось?

— Мужчина отравился.

— Чем?

— Средством от тараканов.

— Оно, как правило, в аэрозоли, — не сдержала удивления диспетчер.

— Правильно, — пустилась я в объяснения, — мы ему в рот напшикали.

— Зачем?

— Хотели его от алкоголизма вылечить.

Повисло молчание, очевидно, даже видавшая виды сотрудница «Скорой помощи» потеряла дар речи.

— Мы не нарочно, — оправдывалась я, — купили в аптеке спрей...

— Вам продали средство от тараканов в аптеке? — отмерла тетка.

— Нет-нет, я там приобрела «Антипей», но потом мы перепутали...

— Мамуська приехала, — завопил Кирюшка и бросился во двор.

Я быстро положила трубку. Слава богу, у нас дома имеется собственный доктор, который сейчас мгновенно разберется, в чем дело.

Примерно через час мы, успокоенные, сели пить чай. Юрий спал на софе, отвязывать его мы не рискнули. Хваленый спрей от насекомых не оказал на дядьку никакого действия.

— Он просто дрыхнет, — пояснила Катюша, — наверное, дрался с вами и устал, у алкоголиков запаса сил практически никакого. Ну вы даете! «Антипей»! Наверное, не дешевое средство.

— Тысяча пятьсот семьдесят два рубля три копейки, — горестно вздохнула я.

— Ох и ни фига себе, — завопил Кирюшка, — такие деньжищи на ветер выбросила, лучше бы нам дала!

— Но мы же так и не испробовали спрей, — возразила я, — вдруг он и впрямь помогает!

— Давайте сейчас, — предложила Лизавета, — как раз Юрка с открытым ртом спит.

— Лучше не надо! — быстро сказала Катюша.

— Таракан! — завизжала Лизавета. — Вон, вон, наглый такой по стенке идет! Убейте его! А-а-а, боюсь!

Продолжая вопить, Лиза выскочила за дверь.

— Ща ему конец придет, — кровожадно объявил Кирюшка и, схватив баллончик «Комбата», направил резко пахнущую струю на незваного рыжего гостя.

Никакого эффекта не последовало. Наглое насекомое, шевеля усами, резво продолжило свой путь.

— Ну-ка, — внезапно оживилась Магда, — а если этим?

Из ярко-синего цилиндра с надписью «Антипей» вылетело серое облачко. Таракан мигом свалился на пол, задрав кверху тонкие лапки.

— Классно! — пришел в восхищение мальчик. — Даже не дернулся ни разу! Убойное средство! Хорошо, что мы его с дихлофосом перепутали!

Я молча пила чай. Значит, все-таки я не совсем зря потратилась. «Антипей» запросто можно использовать в качестве убийцы тараканов, дороговато, правда, но эффект сногсшибательный. Хотя в данном случае, очевидно, следует говорить слапсшибательный. Или у тараканов не лапы, а ноги? Да какая разница, в конце концов! Главное — результат. Юрий спит, а прусак умер без мучений, что очень отрадно, потому что мне не нравится, когда кто-то испытывает страдания.

ГЛАВА 14

Утром я набрала телефон Лады Вергасовой и сразу услышала голос:

— Слушаю вас.

— Госпожа Вергасова?

— А вы кто?

— Евлампия Романова.

— Э-э... извините, мы знакомы?

— Нет.

— Тогда в чем дело? — удивилась Лада.

— Я расследую дело об убийстве Игоря Грачева, и...

— Ясно, — перебила меня девушка, — мне к вам на Петровку приехать? Могу только через неделю. Ногу подвернула, прыгаю по квартире на костылях.

— Может, я к вам?

— Когда угодно, — легко согласилась Лада, — у вас деньги есть?

— Немного, — осторожно ответила я.

Надеюсь, она не потребует от меня платы за «интервью».

— Сделайте одолжение, купите упаковочку анальгина, нога страсть как болит, прямо невмоготу! Деньги сразу отдам, мне самой не выйти.

— Конечно, по дороге зайду в аптеку.

— Никуда ходить не надо, около моего подъезда киоск стоит, уж анальгин-то там найдется, — сообщила Лада.

— Замечательно, давайте адрес, — обрадовалась я.

Лада открыла дверь и тут же воскликнула:

— Извините за беспокойство, но я живу одна, а подруги все на работе.

Я посмотрела на ее забинтованную ногу.

— Ерунда, мне было совсем не трудно. Как вас угораздило?

— Сама не понимаю, шла, шла и упала, наверное, каблук в выбоину попал, — пояснила Лада, — да вы проходите сюда, в кухню.

Я вошла в довольно просторное помещение. Встречаются иногда женщины, вдохновенные неряхи. Лада оказалась из их числа. Все десять квадратных метров были забиты невесть чем. На подоконнике теснились горшки с пыльными, полузасохшими цветами. Около кашпо валялись пачки сигарет, зажигалки, шариковые ручки, смятые бумажки и грязная расческа. Неменьший бардак царил и на столе. Там громоздились тарелки с засохшими остатками еды, огрызки яблок, испачканные чашки и стаканы. Посередине распласталась плоская сковородка, на ней сиротливо лежала одна отварная картофелина.

— Да вы садитесь, — гостеприимно предложила Лада и поковыляла к плите, — чайку не хотите?

— С удовольствием, — покривила я душой.

Лада распахнула один из шкафчиков, парочка тараканов стремглав кинулась наутек. Даже не поморщившись при виде противных насекомых, хозяйка достала банку без крышки, пальцами залезла внутрь, добыла щепотку заварки и бросила сухие листочки в покрытый коричневыми пятнами крошечный чайничек. Честно говоря, мне и до этого не слишком-то хотелось пить бодрящий напиток, а после того, как я увидела процедуру заварки, желание пропало полностью. Но Лада ничего не заметила. Она схватила грязный донельзя чайник, который, очевидно, когда-то был симпатичным белым электрочайником «Тефаль», и радушно спросила:

— Сахар любите? Если нет, есть мед.

— Большое спасибо, я положу песок.

Лада поставила передо мной кружку, от которой пахло рыбой.

— И что вы хотели узнать? — приветливо спросила она.

— Вы давно знаете Игоря? — осторожно начала я.

— Так всю жизнь, — ответила девушка.

— Да? — удивилась я. — Вместе учились?

— В одной школе, — кивнула Лада, — я на три года старше Игорька, и в садик вместе ходили. Честно говоря, недолюбливала я его в детстве.

— Игоря?

— Ну да.

— Почему?

— Сама была еще ребенком, — вздохнула Лада, — семь лет только исполнилось, а приходилось за час до уроков из дома выметаться, все из-за Игорька.

Я вздернула брови:

— Не понимаю.

— Чего же тут не понятно, — усмехнулась Лада, — в обязанности мне вменили брата в садик таскать. Весной еще ничего, а зимой и осенью просто ужасно! Сначала дома одень его: трусики, колготки, рейтузы, носочки, майка, рубашка, свитерок, косынка, шапка и т. д. Офигеть можно. Ребенок-то не стоит на месте, вертится, кривляется, потом плакать начинает, жарко ему. А в садике обратный процесс проделать надо, у меня от злости нервы не выдерживали, я его всю дорогу до садика колотила ранцем по голове. Прямо ненавидела Игоря.

— Так он ваш брат?! — осенило меня.

— А вы не знали?

— Ну, — я попыталась выйти из неловкого положения, — я только сегодня начала заниматься этим делом, еще во все детали не вникла... И потом, у вас разные фамилии!

— Ну и что? — усмехнулась Лада. — Я по глупости в двадцать лет замуж выскочила, через год развелась, а фамилия осталась. Как подумала, сколько документов менять придется, сразу расхотела вновь Грачевой становиться!

— Значит, у вас с братом дружбы не было?

— В детстве да, — пояснила хозяйка, — вечно он у меня под ногами путался. Придут подружки — лезет в комнату, дашь подзатыльник — маме жалуется. Потом за мной начали мальчики ухаживать, а Игорь давай папе наушничать, тот за ремень схватился. Одним словом, не братик, а исчадие ада.

Я внимательно слушала Ладу. Детские обиды самые сильные. Лично я очень хорошо помню, как собирала фантики от конфет. Невинная вначале забава постепенно превратилась в настоящую манию. Обертки аккуратно проглаживались утюгом и вклеивались в тетрадку. Сначала моя мама не обращала никакого внимания на «коллекцию», но потом насторожилась. Ее воспитанная дочка могла на улице с радостным воплем кинуться к брошенному невесть кем фантику и с торжеством заявить, потряхивая смятой бумажкой:

— Такой у меня еще нет!

Мама попыталась объяснить мне, что не следует подбирать грязные фантики. Была прочитана лекция о страшных заболеваниях, которые подстерегают тех, кто ведет себя так, как я. Туберкулез, сибирская язва, чесотка... О венерических болезнях она умолчала, во времена моего детства родители не беседовали с детьми на тему секса.

Но перспектива занедужить меня отчего-то не испугала, и в один прекрасный день мать увидела, как ее дочурка лезет в урну, куда какой-то ребенок швырнул обертку от конфеты. Все, это оказалось последней каплей. Когда я вернулась домой, тетрадка исчезла. Мое горе описать невозможно, до сих пор помню, как заливалась слезами, спрашивая:

— Ну кто взял? Кто?

Рядом стояла мама. Гладя меня по волосам, она бормотала:

— Не плачь, кисонька, ее уже уволили.

— Кого? — сквозь слезы спросила я.

— Да домработницу, — спокойно пояснила она, — твоя коллекция очень ценная, вот мерзавка и польстилась, украла. Ну ничего, начнешь собирать новую.

Мне исполнилось всего восемь лет, и я поверила маме, да и как могло быть иначе? Мама всегда заботилась обо мне, была моей лучшей подружкой, к тому же домработница на самом деле исчезла из нашего дома, наняли другую женщину. Собирать коллекцию заново мне не захотелось, я увлеклась марками с изображением животных, и родители охотно покупали их мне в магазинах.

Спустя много лет, уже после маминой смерти, я разбирала ее шкаф. В самом дальнем углу нашелся пакет. Там, среди писем от бабушки и папы, лежала моя тетрадка с фантиками. Наверное, мама, боясь, что дочка станет слишком сильно переживать, все же не решилась отправить «коллекцию» на помойку, наверное, если бы я плакала неделю, она дрогнула бы и вернула драгоценность. Будучи взрослым человеком, я великолепно понимала, что мама хотела мне добра, боялась, как бы неразумное дитятко не подцепило от грязных бумажек заразу, но, увидав тетрадь, я проревела несколько дней. Многие обиды моей жизни забылись, но про фантики я помню до сих пор.

— Но потом Игорь подрос, — спокойно продолжала Лада, — и мы стали нормально общаться. Правда, в основном на каких-то семейных мероприятиях. Я вышла замуж и уехала от родителей. А потом умерла мама, и все стало совсем плохо...

Я хотела было спросить, что же потом с ними случилось, но Лада внезапно задала свой вопрос:

— Ваши родители живы?

— Нет, ни отец, ни мать. Сначала умер папа, а потом ушла мама.

— Тогда вы знаете, как тяжело без матери, — грустно продолжила Лада, — мы тоже с Игорем остались сиротами, мамочка попала под машину прямо возле дома.

Валерий Андреевич Грачев, отец Игоря и Лады, недолго горевал. Он был еще относительно молодым мужчиной, к тому же на заре перестройки Валерий начал заниматься полиграфическим бизнесом, сначала выпускал визитные карточки и календарики, потом потихоньку начал раскручиваться, но стремительный взлет его благосостояния начался примерно за год до трагической гибели жены. Сами понимаете, что богатый вдовец долго не пробыл одиноким, двенадцати месяцев не прошло после кончины супруги, как Валерий повел в загс невесту Полину, свою секретаршу, молодую, оборотистую женщину.

Лада вначале даже порадовалась за отца. Она очень любила маму, но понимала, что папа не должен оставаться один. Девушка даже попыталась подружиться с Полиной. Мачеха еще не справила сорокалетия, и между ними могли наладиться хорошие отношения. Могли, но не возникли. Полина мигом дала понять детям: в новой семье Валерия для них места нет.

Мачеха действовала хитро, при муже она мило улыбалась Ладе и Игорю, но всегда строила беседу таким образом, что Лада срывалась и устраивала истерику.

— Ну почему она меня так не любит, за что? — начинала плакать Поля и убегала.

Валерий хмурился, выговаривал дочери, Лада пыталась оправдаться, но отец неизменно оказывался на стороне новой жены. Поговорка про ночную кукушку, которая дневную перекукует, оправдывалась в их семье полностью. Потом Валерий разбогател до неприличия и начал строить загородный особняк.

— Вот здорово, — обрадовалась Лада, — рожу ребенка и стану с ним жить на свежем воздухе.

Полина перекосилась, но ничего не сказала. А потом случилось невероятное. Валерий примчался к дочери ночью, без всяких объяснений прошел в туалет, открыл дверцу, за которой прятались трубы, и выудил пакетик. Лада только хлопала глазами, наблюдая, как отец вытаскивает из целлофана сапфировое ожерелье.

— Дрянь, воровка, — кипел отец, — мало тебе денег, которые я даю! Решила у Поли драгоценности красть! Так теперь вообще ни копейки не получишь! Живи на свои доходы!

Бедная Лада, с трудом придя в себя, пробормотала:

— В первый раз вижу камни!

— Сволочь, — рявкнул папенька, отвесил Ладе пощечину и ушел.

Только потом Лада сообразила, что хитрая Полина сама засунула собственное ожерелье в укромное место в квартире ненавистной падчерицы. Очень уж ей хотелось избавиться от Лады, наверное, ее подтолкнула к решительным действиям необдуманная фраза той о совместном проживании в загородном доме. Полина не хотела жить с детьми мужа.

Валерий больше не общался с дочерью, не звонил, не приезжал, не давал денег, и для Лады наступили тяжелые времена. Чтобы не умереть с голоду, пришлось наниматься в службу эскорт-услуг и ездить по разнообразным мероприятиям в качестве наемной партнерши.

Не прошло и года, как Полина избавилась и от Игоря. Она не подсовывала ему драгоценностей или кошелька с деньгами, нет, из парня сделали насильника.

— Представляешь, — растерянно рассказывал Игорь, — мы сидели в гостиной. Вернее, я сидел, а Полина лежала на диване. Потом она попросила:

— Сделай одолжение, подай журнал.

Игорь встал, принес Полине «Космополитен», но мачеха неожиданно обняла его за шею и притянула к себе.

— Сейчас-сейчас, — бормотала она, расстегивая на пасынке рубашку, — погоди, минутку.

Игорь сначала не понял в чем дело. Вдруг Полина резко села, изо всей силы толкнула его, разорвала на себе кофточку и заорала:

— Аня, помоги!

Вместо домработницы в гостиную ворвался Валерий.

— Ты дома! — кинулась к нему жена. — Игорь хотел меня изнасиловать!

Обомлевший парень потерял дар речи. Валерий окинул взглядом мизансцену и посерел. А вы бы как повели себя, увидав молодую жену в разорванной блузочке, с лицом, залитым слезами, и сидящего на полу возле дивана всклокоченного сына в рубашке, распахнутой на груди? Отец выволок Игоря за дверь и спустил с лестницы.

— Вот так она нас выжила, сука! — с чувством произнесла Лада. — Хитрая, словно обезьяна. Остались мы ни с чем. Я в квартирке, которая досталась после развода, а Игорь в халупе, полученной от бабушки. Ни копейки нам от отца по завещанию не отошло!

— Валерий умер? — спросила я.

— Да, — кивнула Лада, — странная такая история! Мы пошли к адвокату. После папиной смерти то полно добра осталось! Квартира на Полянке, огромная, семикомнатная, гараж подземный, три машины, загородный особняк, фирма, счет в банке. Честно говоря, мы рассчитывали получить свою долю. Знаете, что оказалось!

— Ну?

— Всем владеет Полина. Каким образом она убедила отца переписать на нее имущество, не знаю, но факт остается фактом, по бумагам именно новая жена является хозяйкой, а у отца вроде как ничего и не было, кроме участка в шесть соток за сто километров от Москвы, в Шатурском районе, там, где каждый год торф горит. Думаю, отец просто-напросто позабыл про эту земельку. Вот суд нам с Игорем половину ее и присудил. Просто цирк!

— Да уж, — покачала я головой, — сказать нечего.
Лада грустно улыбнулась.

— Самое противное, что эта Полина мгновенно
вновь выскочила замуж, и опять за богатого человека, старше себя, с детьми. Наверное, теперь их из дома
выживает!

— Вы пристроили Игоря на работу? — Я постаралась направить разговор к интересующей теме.

— Точно, Игорь нуждался в деньгах.

— Он не рассказывал про клиенток?

— Да нет, мы редко встречались.

— Постарайтесь вспомнить, вдруг он обмолвил-
ся о ссоре с кем-нибудь?

Лада почесала переносицу.

— Нет, Игоря в фирме любили, на него никто ни
разу не жаловался. Знаете, тамошние мальчики, в основном альфонсы, мечтают найти богатую бабу, же-
нить на себе и больше ничего не делать, а Игорек был
не такой, и потом, у него была девушка, Олеся Рымбарь. Они собирались пожениться, но денег-то не
было, вот Игорь и зарабатывал на свадьбу. Кстати,
Олеся нашла Игорьку другую службу, он туда примерно за полгода до смерти перешел.

— И куда же он нанялся?

— В фитнес-клуб «Страна здоровья», Олеся там
инструктором в тренажерном зале работает, а Игоря
она пристроила массажистом.

— Кем? — удивилась я. — Массажистом?

— Что же тут странного? Игорек заканчивал ме-
дицинский институт, его охотно взяли, зарплата,
прямо скажем, средняя, но клиенты давали чаевые,
очень щедрые, вот Игорь и старался изо всех сил, прямо из кожи вон лез, деньги ему нужны были, жениться
хотел.

Лада внезапно замолчала, потом встала, взяла со
стола сковородку, сунула ее в мойку и неожиданно
спросила:

— Вы и впрямь хотите узнать, кто убил Игоря?

— Конечно.

— Так езжайте в фитнес-клуб «Страна здоровья».

— Думаете, Игорь поругался с кем-то из тамошних клиентов?

Лада вновь замолчала, потом начала собирать со стола посуду и вытряхивать пепельницы. Было видно, что она находится в раздумье: как поступить. Наконец она приняла решение.

— Игорь был моим братом, — пробормотала она, — наверное, надо все рассказать. Незадолго до своей кончины Игорь пришел ко мне в гости...

Лада слегка удивилась, увидев брата на пороге, у них с Игорем были нормальные отношения, но дружбы никакой. Привычки бегать друг к другу с проблемами не имелось. Встречались на днях рождения, и только, даже Новый год справляли порознь. Все общение сводилось к телефонным звонкам примерно раз в неделю.

— Случилось что? — испугалась Лада, увидев взволнованного брата.

Тот кивнул.

— С Олесей расстался? — предположила сестра.

— Да нет, — пробормотал Игорь, снимая ботинки, — на работе ерунда выходит.

— Тебя уволили?

— Нет.

— С клиентом поругался?

— Нет.

— Тогда что?

— Пока ничего, — сказал Игорь, — пока пусто, но я точно знаю теперь, где собака зарыта, вроде знаю...

— Ты можешь говорить членораздельно?! — вскипела Лада. — Что случилось?

— В том-то и дело, что ничего, — загадочно бросил Игорь, — извини, пока я не могу объяснить детали. Ты помнишь, от чего умер папа?

— Инфаркт, — ответила Лада, — обширный, только до приемного покоя успели довезти, там он и скончался.

— Интересный факт. — Игорь поднял вверх указательный палец. — За полгода до кончины отец начал ходить в фитнес-клуб «Страна здоровья».

— В тот самый, где ты сейчас работаешь?

Игорь кивнул:

— Именно. Наша вторая маменька, несравненная Полина, таскается туда уже давно, вернее, таскалась, после смерти отца она больше не показывается в залах. Так вот, инфаркт случился примерно через час после тренировки.

Лада вздохнула.

— Я всегда считала, что от занятий спортом один вред. По-моему, владельцы фитнес-клубов просто дурят людям голову, заработать хотят.

— Спортом заниматься вредно, — тихо произнес Игорь, — а физкультурой полезно, но только в меру. Знаешь, какие клиенты встречаются? Хотят сразу, со второго занятия, стать стройными, и давай на тренажерах ломаться. Навесят груз по полной программе, четыре подхода по пятьдесят раз сделают...

— И что? — заинтересовалась Лада.

Игорь развел руками:

— Дураки! Такое плохо заканчивается. Умные люди специально инструктора нанимают, чтобы дозировал нагрузку, объяснил что к чему... Кстати, у отца имелся персональный тренер, отличный специалист!

— А инфаркт случился! — подхватила Лада. — Нет, не в инструкторе дело, лучше в спортзал не заходить после определенного возраста!

Игорь глянул на сестру, потом вытащил из кармана кошелек, выудил из него крохотный ключик и протянул Ладе:

— Спрячь получше.

— Это что? — полюбопытствовала она.

— Ключик от богатства, — сказал брат. — Если сумею все раскопать — денежки наши.

— Какие? — не успокаивалась Лада.

— Потом объясню, — отмахнулся Игорь, — только не потеряй. Боюсь с собой носить, и дома оставлять не хочется. Понимаешь, я раздобыл кое-какие документы и припрятал их в клубе, в укромном уголке, в голову никому не придет, куда я их засунул. Если сейчас убийцы испугаются, придут ко мне домой, то ничего не найдут, в клубе искать не станут. Только псих схует на работе важные бумаги, на это мой расчет. Да и место укромное, хоть и на виду. Нет, туда не полезут, а вот если увидят случайно ключик, мигом сообразят, что к чему. Пожалуйста, не потеряй, за той дверцей наше богатство.

— Как у Буратино, — хихикнула Лада, — он тоже с золотым ключиком носился, бедняжка.

Игорь улыбнулся.

— Можешь смеяться сколько угодно, посмотрим, что скажешь, когда поселишься в собственном загородном доме и станешь раскатывать на «мерсе».

— Ну такое со мной вряд ли в течение ста лет произойдет, — заметила Лада.

— Все будет в шоколаде, только не потеряй ключик, — пообещал брат.

— Надеюсь, вы выполнили его просьбу? — вскочила я. — Ключ у вас?

Лада кивнула, открыла ящик, порылась в нем и вытащила простое железное колечко, на котором покачивалась тоненькая палочка с зазубринками.

— От чего он? — в нетерпении воскликнула я.

Лада почесала переносицу:

— Понятия не имею, где-то в помещении фитнес-клуба имеется дверца или шкафчик. Причем, как я поняла, находится сие волшебное место на самом виду у всех, никакого желания открыть его не вызывает и одновременно является укромным.

Я выхватила ключ.

— Спасибо.

— Не за что, — ответила Лада. — Если найдете там что-нибудь ценное, скажете мне?

— Обязательно, — закричала я, несясь к двери, — всенепременно, бриллианты, золото, изумруды — все достанется вам, мне они совершенно не нужны!

Лада засмеялась.

— Игорь говорил, что там документы.

Но я уже вскочила в лифт. Вопросы, вопросы... Где расположена «Страна здоровья»? Как туда попасть? Возможно ли отыскать шкафчик? Что за бумаги лежат там? Наверное, очень и очень интересные, раз Игоря из-за них убили! Так, теперь хотя бы стало ясно, из-за чего погиб парень. Он узнал нечто этакое... Наверное, решил намекнуть кому-то на то, что владеет эксклюзивной информацией, потребовал доллары за молчание. Игорь нуждался в деньгах, собирался жениться на Олесе Рымбарь, на свадьбу не хватало средств. Должно быть, невеста хотела лимузин, платье за несколько тысяч долларов, пир на двести пятьдесят человек, медовый месяц на Карибах...

Вот глупый парень! Он что, детективов никогда не читал? Шантажисты, как правило, очень плохо заканчивают.

Я плюхнулась за руль, отжала ручник и слишком резко отпустила сцепление. «Жигули» прыгнули вперед и заглохли. Я хотела было повторить попытку, но отдернула правую ручку от рычага переключения скоростей. Минуточку, нестыковочка выходит. Лада говорила, что Игорь собирался связать свою судьбу с Олесей Рымбарь, при чем тогда тут Ната Егоркина? Вернее, Костина, потому что теперь, выйдя замуж за Вовку, девчонка поменяла фамилию. Зачем Игорь крутил с ней любовь? Может, Лада просто не в курсе? Наверное, отношения Игоря и Олеси остались в прошлом.

Я попыталась взять себя в руки. Успокойся, Лампа, похоже, тебе следует пить успокаивающую микстуру. Тут же взгляд упал на вывеску «Аптека». Я вылезла из машины, дошла до небольшого павильончика и попросила ново-пассит.

— Семьдесят два рубля, — сказала провизор, — у вас какая-то бумажка из кармана выпала.

Я подняла обрывок: на нем бежали пляшущие в разные стороны буквы: «Трава укупника, купить настойку, лить по три столовых ложки на стакан, давать утром или вечером с чаем, мигом перестанет ханку жрать». Перед глазами всплыла картина. Вот я, рыдая, пытаюсь собрать разбросанные по проезжей части миски и кастрюли, а Юрий с утробным воем бежит между машинами. Потом какая-то женщина сует в мои руки бумажку и приговаривает: «На, попробуй, напои своего алкоголика. Моему мужу помогло, как рукой сняло».

— Скажите, у вас есть трава укупника? — обратилась я к провизору.

Женщина усмехнулась.

— Укупника нет, сомневаюсь, чтобы сей певец имел огород с лечебными растениями. Вам, очевидно, требуется окопник!

Встречаются такие люди, слова в простоте не скажут! Ну ошиблась покупательница, так поправь спокойно, ведь поняла, что требуется. Так нет, начала ерничать и изображать из себя самую умную. Между прочим, я знаю, кто такой Укупник, он поет про съеденный паспорт.

— Дайте еще и окопник, — потребовала я.

Авось и Юрию поможет, сегодня же использую волшебное средство.

ГЛАВА 15

Фитнес-клуб «Страна здоровья» работал круглосуточно. Я вошла в просторный, идеально вымытый холл, заставленный дорогими кожаными диванами, и мигом наткнулась на двух мрачных охранников, одетых в черные костюмы и белые рубашки.

— Ваш пропуск, пожалуйста, — без всякой улыбки, но очень вежливо сказал один.

— У меня его пока нет, я хотела записаться в клуб.

— Пройдите сюда, — указал секьюрити на дверь возле самого входа.

Я вошла, перед глазами открылось офисное помещение, все в компьютерах, телевизорах, телефонах и факсах. Две женщины в оранжевых футболках с надписью «www.zdorovie.ru» мигом подлетели к потенциальной клиентке. Через десять минут стало ясно: мне сюда не попасть. Причина, по которой я не смогу

пользоваться ни бассейном, ни тренажерным залом,
ни сауной, была проста как веник. Абонемент стоил
две тысячи долларов. Осмотрев помещение, я вернулась к администраторам и, стараясь сохранить на
лице выражение полнейшего безразличия, заявила:

— Ничего, приятное место, но прежде чем под-
писывать с вами контракт, я должна поговорить с
начальством, будут ли меня отпускать на тренировки...

— Мы работаем круглосуточно, — хором напо-
мнили оранжевые футболки, — все удобства для вас.

Вот черт, совсем забыла, придется выкручиватся
дальше. Навесив на лицо самую сладкую улыбку, я
процедила:

— Это я шучу так! Называю начальством собственного мужа, ему может не понравиться, что жена
неизвестно где ходит одна.

— А вы его тоже к нам приводите, — сказала одна из администраторов, — семейный абонемент де-
шевле, всего три тысячи пятьсот у. е. на двоих.

Девушки явно не собирались выпускать клиента
из цепких ручонок.

— Еще с врачом надо посоветоваться...

— У нас чудесный доктор! Хотите, прямо сейчас
примет?

— Тогда я поеду за справкой.

— Какой?

— Для бассейна.

— Ничего не нужно, так запишем, только запла-
тите!

Аргументы закончились, сказать: «Простите, у
меня нет денег» я отчего-то постеснялась.

Девушки выжидательно смотрели на меня, я растерянно хлопала глазами, и тут одна из служащих сказала:

— Вижу, вы колеблетесь, оно и понятно, сумма
немаленькая. Наш клуб дарит вам одно занятие, проб-
ное, абсолютно бесплатно, идите, посмотрите бассейн,
беговую дорожку...

— Но у меня нет с собой физкультурной формы
и купальника с тапочками.

— Ерунда! — воскликнула администратор. — Вот талон, отдайте на рецепшен, вам все выдадут. Позанимаетесь и придете оформлять договор.

Обрадовавшись, что они отпустили меня, я выскочила в холл и хотела уже уходить, но тут охранник, глядя на талончик, зажатый в моем кулаке, велел:

— Вам сюда, к стойке номер два.

Делать нечего, пришлось брести к длинной конторке, за которой сидели девушки, на этот раз в желтых майках с другой надписью: «Страна здоровья» — ваше здоровье». Дальше события покатились сами собой. Мне с улыбкой и поклонами сунули запечатанный пластиковый пакет, два полотенца, халат, ключик от шкафчика и препроводили в раздевалку. Я села на скамеечку, открыла упаковку и нашла там голубую футболку, такого же цвета шортики, белые носочки, нечто больше всего похожее на высокие калоши, купальник, одноразовые пластиковые тапки и шапочку для душа. В отдельном мешочке лежал кусочек мыла, пакетик с порцией шампуня, расческа и прокладка.

Решив использовать предоставившуюся возможность, я начала переодеваться. Одно стало понятно сразу: ключик, который лежит сейчас у меня в сумочке, не от шкафчиков, куда клиенты прячут свои вещи. Эти ключи больше и все прикреплены к резиновым браслетам, которые посетители застегивают кто на щиколотке, а кто на запястье.

Приняв решение не торопиться, я тщательно изучила раздевалку, но она, несмотря на большие размеры, не представляла никакого интереса. Ряды совершенно одинаковых шкафчиков, перед ними тянутся скамейки, в простенках между закрытыми плотными шторами окнами висели зеркала, возле них, на полочках, лежали фены. Никаких ящичков или дверок с крохотными замочными скважинами тут не нашлось. Правда, в туалете, на внутренней стороне двери, прикрывавшей вход в кабинку, виднелся прямоугольный, небольшой предмет, подвешенный в самом верху. Я вгляделась в него, а потом решила, закрыв дверь, встать на унитаз и посмотреть, что это такое, но не успела дверца захлопнуться, как из непонятной штучки донеслось тихое шипение и из множества мелких дырочек вылетело сильно пахнущее облачко. Это оказался освежитель воздуха. В душе тоже не нашлось ничего интересного, только краны и проволочные корзиночки, куда следовало класть мыло с мочалкой.

Я приуныла, но потом взбодрилась. Было бы странно предположить, что Игорь спрячет документы в дамской раздевалке. Значит, «захоронку» следует искать в других местах. Следующие три часа я, изображая из себя будущую привередливую клиентку, шлялась по «Стране здоровья», заглядывая во все углы. Сообщу сразу: никакого успеха я не добилась. В бассейне, вокруг чаши, стояли лежаки, стены, отделанные голубым кафелем, сияли чистотой, в тренажерных залах приветливые инструкторы мигом бросились рассказывать о беговых дорожках, велосипедах, гантелях и штангах... Везде царили чистота и идеальный порядок, а служащие, словно японцы, безостановочно кланялись и улыбались.

В конце концов я устала и села в раздевалке. Приходится признать: за один день громадное помещение не осмотреть. Здесь еще есть солярий, кабинеты массажа, бани, детский клуб, кафе, залы аэробики и йоги, косметический кабинет, парикмахерская... Но больше меня сюда бесплатно не пустят! И что делать?

Грустные мысли прервал стук каблучков. В раздевалку вошла женщина, распахнув дверцу своего шкафчика, она стала шумно возмущаться:

— Ну и безобразие! Какая грязь! Вы только посмотрите! Пустая бутылка из-под минералки, салфетки... Они что, тут не убирают? Эй, кто-нибудь, сюда!

Тут же материализовалась довольно полная тетка в ярко-зеленой футболке.

— У вас проблемы? — вежливо поинтересовалась она.

— Это у вас будут проблемы, — окрысилась посетительница, — когда я пойду на рецепшен и сообщу про то, какая вы лентяйка! Немедленно уберите грязь!

Толстуха покраснела. Видно было, что охотнее всего она бы надавала пощечин молодой нахалке, но, очевидно, хозяева фитнес-клуба строго-настрого велели служащим угождать клиентам. Кое-как справившись с приступом злобы, баба ответила:

— Я не уборщица, а дежурный администратор.

— Так пришлите уборщицу! — не сдалась капризница.

— Сейчас принесу вам ключи от другого шкафчика.

— Зачем?

— Но в этом же грязь!

— Мне не нужен другой шкаф! — взвилась клиентка. — Я всегда раздеваюсь именно тут! Просто уберите мусор! Немедленно.

Толстуха вновь покраснела.

— Извините, пока это невозможно.

Девчонка уперла в боки изящные руки с золотыми браслетами.

— Это еще почему?

— Уборщица утром уволилась, новую еще не нашли, у нас большие трудности с обслуживающим персоналом, — пустилась в объяснения дежурная, — зарплата...

— Мне наплевать, — прервала ее клиентка, — я плачу деньги и желаю иметь услуги. Вот что, любезнейшая, я пойду выпью чашечку кофе, а вы извольте привести шкаф в порядок. Меня абсолютно не волнует, кто его уберет, штатная поломойка или хозяин клуба, но, если через десять минут тут не будет чисто, считайте, вы потеряли работу, мой муж очень не любит пускать доллары по ветру, ясненько?

Цокая каблучками, она вылетела в коридор.

— Вот какая капризная, — вырвалось у меня, — ну неужели трудно взять бутылочку и бросить в урну?

Я надеялась, что дежурная вступит в диалог, но

толстуха молча схватила пустую тару из-под «Перье», собрала мятые бумажные салфетки и испарилась. Я прикусила язык. Дежурная не станет со мной откровенничать, я для нее представитель враждебной армии клиентов.

Вновь застучали каблуки, и девчонка протянула:

— Быдло, оно и есть быдло, будешь ласково разговаривать — ни хрена не сделают. Примешься орать — мигом суетиться начнут! Уборщиц у них нет!

Я сидела на скамейке, погруженная в тяжелые раздумья: ну как прорваться в клуб, не платя две тысячи долларов?

— Поломойку найти не могут! — кипела девчонка, влезая в костюм. — Эка невидаль, эксклюзивный, блин, специалист. Академик протирки сортиров! Хорошо еще, что нас не заставляют тут лестницу драить!

Внезапно на меня снизошло озарение.

— Спасибо! — заорала я.

Девица выронила кроссовки.

— За что?

— За идею, гениально придумано! Не знаете, где у них нанимают на работу уборщиц?

Девушка быстро заперла шкафчик и побежала к выходу, бурча себе под нос:

— Нет, надо менять клуб! Сотрудники — хамы, клиенты — психи.

Я быстро переоделась, сдала ключ на рецепшен, выскочила на улицу и обошла вокруг здания. Если не ошибаюсь, тут где-то обязательно должен иметься еще один вход, навряд ли сотрудники входят вместе с клиентами.

Внутри служебного помещения был совсем иной пейзаж. Дверь тоже стерег секьюрити, но это было единственное сходство между холлом для клиентов и комнатой, куда попадали с улицы работники. Никакой кожаной мебели, цветов и улыбок.

— Тебе чего? — поинтересовался охранник.

Я сделала умоляющее лицо:

— Сказали, что тут уборщица нужна.

— Стой на месте, — приказал парень и нажал на кнопку.

Через пару минут появилась женщина в зеленой футболке, на ее груди красовался бейджик «Елена».

— Зачем звал? — мрачно осведомилась она.

Очевидно, приветливые улыбки сотрудники клуба надевали на лица, лишь выходя на «белую» половину.

— Уборщица явилась, — сообщил охранник.

Елена окинула меня оценивающим взглядом:

— Откуда вы узнали о вакансии?

Я сделала лицо идиотки и зачастила:

— Так просто, шурин посоветовал, он у меня на хорошей работе, шофер, хозяйку к вам возит, стоит в паркинге, поджидает ее, разговорился в гараже с людьми, они и сказали.

— Ясно, — протянула Елена, — завтра выйти сможешь? Оклад две тысячи, работать сутки, двое отдыхать, можно через день, тогда четыре получишь.

— Очень здорово, — обрадованно закивала я, — через день то, что надо.

— Справку успеешь сделать?

— Какую?

Елена принялась перечислять болезни:

— СПИД, гепатит, туберкулез, грибковые инфекции — с этим не берем на работу.

— Я еще в больнице служу, техничкой, — соврала я, — нас там регулярно проверяют, принесу бумагу.

— Ладно, — кивнула Елена, — жду в десять утра, смотри не опаздывай.

Я выбежала на улицу, открыла «Жигули» и понеслась в Алябьево. Значит, у клиентов не требуют справок, а уборщица должна их представить. Ничего, сейчас загляну к Катюшке в комнату, у нее полно бланков, сама напишу требуемое.

На даче все было спокойно. Муля и Ада мирно спали в гамаке, подвешенном между соснами. Кирюшка и Лизавета пили чай на веранде.

— Что Юрий? — спросила я и грохнула на пол сумки, набитые продуктами, купленными по дороге в супермаркете.

— Нет бы поинтересоваться, как тут бедные, голодные дети! — возмутился Кирюшка. — Об алкоголике беспокоится! Дрыхнет он!

— У нас в холодильнике пустыня, — заявила обиженным голосом Лизавета, — даже молока нет!

— Съездили бы на станцию и купили, — я попыталась проявить педагогическое занудство, — заодно бы и картошечки прихватили!

— А деньги нам оставили? — набычился Кирюшка.

— В коробке лежат, в комоде.

— Там ничего нет, — хором ответили подростки.

— Утром было сто рублей, — не сдалась я.

— Мы мороженое купили.

— Значит, за ним не лень было на станцию кататься, а за молоком и картошкой неохота!

— Никуда мы не ездили.

— Откуда тогда мороженое?

— Магдалена сгоняла, — лениво ответил Кирюшка.

— Пешком?!

— И чего? — удивилась Лизавета. — Тут всего три километра, а на велике она не умеет.

— Притащила все мятое, — недовольно сообщил Кирик.

— А вы как хотели? — рассердилась я. — Девочка пробежала шесть километров по солнцу.

— Три! — поправила Лиза.

— Туда и обратно!!!

— Ой, только не начинай скандал, — возмутился Кирик.

— Действительно, Лампа, у тебя определенно к старости начинает портиться характер, — обнаглела Лизавета.

Если у вас дома есть дети в славном пубертатном возрасте, то вы понимаете, что спорить с ними невозможно. Ничего хорошего не получится. Поэтому я молча проглотила хамство и решила изменить тему беседы.

— Где Рейчел?

— В гамаке.

— Там только Муля и Ада.

— Носится где-нибудь.

— Вы не следите за стаффордширихой? Но она может испугать тех, кто не знает о ее миролюбивом характере!

— Господи, Лампа, — сморщилась Лизавета, — ну разве можно раскрывать рот только для того, чтобы делать несчастным детям очередное замечание? Отчего нельзя вести себя нормально?

— Да, — оживился Кирюшка, — прийти домой, сделать ребяткам вкусный ужин, помыть посуду... Вон в раковине с завтрака грязные чашки так бы и кисли, кабы их Магда не помыла.

— Не нравится она мне, — буркнула себе под нос Лиза.

— Кто? — машинально спросила я, ставя на горелку кастрюлю с сосисками.

— Магдалена, — пояснила Лизавета, — подхалимка! Все улыбается, благодарит, посуду моет...

— С собаками гуляет и молчит, — подхватил Кирюшка.

— Просто воспитанная девочка, которая ощущает неудобство из-за того, что пользуется чужим гостеприимством, — я решила погасить зреющий скандал.

Но сделала только хуже.

— Она притворщица, — рявкнула Лиза.

— Забей, — велел Кирюшка, — черт с ней.

— Так говорить нельзя, — нахмурилась я, — это грубо.

— О боже! — закатила глаза Лизавета. — Опять двадцать пять.

Я, чтобы успокоиться, глянула в окно, увидела идущую от ворот коротконогую фигуру в слишком цветастом платье и невольно брякнула:

— Принес же ее черт!

— Ага, — обрадованно подскочил Кирилл, — значит, нам так выражевываться нельзя, а тебе можно?

Я хотела было заявить, что глагола «выражевываться» в русском языке не существует, но не успела, потому что раздались короткий стук и звонкий голос:

— Есть дома кто-нибудь?

Пришлось, навесив на лицо приветливую улыбку, распахивать дверь и фальшиво-радостно восклицать:

— Нина Ивановна! Проходите, хотите чайку?

— Ужинаете? — прищурилась соседка. — Не помешала?

— Нет, что вы, — суетилась я, вытаскивая из шкафчика вафельный торт, — сейчас отрежу вам кусочек.

— Не волнуйтесь, душенька, — пела Нина Ивановна, — я только что от стола, а вы все работаете и работаете. Смотрю, бедные детки целый день одни да одни, небось голодные!

— Так мы взрослые, — с кривой ухмылкой сообщил Кирюшка. — Лизавета суп сварила, я посуду помыл, и дело с концом.

И Кирюшка, и Лизавета терпеть не могут нашу соседку Нину Ивановну Замощину и всегда при ней начинают прикидываться идеальными детьми. Нина Ивановна виртуозная сплетница, основной смысл ее жизни состоит в собирании всяческих слухов о жителях поселка. Больше всего госпоже Замощиной приходятся по вкусу чужие неприятности. Попав в дом в разгар скандала, она просто расцветает, причем удовольствие мигом отражается на внешнем облике соседки. Ее глаза начинают задорно блестеть, к бледным щекам и губам приливает краска. Кирюшка и Лизавета знают об этом, потому в присутствии Замощиной начинают вести себя как дети из утопического сна учительницы первого класса.

Вот и сейчас Кирик мигом схватил нож, а Лизавета, опустив глазки вниз, тоненьким голоском поинтересовалась:

— Лампуша, можно мне еще одну сосисочку взять?

Я чуть не расхохоталась, но решила поддержать их игру:

— Конечно, детка, да угости Нину Ивановну.

Соседка оглядела исходящую паром розовую колбаску и констатировала:

— Останкинские покупаете, дешевые. Мы берем черкизовские, в натуральной оболочке, дорого, конечно, зато качественные продукты. Ой, какая сейчас жизнь сложная пошла, люди вынуждены на желудке экономить!

В этом заявлении вся Нина Ивановна, вроде она вам сочувствует вполне искренне, но потом вы вдумываетесь в сказанные ею фразы и понимаете, что она, похоже, между делом наговорила гадостей.

— Слыхали, что случилось-то? — затарахтела Нина Ивановна, отодвигая от себя тарелку с забракованной сосиской.

— Нет, — осторожно ответила я.

— Да ну! — всплеснула она руками. — Впрочем, откуда тебе быть в курсе, гоняешь весь день в городе, хорошо хоть ночевать приезжаешь. Катерина-то, гляжу, и ночью отсутствует! Слушайте!

Судя по раскрасневшемуся лицу Замощиной, новость была хоть куда!

— У Ванды Кропоткиной младенца украли, — с самым радостным лицом сообщила Замощина.

ГЛАВА 16

Дети разинули рты, а я испугалась.

— Как украли? Она же совсем недавно мальчика родила! Ему еще и месяца не исполнилось!

— Два стукнуло, — кивнула Нина Ивановна и торжествующе оглядела наши растерянные лица, — Феденькой назвали. Между нами говоря, жуткий крикун был, как заведется плакать, у всей улицы спокойный отдых заканчивался.

— Почему был? — прошептала я. — Ребенок умер?

— Так с утра ищут, — с горящими глазами пояснила Нина Ивановна. — Ванда милицию вызвала, только толку! Небось на органы забрали! Тут, около леса, коттеджи строят, рабочие по-русски ни бум-бум, небось они постарались.

Мне стало совсем нехорошо, но Замощина, ничего не замечая, неслась вперед:

— А может, продать захотели олигархам бездетным, всякое теперь случается.

— Как же это? — забормотала я.

— Да просто, — бросилась в объяснения Нина Ивановна, — Ванда безголовая, ей еще самой в песочнице играть, так нет, родила! Пошла в наш магазин, коляску у входа бросила и заболталась со Светкой, продавщицей. Два сапога пара, обе без царя в голове. Одна про младенца начисто забыла, другая про работу! Наборчики с косметикой они рассматривали. Ну а когда Ванда спохватилась, все! Сыночка нет.

— Так и не нашли? — спросила Лиза.

— Коляска на улице пустая обнаружилась, — охотно сообщила соседка, — вот...

Она явно собиралась продолжить рассказ, но тут под сильным ударом распахнулась дверь, ведущая во внутренние помещения нашей дачи, и на пороге появился покачивающийся Юрий, в одних трусах, опутанный веревками.

— Эй, жена, — проревел он, делая шаг в мою сторону, — гони бутылку!

Оставалось только гадать, каким образом мужик сумел отвязаться от дивана и раздеться почти догола. Лиза и Кирюшка мгновенно нырнули под стол. Я схватила свою сумочку, вытащила бутылочку с настойкой окопника, налила в чашку и сунула алкоголику:

— Держи!

Юрий понюхал содержимое и с чувством произнес:

— Во ... разбогатели, коньяк пьем!

Вымолвив фразу, дядька одним махом опрокинул емкость и швырнул ее об пол. Вверх взметнулся фонтан мелких осколков. Я чуть не зарыдала, моя любимая чашечка, украшенная изображениями мышек, закончила свое земное существование.

— Хорошо, — крякнул Юрий, — еще гони.

Я открыла новую бутылочку. Интересно, когда окопник подействует? Тетка, подсказавшая рецепт, обещала, что после трех столовых ложек снадобья наступит полнейшее и безоговорочное излечение от алкоголизма, а Юрий выпил уже двести миллилитров и сейчас опорожнил вторую порцию.

— Хорошо! — с чувством произнес мужик и приказал: — Следующую!

Опустошив пять пузырьков, он сел на стул и пообещал:

— Ща спою!

Из его груди вырвался стон. Я обрадовалась. Ага, начинает действовать! Стон превратился в вопль.

— А-а-а-а-а...

Мое сердце медленно заполняла радость, похоже, окопник — замечательное средство, вон как Юрия, говоря языком тинейджеров, плющит. Вопль неожиданно трансформировался в вой.

— А нам все равно, а нам все равно, — завел Юрий, — пусть боимся мы волка и сову... Ну, подпевай, ребя, все вместе! Эх, хорошо, весело! Жена, давай пузырек! Славный коньячок, вкусный, зараза, теперь только его покупай! Водяру не неси, жрать не стану!

Я растерянно протянула Юре шестую бутылочку. Может, это тот самый эффект, который ожидался? Значит, алкоголики отказываются от водки и переходят на употребление настойки окопника? В чем же смысл метаморфозы? Ну-ка, попробую посчитать в уме стоимость пол-литра окопника. Может, дело в деньгах? Водка дорогая. Но и настойка не копеечная.

— Ты вышла замуж? — в полном восторге спросила Нина Ивановна.

— Кто? — подскочила я.

— Ты, — повторила Нина Ивановна.

— Нет, отчего вы так решили?

— А этот мужчина все время обращается к тебе со словами: «Жена, давай бутылку», — со счастливой улыбкой ответила Замощина.

— Это не мой муж!!!

— А чей? — резонно спросила Нина Ивановна. — Отчего он у вас на даче оказался? В трусах!

— Просто приятель, — пустилась я в объяснения, — приехал в гости, вошел в запой, не знаем, как вывести. Вот, посоветовали окопник, только, очевидно, на Юрия настойка не действует.

— Зря ты стесняешься, — с жаром перебила меня Нина Ивановна, — сейчас все пьют, твой супруг не исключение. Когда у него запой начался?

— На свадьбе, — сказала я чистую правду, — на свадьбе...

Дальше я хотела добавить: «у своей дочери, которая вышла замуж за Володю Костина», но Нина Ивановна не дала мне закончить фразу:

— Ты не переживай, я тебе сейчас подскажу, как поступить, окопник ерунда! Кто только его посоветовал! Чушь на постном масле. Вроде дохлой вороны!

— Чего? — совсем растерялась я. — Какой вороны? Нина Ивановна рассмеялась.

— Господи, ты прямо словно не в Алябьеве детство провела! Неужели эту историю не знаешь?

— Нет, — бормотала я, наблюдая, как Юрий, пошатываясь, выбирается во двор.

Кирюшка с Лизаветой вылезли из-под стола и тоже уставились на Замощину. Увидев перед собой заинтересованных слушателей, Нина Ивановна застрекотала:

— В девятом доме жили Павленко, ты их помнишь?

Я кивнула:

— Александр Сергеевич и Татьяна Петровна.

— Вот-вот, — подхватила Замощина, — Сашка пил жутко, ничего не боялся. Как-то раз ехал в Алябьево, за рулем, тормознули его гаишники и увидели, что шофер безобразно пьян. Сашка, не будь дурак, давай отнекиваться, не пил, дескать, а запах не знаю откуда.

Потом алкоголика осенило, и он заявил:

— Это не водка, я лекарство принял.

— Какое же? — хмыкнул постовой.

— Ща покажу, — пообещал Александр Сергеевич, пошел к своей машине, и тут ему в голову пришла простая мысль: если он сейчас сядет за руль и укатит, то кто его поймает? Будь вояка трезв, он бы сообразил, что права и техпаспорт на «Волгу» держит сейчас в руках сержант, но Александр Сергеевич оказался, как всегда, «под газом», поэтому он мигом включил мотор и был таков.

Через полчаса, пугая Алябьево воем сирен, к девятой даче подлетела целая рота гаишников. Ухмыляющийся хозяин вышел на веранду, опрокинул на глазах у ментов полстакана водки и заявил:

— Да, сейчас я пьян, но пью дома, на дороге был трезв, докажите обратное! Тормознули зря, я сел в свою тачку и уехал!

— И где ваша машина? — поинтересовался отчего-то улыбающийся во весь рот лейтенант.

— Так в гараже, — ответил полковник.

— Показать можете?

— Говно вопрос, — икнул Александр Сергеевич и отпер дверь.

Перед глазами милиционеров и полковника предстала «Волга» с бело-синей полосой, мигалками на крыше и отчаянно матерящейся рацией. С пьяных глаз Александр Сергеевич сел в патрульный автомобиль. Замять эту идиотскую историю Татьяне Петровне стоило много сил и денег, поэтому она решила отбить у супруга охоту прикладываться к водке. А тут к ней пришла подруга и дала замечательный совет:

— Купи, Танюша, штук десять бутылок, слей в ведро, на дно брось дохлую ворону и дай Сашке.

— Так он все пять литров и уговорит, — возразила Татьяна Петровна, — в запой войдет!

— Правильно, — кивнула подружка, — потом увидит мертвую птичку, его стошнит, и все! Больше к алкоголю даже не прикоснется.

— Подействовало? — заинтересованно спросила я, мысленно прикидывая, где в Алябьеве можно сейчас отыскать труп пернатого.

Нина Ивановна захихикала.

— Ну умора! Нет, конечно. Водку Сашка выпил, а ворону с пьяных глаз принял за курицу и хотел в духовке сготовить. Танька-то в магазин ушла, думала, муженьку без нее поплохеет. Возвращается, дым коромыслом стоит! Сашка позвал Петьку с сороковой дачи, тоже алконавт знаменитый был, и они вдвоем ворону над горелкой опаливать стали, закуску приготовить решили. Танька потом три дня кухню отмывала.

— Значит, их все же стошнило! — воскликнул Кирюшка.

— Стошнило, — кивнула Нина Ивановна, — только не пьяниц, а Татьяну, ей прям дурно стало, когда она поняла, что муженек с приятелем на ужин сгоношить собрались. Неужели ты не помнишь эту историю?

— Нет, — ответила я, — мне не рассказывали.

— Очень твоя мать гордая была, — поджала губы Замощина, — ни с кем не общалась. Да ладно, земля ей пухом. Это я к чему разболталась, не стесняйся, тут все вокруг алкоголики, есть лишь один способ вылечить твоего мужа.

— Он не мой муж!

— Ладно-ладно, хорошо, ты молчи и слушай! Ступай во Внуково, через лесок за десять минут добежишь. Найди там Марью Петровну, ведьму. Она какой-то порошок дает. Танька в свое время брала, Сашка с тех пор трезвый ходит.

— Александр Сергеевич и Татьяна Петровна умерли десять лет назад, — напомнила я, — наверняка этой Марии Петровны тоже давно в живых нет.

— Вот тут ты ошибаешься! — воскликнула Нина Ивановна. — Ведьмы по двести лет кряхтят. Настя Федькина к ней позавчера гоняла, приворотное зелье покупала.

Я заколебалась, может, и правда попробовать? Чем я рискую?

На следующее утро я стояла возле секьюрити на служебном входе. Елена взяла написанную мной самой справку и приказала:

— Иди за мной.

В небольшом кабинетике мне выдали зеленую футболку, бейджик с пустым окошком и надписью «техперсонал», черные лосины, тряпку, ведро, швабру... Потом начался инструктаж.

— Сюда вставишь бумажку со своим именем, — сказала Елена, — с клиентами первая не заговариваешь. Попросят чего, молча выполнишь, дадут чаевые — поблагодари, не дадут — улыбнись и уходи. Не вздумай требовать вознаграждения, уволю. Сопрешь что — посажу. Будешь хамить — выгоню. Запьешь — выставлю на улицу. Усекла?

Я кивнула.

— Вот и хорошо, — слегка помягчела работодательница, — у тебя два перерыва на еду: с тринадцати до половины второго дня и с трех до четырех утра, а теперь вперед. Иди на первый этаж и приступай к мытью коридора.

Я подхватила ведро и, выставив перед собой швабру, двинулась исполнять приказание. Через два часа стало ясно, более удачной маски, чем поломойка, для осуществления моих целей и не придумать! Никто не обращал на меня никакого внимания. Клиенты молча проходили мимо, только один раз полный мужчина, сидевший в шезлонге около бассейна, очень вежливо попросил:

— Сделайте одолжение, принесите полотенце, мое кто-то унес.

Я сбегала в комнату, где выдавали белье, и приволокла дядьке полотенце. За эту нехитрую услугу мне вручили десять долларов, больше никто из посетителей ничего не просил. Служащие были заняты своими делами. Инструкторы не выходили из залов, расписание занятий было составлено таким хитрым образом, что тренировки шли одна за другой. К середине дня мне стало жаль накачанных мальчиков и девочек, у них не имелось ни одной свободной минутки. Впрочем, врачи, массажисты, парикмахерши и другие специалисты тоже не показывались из своих кабинетов. Никому не было до меня дела, а ведро со шваброй служило пропуском во все помещения. При виде моей фигуры с тряпкой секьюрити молча сторонились, разрешая старательной поломойке беспрепятственно ходить по зданию.

В два дня я, устав, как Сизиф, пошла искать буфет. Сравнение с Сизифом не случайно. Если помните, бедняга Сизиф, герой одного из греческих мифов, пытался вкатить в гору камень, но каждый раз, едва достигнув вершины, глыба срывалась вниз, и несчастный был вынужден заново начинать бестолковое занятие. Вот так и я, мыла, мыла полы, а они мигом затаптывались вновь. Посетители ничтоже сумняшеся шагали по кафельной плитке, кто в кроссовках, кто в мокрых резиновых вьетнамках, и приходилось вновь приниматься за дело.

Кафе оказалось в подвале. Я подошла к стойке и постаралась сдержать возглас удивления. Стакан сока, самого обычного, из пакета «J-7», стоил тут сто рублей, чашечка кофе тянула на двести, а про цены на бутерброды не стоит даже и говорить, настолько они были несуразны. Потом до меня дошло, что в полутемном зале не видно ни одного человека в цветной футболке. Это была столовая для посетителей, сотрудники ели в другом месте.

— Сделайте одолжение, — шепнула я бармену, — подскажите, где мы питаемся? Извините, я первый день на работе.

Парень улыбнулся:

— А кто где. Лично я к метро бегаю, за сосисками.

— Тут нету кафетерия для служащих, с нормальными ценами?

Юноша вытер стойку бумажным полотенцем.

— Первый день, говорите, на работе? Ну ничего, скоро поймете, мы здесь никто и звать нас никак. Хочешь жрать — несись на проспект, там ларьки стоят. Впрочем, если лень, можешь у меня гречку с куриной грудкой заказать, пятьсот рубликов порция.

И он тоненько засмеялся. Я подхватила ведро и ушла, кипя от негодования. Заставить людей работать сутками и не организовать для них хоть крохотной харчевни! Просто негодяи!

К шести часам вечера я устала так, что чуть было не швырнула тряпку на пол и не убежала домой. Похоже, день был проведен зря. Никаких шкафчиков, отпирающихся маленькими ключиками, похожими на палочки, не было видно. Вернее, шкафов-то как раз имелось штук сто, не меньше, но все они открывались «английскими» ключами.

В половине седьмого я села на корточки в углу, возле двери, ведущей в класс аэробики, и стала делать вид, будто старательно протираю стену. На самом деле я просто отдыхала, привалившись к идеально выкрашенной поверхности. Услыхав шаги, я мигом хватала тряпку и пыталась изобразить бурную деятельность. К счастью, следующий урок аэробики должен был начаться лишь в семь, и сюда заглядывало не так много народу. В какой-то момент я даже начала погружаться в сладкую дрему, но тут послышались тяжелые шаги, и я вновь принялась шваркать тряпкой по стене.

Мужчина в черной футболке поставил возле двери чемоданчик и улыбнулся.

— Не старайся, я свой. Укатали Сивку крутые горки? Еле сидишь.

Я кивнула:

— Устала, сил нет.

— Здесь так, — покачал головой он, — пока до смерти не доведут, не успокоятся, чистая мясорубка.

Он открыл чемоданчик, вытащил связку болванок и начал, насвистывая, перебирать их. Я всмотрелась в его бейджик — «Константин. Ремонтная служба».

— Простите, Костя, а что вы сейчас делать будете?

— Слесарь я, — пояснил он, — ключ куда-то от зала задевали, вот примерюсь, подумаю, потом в подвале на станочке новый выточу. Вечно девки безголовые все теряют. Тренерши! Одно на уме, как среди посетителей богатого дурака найти и замуж выскочить! Тьфу! Головы никакой! Кому они нужны! Ну время с ними проведут, в ресторан сводят, колечко подарят, а женятся все равно на своих!

Я молча слушала его добродушное ворчанье. Костя принялся засовывать болванки одну за другой в скважину.

— Посмотрите, пожалуйста, — тихо сказала я, — мыла полы и нашла вот это, может, он и есть от зала аэробики?

Константин взял колечко, повертел ключик и засмеялся.

— Нет, отдай на рецепшен. И как только посеяли! Он всего раз в году и нужен.

— Да? — я изобразила удивление. — Раз в году? Что же он отпирает?

— Шкаф с фильтрами, — пояснил слесарь, — на первом этаже, сразу за рецепшен, между туалетами.

— С чем?

Миша захлопнул чемодан.

— Ну и любопытная ты. Тут на трубах стоят фильтры, они спрятаны в шкаф, открывать который нет никакой необходимости, потому что фильтр промывают раз в году, я это в декабре делаю. Отнеси ключ, пусть уберут, шалавы.

Позабыв про орудия труда, я бросилась было вниз, но потом вернулась, вылила из ведра воду, отжала тряпку и, сдерживая нетерпение, пошла вниз.

Между туалетами не было никакого шкафа. Я уставилась на стену, выложенную плиткой, потом провела по ней рукой. Может, я ослышалась? Вероятно, шкаф с фильтрами в подвале. Не теряя времени зря, я спустилась на минус первый этаж и обнаружила, что там вообще нет туалетов, пришлось возвращаться и делать вид, что старательно драю стену. Лишь через десять минут глаза наткнулись на крохотную дырочку, черневшую в одной плитке. У меня затряслись руки, оглядевшись по сторонам, я всунула палочку в гнездо, повернула... Без всякого скрипа дверь распахнулась. Это был стенной шкаф, совсем не маленький, а очень даже большой, вернее, дверца прикрывала нишу с трубами, между которыми виднелись какие-то никелированные стаканы с кранами. Дверца не доходила до пола, в стене открылось нечто вроде окна. Я задрала голову: трубы убегали в потолок. Потом, перегнувшись через стену, посмотрела вниз. Естественно, трубы проходили в пол, между ними валялся конверт.

Обезумев от радости, я попыталась достать его, но не дотянулась. Недолго думая, я перекинула ноги через стенку, влезла в узкую дыру, кое-как нагнулась, схватила добычу, спрятала ее под футболку и... поняла безвыходность своего положения.

Вылези назад было невозможно. Крохотное пространство не позволяло поднять ногу. Тот, кто планировал сей шкаф, естественно, и не подозревал о том, что сюда залезет человек. Даже моим сорока девяти килограммам было тесно. Стенка довольно высокая, ее край приходится на уровне моей груди, подтянуться я не сумею. Что делать? В такой отвратительной ситуации я не оказывалась ни разу в жизни!

Но, видно, не зря мой папа говорил:

— Никогда не думай, что тебе сейчас плохо! Пройдет секунда, и ты поймешь, в тот момент было очень даже хорошо, потому что случится какая-нибудь очередная бяка и станет совсем невмоготу!

Не успела я констатировать, что попала в безвыходное положение, как раздался стук, дверца шкафа захлопнулась, все вокруг поглотила тьма. Очевидно, кто-то, выходя из туалета, случайно задел ее.

— Помогите! — завопила я, холодея от ужаса. — Спасите!!!

Но вокруг стояла тишина. Мне стало плохо. Слесарь сказал, что в этот шкаф заглядывают лишь раз в году, в декабре. Сейчас июнь. Представляю, как удивится Константин, обнаружив под Рождество между фильтрами мой скелет. То-то будут гадать, как он сюда попал! Хорошо хоть бейджик металлический, по нему сумеют идентифицировать мою личность!

Послышались шлепающие шаги.

— Эй! — завопила я. — Сюда, скорей.

Стало тихо.

— Ну где же вы? — чуть не зарыдала я.

— Типа, не понял, — донесся грубый голос, — кто говорит?

— Я!!!

— А ты где?

— Тут, достаньте меня!

— Ну дела, — протянул бас, — замуровали!

— Да нет, — заорала я, злясь на плохо соображающего дядьку, — гляньте, из стены ключик торчит, тоненький, вроде палочки. Потяните за него, откроется дверца.

— Не видать ни фига, — констатировал парень.

— Значит, он упал, посмотрите на полу!

— Что за хрень, — гудел голос, — во, кажется, нашел! Тыкать-то куда?

Глупость невидимого доброго самаритянина стала меня раздражать.

— Ищи скважину на стене, крохотную...

— Типа, ни хрена, — заявил избавитель, — ваще!

— Она есть!

— Ну... не видать.

— Пошарь пальцами по стене.

— Во ... — сообщил бас, — ну и ...

В ту же секунду мне в глаза ударил свет, и передо

мной возникла здоровенная красномордая личность в дорогом спортивном костюме: майке без рукавов и в чем-то напоминающем велосипедки. Незнакомец выглядел как «Мистер Вселенная». Тугие мышцы перекатывались под ровно загоревшей кожей. Бицепсы у парня были просто устрашающе огромными, они словно жили своей отдельной жизнью, без конца двигаясь. Я завороженно смотрела на мускулы. Надо же, руки у мужчины больше, чем у меня ноги. На толстой, колонноподобной шее висела витая золотая цепь, а на запястье болтались часы, тоже, похоже, из драгоценного металла. Такой экземпляр, несомненно, обладает чудовищной силой и мигом вытащит меня из шкафа!

ГЛАВА 17

— Ну и чего? — спросил качок.

— Пожалуйста, помогите выбраться, — взмолилась я.

— А за фигом ты сюда влезла? — резонно спросила гора мышц.

— Велели протереть тут внутри, я уронила тряпку, решила достать, а назад никак.

— Как же я тебя отсюда добуду? — медленно ворочал мозгами парень. — Типа, непонятно.

— Очень просто! Возьмите меня за талию и поднимите.

— Нет, не пойдет, не получится.

Я решила приободрить силача.

— Что вы! Элементарно. Я вешу всего сорок девять килограммов, ладно, с одеждой пятьдесят.

— Не, тяжело...

— Вы в зале какую штангу поднимаете?

— Сто семьдесят пять триста, — гордо возвестил «Мистер Вселенная».

— Вот видите! А во мне всего ничего! Меньше трети веса штанги, давайте скорей.

Но парень отступил назад:

— Нет, другого попроси.

С этими словами он развернулся и пошел в сторону бассейна.

— Эй! — закричала я. — Вы меня бросаете? Ужасно! Разве мужчины так поступают?

Качок обернулся:

— Ща тя кто другой вынет, мне нельзя тяжести таскать.

— Но вы в зале штангу толкаете, — возмутилась я.

— Это другое дело, — покачал головой спортсмен, — бодибилдер я, на днях соревнования, подниму тебя, еще, не дай бог, рельеф потеряю.

— Что потеряете? — не поняла я.

Мужчина хмыкнул, согнул левую руку в локте, на плече мигом вздулись огромные шары, а между ними появились ямки. Качок ткнул пальцем в напрягшиеся мышцы.

— Вот рельеф, его беречь надо.

Потом он потерял ко мне всякий интерес и медленно пошел по коридору. Я лишилась дара речи и молча смотрела, как существо, похожее на пособие по анатомии, удаляется в сторону аквотсека.

— Ты чего тут делаешь? — спросил тоненький голосок.

Перед моими глазами возникла маленькая худенькая девушка в спортивных брюках и курточке.

— Вылезти не могу, — печально ответила я, — протирала грязь и застряла.

— Упрись руками и подтянись, — посоветовала худышка.

— Не получится.

— Макаронина, — бросила девочка, — давай помогу.

Я оглядела ее кажущуюся бесплотной фигурку и вздохнула:

— Куда тебе, надорвешься.

Но девушка молча приблизилась и рывком выдернула меня из плена. Под спортивной курточкой скрывались просто железные мышцы.

— Спасибо, — бросилась я ей на шею, — представляете, тут сейчас проходил дядька, такой огромный, словно надутый, так отказался помочь, сказал, какой-то рельеф испортит! Бывают же такие мужчины...

Спасительница тихо засмеялась.

— Это не мужик, а бодибилдер.

— Кто?

— Существо, жизнь которого посвящена созданию себе идеального тела, — охотно пояснила девушка, — такой лишний раз шагу не шагнет, побоится красоту потерять. Здесь их много, за ними их бабы сумки спортивные носят. Ну пока, у меня занятия, клиент ждет.

— Давай хоть познакомимся, Лампа, уборщица.

— Ну и имечко у тебя, — покачала головой девочка, — мне мое-то не нравится, но твое вообще караул! Только не говори, что фамилия твоя Торшерова или Выключателева.

— Нет, — засмеялась я, — всего-то Романова. Евлампия Романова, Лампа — это уменьшительное.

— Олеся Рымбарь — персональный тренер, — улыбнулась моя собеседница, — ты когда обедаешь?

— В три утра.

— Приходи на второй этаж, в тренажерный зал, чаем угощу.

— Вот спасибо! — обрадовалась я. — Тут в кафе такие цены!

— Ты туда даже не заглядывай, — посоветовала Олеся. — Ладно, я унеслась.

Она и впрямь легко побежала по коридору, издали казалось, что девушка плывет в воздухе, и, только когда маленькая, стройная, прямая фигурка исчезла за поворотом, до меня дошло: Олеся Рымбарь! Именно так, по словам Лады, звали девушку, на которой хотел жениться Игорь Грачев.

Пакет просто жег тело. Недолго думая, я влетела в туалет и заперлась в одной из кабинок. Потом опустила крышку унитаза, села и разорвала конверт. Внутри оказались розовые листочки формата А-4, сложенные в несколько раз. Трясущимися пальцами я развернула их. «Договор. Нестеренко Григорий Ефимович, 1952 года рождения, проживающий: Москва, Путянский переулок...» В моих руках был договор, который, очевидно, подписывали люди, становясь клиентами «Страны здоровья». Всего их в пакете нашлось три. Я стала рассматривать документы, ничего особенного. Нестеренко Григорий Ефимович, Потапов Владлен Андреевич и Козанина Марина Сергеевна оплатили полностью счет и, очевидно, сейчас занимались в залах. Что такого было в этих бумагах, отчего их требовалось спрятать, я, честно говоря, совершенно не понимала. Еще в конвертике лежал листок, совсем маленький, на нем было написано: «51-08 МОИ», 21-28-02, позвать Руслана». Никакой ясности и этот обрывок не внес. Первые цифры — это номер автомобиля, такие давали в Москве машинам раньше, из четырех цифр и трех рядом стоящих букв, у моих родителей в свое время имелась «Волга», очень хорошо помню, что номерной знак у нее был «34-32 ММЩ». Вторая группа цифр скорей всего телефон, причем не московский, потому что в столице они семизначные.

Просмотрев бумажки, я сунула их снова в конверт, пакет запихнула за пояс лосин и пошла делать вид, что мою коридор. Завтра днем поеду по указанным адресам, может, узнаю чего интересное. Не зря же Игорь спрятал договоры.

Ровно в три утра, отчаянно зевая, я поднялась в тренажерный зал. Самое интересное, что, несмотря на поздний, впрочем, очевидно, лучше сказать ранний час, в фитнес-клубе оказалось полно народа. Во всяком случае, в бассейне плавало несколько девиц, парочка мужиков грелась в джакузи, а возле тренажеров суетились двое сумасшедших, решивших ворочать тяжести, когда основная масса населения видит девятый сон.

Олеся сидела за большой полукруглой конторкой. Увидав меня, она помахала рукой и ткнула пальцем в сторону небольшой двери:

— Иди туда.

В крохотном помещении стояли столик с электрочайником, два стула и шкафчик. Олеся притащила бутылку с водой и спросила:

— Чай будешь? Кофе нет.

— С огромным удовольствием, — абсолютно искренне ответила я.

Девушка засмеялась, потом вынула из шкафчика батон, лоточек с сыром «Виола» и ножик. Я накинулась на угощенье.

— Угораздило же тебя сюда попасть, — покачала головой Олеся.

— А что? — с набитым ртом поинтересовалась я. — Плохое место?

— Давно работаешь?

— Первый день.

— А-а-а, — протянула она, — значит, не разобралась еще! Ну погоди...

— Так ужасно?

— Денег платят мало, — принялась перечислять тренер, — работать заставляют на износ...

— Ты-то сама небось уходить не собираешься, — поддела я ее.

Олеся тяжело вздохнула.

— Ну у тренеров доход побольше, чем у уборщиц. Мы непосредственно с клиентами дело имеем, кое-кто подарки делает, чаевые дает, неплохая сумма в месяц набегает. И потом, мне просто некуда деваться, только другой фитнес-клуб искать. Образования-то нет, лишь спортивные достижения за плечами. Вернее, диплом имею, только толку от него нет!

Она махнула рукой.

— Дурой была, все учились, в институты поступали, а я по соревнованиям моталась, да еще радовалась: уроки делать не надо, и деньги платят. И что вышло? Подружки теперь в шоколаде, а я...

Она махнула рукой.

— Ты молодая, — улыбнулась я, — красивая. Вон тут сколько мужиков богатых бродит, выйдешь замуж!

Олеся хмыкнула.

— Ага, местные девки так и думают, только что-то клиенты с предложениями не спешат. Ни одна замуж здесь не вышла. Конечно, с тренером дружат и переспать могут, но замуж! Глупости это, они на своих женятся. Хотя кое-кто из наших за занавесочку бегает в надежде, вот это совсем идиотизм!

— Куда бегает?

Олеся захихикала.

— Откуда бы тебе знать! Думаешь, люди в фитнес-клуб зачем ходят?

— За красивой фигурой, здоровьем, — начала перечислять я и остановилась: — а за чем еще?

Олеся налила мне вторую чашечку чаю.

— Наивная незабудка. За всем!

— А именно?

Девушка включила чайник.

— Если в клуб записывается не семья, а одинокий человек, то рано или поздно ему посоветуют банщика Володю или массажистку Аню, в зависимости от сексуальной ориентации. Да и среди инструкторов есть такие, начнут с клиентом заигрывать — и на третий этаж, за занавесочку, там есть специальные помещения для индивидуальных занятий. Вроде как стесняешься ты при всех гантели поднимать, просишь уединения, поняла?

Я кивнула.

— Ваши клиенты не возмущаются? Мне бы не понравилось, пришла, допустим, спину качать, а инструктор руки распускает.

Олеся со вкусом зевнула.

— Так не ко всем же подходят. Наши ребята и девчонки опытные, любому психологу сто очков вперед дадут. Сюда полно народу просто поразмяться бегает, с ними спокойно занимаются, и до свиданья. Вон к Леньке девчонки из стриптиз-клуба ходят, им у шеста раздеваться, тело должно красивым быть. Так у Леньки и мыслей нет им чего-такого предложить, сама понимаешь, стриптизеркам на работе мужского внимания предостаточно, и не станут они за секс-услуги платить. А бывают другие клиенты, дамочки за пятьдесят или дядечки пузатые... У нас кое-кто из тренеров и банщиков на «Мерседесах» катается, по-твоему, они их на зарплату купили?

— Наверное, нет, — ответила я.

— Правильно думаешь.

— Администрация клуба не запрещает тесные отношения с клиентами?

— Нет, конечно, даже приветствует, — засмеялась Олеся. — Нашим хозяевам главное, чтобы клиент продлял абонемент, ради этого они на все готовы.

— Что же тебе мешает слегка подзаработать? — нагло поинтересовалась я.

— Мамино воспитание, — спокойно ответила она. — Глупо, конечно, понимаю, что теперь надо себя по-другому вести, но у меня до недавнего времени имелся жених, казалось нечестным изменять ему.

— И правда глупо. — Я решила слегка разозлить девушку. — Откуда бы парню знать, чем ты здесь занимаешься?

— Да он рядом работал, — грустно сказала Олеся, — в массажном кабинете, вмиг бы просек. Впрочем, не в этом дело, я сама не хотела... Предложения получала, но всем отказывала, дура, одним словом, что с меня взять!

— Ты очень правильно поступаешь, — похвалила я ее, — выйдешь замуж за своего массажиста.

— Он умер.

— Ой, — воскликнула я, — бога ради, прости!

— Ничего, — мрачно ответила Олеся, — честно говоря, я уже не переживаю, мы разошлись.

— Почему?

Олеся стала ковырять пальцем батон.

— Да так, неинтересно это.

— Расскажи!

— Зачем тебе?

Я набрала в грудь побольше воздуха.

— Его звали Игорь Грачев?

Олеся ошарашенно глянула на меня:

— Откуда ты знаешь? Разве я называла имя?

— Нет, смотри.

Девушка уставилась на удостоверение, потом сердито протянула:

— Ну и актриса ты! Значит, из милиции... К чему тогда маскарад дурацкий: тряпка, ведро?..

— Я не имею никакого отношения к правоохранительным органам, — стала я успокаивать собеседницу. — Вот тут прочитай внимательно: агентство «Шерлок», частное предприятие, но занимаюсь этим делом бесплатно.

— Ничего не понимаю, — процедила Олеся и уперла в меня взгляд.

Глаза у девушки из серых превратились в холодно-зеленые, а на лице появилось официально-отстраненное выражение.

— Ты веришь в дружбу? — тихо спросила я. — Если я скажу, что решила вытащить из большой беды приятеля, не любовника, а именно ближайшего друга, тебе это будет понятно?

Олеся кивнула.

— Тогда слушай. Володя Костин женился на Нате Егоркиной...

Надо отдать должное Олесе, она выслушала меня абсолютно молча, не прерывая ни вопросами, ни возгласами удивления. Когда мое красноречие иссякло, спортсменка опять включила чайник, медленно открыла новую пачку с пакетиками «Липтон», досыпала в железную баночку из-под «Нескафе» сахарный песок, вытерла ложечки салфеткой и только тогда, когда молчание стало совсем уж невыносимым, внезапно заявила:

— Ладно, попробую рассказать об Игоре, только сразу предупреждаю, я практически ничего не знаю, так, по мелочи, тебя же не интересуют бытовые детали, ну вроде того, что он любил на ужин?

— Меня интересует все! — с энтузиазмом воскликнула я. — Абсолютно!

Олеся поморщилась.

— Ну-ну, тогда слушай, боюсь только, ничего хорошего не сообщу, для Игоря главным в жизни были деньги, к сожалению, я поздно просекла ситуацию. Ради долларов он мог продать родную мать, впрочем, и рублями не брезговал. Его в свое время сестрица пристроила в фирму, которая занимается развлечением богачек. А я, не дура ли, верила, что Игорь их просто по тусовкам сопровождает!

— Так оно и было, — поспешила я успокоить Олесю. — Одна из его клиенток, Оля Фуфаева, очень хвалила твоего жениха, говорила, что Игорь не делал никаких поползновений в ее сторону, просто изображал кавалера. Другие мальчики из этой фирмы к ней приставали, а Грачев никогда!

— Хитрый он, — вздохнула Олеся, — прямо лиса; значит, этой Ольге мужики без надобности были, вот он и изображал благородного рыцаря, Игорь кожей человека чувствовал.

Я растерянно замолчала, действительно, госпожа Фуфаева не нуждалась в любовнике.

— Отец у Игоря очень богатый был, — начала рассказ Олеся, — денег не считал, и у сыночка все имелось, но потом у парня вышел какой-то конфликт с мачехой, и папенька выставил дитятко на улицу. Вот с тех пор у Игоря башню и переклинило! Только о деньгах и мечтал.

ГЛАВА 18

Первое время Олеся не обращала внимания на причуды кавалера. Игорь ей очень нравился, и она не считала зазорным заплатить за него в ресторане или купить любимому безделицу. Тем более что любовник дал понять: они скоро поженятся и заживут одной семьей. Но постепенно у Олеси стали раскрываться глаза. Через какое-то время ей пришло в голову, что Игорь не так уж и плохо зарабатывает, покупает себе отличные костюмы, обувь, ездит на машине, правда, на подержанной иномарке, а ей, любимой девушке, никогда не делает подарков и спокойно ждет, пока невеста расплатится по счету. В конце концов это Олесе надоело, и однажды, когда Игорь заехал за ней, девушка устроила кавалеру разбор полетов.

— Извини, — без тени смущения возразил парень, — но мы с тобой почти семейные люди, или ты считаешь, что у мужа с женой должны быть разные кошельки?

— Нет, — ответила Олеся, — конечно, деньги должны быть общие, только странно получается, тратим мы на еду и развлечения мои, а на свои ты себе одежду покупаешь!

Игорь обнял невесту и засюсюкал:

— Ну, не будь бякой. Понимаешь, котик, я работаю в таком идиотском месте! Вынужден без всякого удовольствия носиться по тусовкам. Не могу же я заявиться на сборище в грязных джинсах. Положение обязывает, отсюда и гардероб!

Девушка прикусила язык, а ведь правда!

— Ходи я на обычную работу, — продолжал хитрец, — носил бы что придется.

Последняя фраза засела у Олеси в голове, ей, вообще говоря, не слишком нравилось, что будущий муж сопровождает на вечеринки состоятельных бабенок. Нет, Олеся безоговорочно верила Игорю, но все равно как-то неприятно. Поэтому, когда в фитнес-клубе появилась вакансия массажиста, девушка сразу предложила любимому:

— Давай похлопочу, чтобы тебя взяли! Оклад, правда, не слишком хороший, но чаевые отличные, обрастешь клиентами.

Игорь с радостью согласился:

— Надоело мне каждый вечер по фуршетам носиться, лучше уж работать на одном месте!

Сказано — сделано, Грачев оказался в клубе. Игорь вел себя примерно, хотя, чем он занимался за запертой дверью массажного кабинета с клиентками, Олеся не знала. Один раз она даже приревновала парня, воскликнув:

— Почему ты два часа замок не отпирал?

Игорь рассмеялся.

— Ревнивый котик! Видела бы ты эту клиентку! Сто пудов сала, мои руки по локоть в ее спину уходят! Я люблю только тебя, поверь, рыбонька.

Олеся счастливо вздохнула. Игорь умел найти нужные слова, чтобы невеста успокоилась. Больше она его не ревновала, насторожило другое. Через два месяца после перехода Игорька в «Страну здоровья» он вновь купил себе дорогущий пиджак, а Олеся по-прежнему платила за кино. Что оставалось думать? Олеся попыталась вспомнить, как строились их отношения, и пришла к неутешительному выводу: ее жених — жадина-говядина. И если он сейчас жалеет на Олесю денег, то что же будет потом, когда в паспорте появится штамп? И вообще, разве бывает так, чтобы любящий мужчина никогда ничего не дарил любимой?

Олеся поделилась грустными мыслями со своей лучшей подругой Лерой.

— Конечно, — жаловалась она, — Игорь мне нравится, но, может, лучше, пока не поздно, уйти от него?

— Ты чего! — возмутилась Лера. — Сбрендила совсем? Такого мужика потерять! Или просто решила попугать его? Ох, не делай этого, мигом подберут, оглянуться не успеешь, другая с ним в загс пойдет!

— Жадный он очень, — выдавила из себя Олеся — никогда ничего не дарит, хоть бы цветочек принес!

Лера всплеснула руками.

— Только не дури! Не жадный, а хозяйственный. Своего счастья не понимаешь! Такой деньги не пропьет и на баб не потратит! В дом потащит. Да у вас лет через десять все будет: квартира, дача, машина. Погляди на Васьковых, чего хорошего? Петька вечно зарплату по ерунде расфуфыкивает, Алена зимой в кроссовках ходит, а твой деньгам счет знает, радоваться надо!

Олеся замолчала. Объяснять Лере, что жених скопидомничает только тогда, когда нужно купить подарок для невесты, ей не хотелось. И все же она решила немного подождать, вдруг положение изменится? Но Игорек как ни в чем не бывало спокойно ел ужин, который Олеся готовила из купленных на собственную зарплату продуктов, и не спешил предложить любовнице средства на ведение хозяйства. Более того, оказавшись на бензоколонке, он каждый раз говорил:

— Олесенька, сходи к кассе, скажи, тридцать литров, я пока «пистолет» в бак вставлю.

Один раз Олеся возмутилась:

— Сам иди!

— Ты хочешь запачкаться, беря «пистолет»? — на первый взгляд, совершенно искренне удивился жених.

— Нет, заплати сам и заправляй автомобиль.

Игорь похлопал себя по карманам, выудил кошелек и пошел к окошку, но уже через минуту крикнул:

— Олесюшка, у тебя есть рубли? Заплати, пожалуйста, мои деньги тут не ходят.

— А ты что, иены с собой носишь? — сердито съязвила Олеся.

Игорь показал пластиковую карту с голографической наклейкой.

— Да у меня VISA, а здесь лишь наличку принимают.

— Давай быстрее, — недовольно заорал водитель стоявшей сзади машины, — вы чего, тормозной жидкости вместо кофе с утра выпили?

Пришлось Олесе вновь оплачивать бензин.

— Откуда у тебя VISA! — в негодовании воскликнула она, когда Игорь вырулил на шоссе.

— Удобно очень, — пояснил кавалер, — не надо с собой мешок денег таскать.

— Давно завел карточку?

— С год примерно, — равнодушно сказал Игорь и сосредоточил внимание на дороге.

Олеся лишилась слов. Ничего себе! Любовник вовсе не собирался посвящать ее в свои финансовые дела. Удержавшись с огромным трудом от того, чтобы не выскочить из машины, Олеся доехала до работы. День покатился своим чередом. Все валилось из рук, пару раз тренер получила замечания от недовольных ее невнимательностью клиентов. В обеденный перерыв Олеся побежала к массажному кабинету. Она собиралась распахнуть дверь и выпалить:

— Все! Наши отношения закончились, сегодня заберу свои вещи!

Но на ручке покачивалась красная табличка «Просьба не мешать, идет сеанс массажа». Олеся попыталась справиться с приступом злобы, она дошла до крохотной комнатки, где пила чай, увидела свой телефон и мгновенно набрала его номер. Ладно, она сообщит бывшему жениху об отставке посредством мобильной связи. Так даже лучше, чем в лицо. В голову неожиданно пришла мысль: между прочим, счет за свой телефон Игорь всегда вручал Олесе со словами:

— Душенька, оплати, пожалуйста, ты же вроде собиралась в« Би-лайн» ехать.

Обозлившись еще сильней, девушка приготовилась долго ждать, пока занятый массажем несостоявшийся муженек раздраженно бросит: «Да», но в трубке неожиданно что-то щелкнуло, и донесся голос Игоря:

— Я очень хорошо понимаю ситуацию, нам просто некуда деваться, сама знаешь, как я люблю тебя!

Олеся изумилась. Неужели Игорь каким-то непостижимым образом догадался о том, что собралась сейчас объявить будущая жена? Вообще говоря, Игорь обладал редким даром: он очень верно чувствовал собеседника, всегда подстраивался под него, и большинство людей считало парня обаятельным и привлекательным. Но просечь по телефону, что сейчас на его голову обрушатся слова: «Нам следует прекратить отношения», это уже слишком. Ведь не телепат же он? Олеся уже хотела начать свою заготовленную речь, но тут послышался еще один голос, тоненький, женский:

— Ужасно! Но я ничего не могу поделать! Мама с папой словно с цепи сорвались! В особенности мама.

И тут до Олеси дошло: Игорь с кем-то болтает по мобильнику. Случается порой с владельцами сотовых телефонов такая ситуация: звонят по номеру и оказываются свидетелями чужого разговора. Следовало отсоединиться, но Олеся медлила, а незнакомая девушка тем временем частила:

— Отец нашел этого мента придурочного, Володю. Целый план разработали, как птичку поймать. Говорят, он бабник, клюнуть должен. Я не вынесу разлуки, представляешь, туда двенадцать часов лететь!

— Америка не так далеко, — возразил Игорь, — зато как будет здорово, когда вернешься с деньгами. Да мы заживем через год-другой всем на зависть! Люди на больший срок расстаются, чтобы денег заработать! Месяцы пролетят, как один день, мы их не заметим! Будем звонить друг другу... Ради нашего счастья, крепись, любимая!

Девушка принялась всхлипывать.

— Мама ведет меня через час к врачу, восстанавливать девственность. До свадьбы с этим кретином ментом мы не сумеем ничего сделать.

— Наточка, — заегозил Игорь, — моя любимая, ничего, я потерплю, главное, подумай, как мы потом заживем! Брошу идиотскую работу, станем путешествовать! Да я тебя цветами засыплю! Очень прошу, выполни все, как придумала мама!

— А вдруг там ничего нет? — заныла Ната. — Вдруг обман? Вот кошмар будет!..

— Но проверить-то надо, — принялся уговаривать девушку Игорь. — Любимая, родная... Давай завтра вечером встретимся.

— А девственность? — захлюпала носом Ната.

— Мы так, — хихикнул Игорь, — сама понимаешь.

— Ладно, — мигом согласилась та, — меня это утешит!

У Олеси потемнело в глазах. Подслушанный разговор не оставлял ни малейшего сомнения: у ее жениха имеется любовница. Внезапно у Олеси с глаз словно упала пелена. Игорь два-три раза в неделю исчезал в свободное время.

— Частных клиентов на массаж набрал, — объяснил он Олесе.

Естественно, девушка не сомневалась в его словах, она доверяла ему, а зря! Игорек, оказывается, времени даром не терял!

Олеся швырнула свой ни в чем не повинный телефон на пол, а потом раздавила трубку каблуком. Послышался хруст, маленький «Нокиа» превратился в горку пластмассовых обломков. Неожиданно Олесе показалось, что она просто растоптала свою любовь к негодяю, отчего-то стало легче на душе, слезы, так и не пролившись, высохли. Она отпросилась с работы, съездила на квартиру к Игорю, где давно считала себя полноправной хозяйкой, пошвыряла в сумку свои вещи и умчалась, оставив на столе записку: «Если найдешь в доме что мое, можешь отдать своей любимой Нате, пусть донашивает».

Самое интересное, что Игорь не потребовал от нее никаких объяснений.

— Он просто сделал вид, будто ничего не случилось, — вздыхала Олеся. — Если мы сталкивались на работе в коридорах, улыбался, кивал: «Здравствуй, Леся». Я дергалась, переживала, а с него словно с гуся вода, вроде как мы никогда и не собирались пожениться!

Она повертела в руках чашку, потом тихим голосом добавила:

— Знаешь, очень хорошо поняла: никогда он меня не любил, просто использовал, жил за мой счет. Поди плохо было: явится с работы — обед готов, рубашки постираны, квартира убрана, да еще эта дура, я то есть, пиво припасла и о сигаретах побеспокоилась. Ну и идиоткой же я была, вспоминать противно! А как про эту Нату подумаю, в глазах чернеет, такая злоба накатывает, ненавижу себя!

— Почему же себя? — осторожно спросила я. — Логично испытывать ненависть к сопернице.

Олеся неожиданно грустно улыбнулась.

— Не поверишь, я ей даже благодарна.

— За что?!

— Все равно Игорь меня не любил, но, наверное, в конце концов бы женился, очень уж удобно ему со мной было, беспроблемно и комфортно. Ну представь, какая бы у нас семейная жизнь была бы? Нет, спасибо, Ната появилась. Постой, это ее обвиняют в убийстве Игоря?

Я кивнула.

— Глупости, — заявила Олеся, — неспособна она на такое.

— Ты ее знаешь? — удивилась я.

— Никогда не видела.

— Отчего тогда сделала такой вывод?

Олеся принялась собирать рассыпанные по столу крошки.

— Знаешь, она с ним таким тоном разговаривала, что сразу становилось понятно: влюблена по уши, прямо в лужу превратилась. Нет, ты права, тут другой виноват.

— Иногда любовь трансформируется в ненависть, — протянула я.

Олеся смахнула крошки на пол.

— Игорь толкал Нату на какую-то гадость, я не поняла, на какую, что-то связанное с деньгами. Насколько я сообразила, Ната должна была кого-то обмануть, выйти замуж, прикинувшись невинной девицей. В результате махинации девчонке перепадала большая сумма. И Ната согласилась, потому как собиралась затем развестись, соединить судьбу с Игорем и жить с ним счастливо. А господин Грачев, почуяв запах наживы, мог пообещать все! Мне жалко эту Нату, сама была такой. Игорь умеет влюбить в себя женщину. Он, наверное, полагал, что, пока дурочка Ната станет раздобывать нехилую сумму для их будущего счастья, идиотка Олеся будет ломаться на ниве домашнего хозяйства и тратить свои грошики на еду. Очень хитрый расчет. И рыбку съесть, и кой-куда сесть! Нет, Ната его не убивала, она соглашалась на аферу... Другой кто-то постарался. Одно я не поняла: при чем тут Америка? Ты знаешь?

— Нет, — ответила я, — про Соединенные Штаты впервые слышу, лучше скажи, это что?

Олеся глянула на розовые листочки.

— Договоры с клиентами. Их заполняют в двух экземплярах, один хранится в фитнес-клубе, другой на руки посетителям отдают.

— Бумаги считаются секретными?

— Нет, конечно, — улыбнулась тренер, — какая в них тайна, лежат себе в незапертом шкафу у менеджеров в комнате, для порядка. Ну пока клиент клуб посещает, чтобы какой неприятности не случилось.

— А что может произойти?

Олеся пожала плечами:

— Всякое! Перезанимается в зале, есть такие идиоты, первый раз явятся и давай железо ворочать, а вот недавно один кадр свалился с тренажера на пол, дурак, и лоб в кровь расшиб. То-то орал: «В суд подам, клуб мне за травму заплатит», так ему мигом договор под нос сунули, дескать, читай, тут написано: «Клуб «Страна здоровья» не несет ответственности за жизнь посетителей». Коли такой кретин, что на сиденье удержаться не можешь, пеняй на себя.

— Ясно, — пробормотала я, — а у кого эти люди занимаются?

— Понятия не имею.

— Узнать можешь?

— Попробую.

— До послезавтра сделаешь?

Олеся поморщилась.

— Ладно, так и быть, но не превращай меня в свою подручную, назову фамилию тренера, и до свидания.

— Конечно, — быстро согласилась я, — мне помощники не нужны, сама во всем разберусь.

Утром, едва живая от усталости, я прикатила в Алябьево и обнаружила, что все спят. Юрий храпел на втором этаже, дети мирно посапывали в кроватях, на столе, придавленная сахарницей, белела записка: «Лампуша, отчего не берешь мобильный? Обзвонилась тебе. Уехала на работу, сегодня дежурю. Целую, Катя».

Безостановочно зевая, я заползла под одеяло, но сон отчего-то не шел, я вертелась, двигала подушку, пыталась найти удобное положение, но тщетно, из раскрытых окон вползала духота, не хватало кислорода, в голове ворочались тяжелые мысли.

Значит, Клава задумала какую-то аферу, связанную с деньгами. Она повезла дочь на операцию по восстановлению девственности, велела соблазнить Костина... Зачем? И при чем тут Америка? Может, попытаться расспросить Юрия? Я вскочила, нацепила халат и ринулась на второй этаж. Муля и Ада мигом с сопением бросились за мной. Рейчел, такая же любопытная, как и мопсихи, отчего-то осталась лежать на полу в гостиной, а Рамик у нас не любит суетиться.

Юрий храпел, разметавшись на кровати. Рядом с ней стояли две пустые бутылки из-под водки. Оставалось только удивляться, где мужик добывает деньги на выпивку, он же не выходит из дома!

— Юра, — я потрясла пьянчугу за плечо, — проснись.

— Отвяжись.

— Ну пожалуйста!

— Пшла вон, — взревел мужик, — убью на фиг!

— Сделай одолжение, сядь, поговорить надо.

Алкоголик разлепил опухшие веки, глянул на меня красными глазами и икнул. Я чуть не скончалась от вони, которая исходила от него, лучше жить в одной норе с хорьком, чем с таким дядькой.

— Ты, Клавка, доиграешься, — просипел Юрий, — сказано было ...!

— Я не Клава!

— А кто?

— Лампа. Постарайся вспомнить, ты у меня в гостях.

Мужик закашлялся и выдавил из себя:

— Мне... кто ты! Неси пузырек, Клавка, пока на фиг не ...!

Я встала, с этим экземпляром беседовать бесполезно. Не успела я дойти до лестницы, как с кровати понесся громоподобный храп, очевидно, у Юрия была чистая совесть, потому что он спал без задних ног. Хотя, на мой взгляд, поговорка про чистую совесть и хороший сон не совсем верна. Незамутненная совесть говорит скорей о плохой памяти, чем о праведном образе жизни. Каждый человек может найти в прошлом такие поступки, что ночью гарантированно не сомкнет глаз.

Потерпев неудачу с Юрием, я решила осторожно расспросить Магдалену и сунула голову в ее комнату. Наверное, девочка еще спит, но Магда лежала в кровати с книжкой в руке.

— Ты проснулась?

Магдалена отложила томик.

— Я всегда встаю в семь, так уж я устроена, другие никак в школу подняться не могут, а я раз — и готово, можно даже будильник не заводить!

Я очень удивилась. Во время каникул Лизавета и Кирюшка не выползали из спален раньше полудня. Дверь в комнату Магдалены тоже всегда была закрыта до этого времени, девочка появлялась на веранде всегда позже хозяев.

— Что же ты не пьешь кофе и не завтракаешь?

— Не хочу другим мешать отдыхать, — прошептала Магда. — Мне мама запрещает греметь на кухне, когда родители спят.

Интересно, что проделала Клава с дочерью в детстве, если сумела добиться такого патологического послушания? Вопрос, конечно, интересный, но не он главный на данном этапе.

— Скажи, дорогая, ты не знаешь, где Ната познакомилась с будущим мужем?

— Он приехал к папе в мастерскую машину чинить, — бесхитростно ответила девочка.

— Твои родители ездили в Америку?

— Нет.

— А собирались?

— Не знаю.

Спрашивать больше было нечего, скорей всего, Магда абсолютно не в курсе того, что задумала Клава.

— Ступай на кухню, выпей чаю, — велела я, — наверное, ведь есть хочешь!

Магда кивнула, но не пошевелилась.

— Иди-иди, — поторопила ее я, — в холодильнике колбаска вкусная, «Докторская», или ты ее не любишь?

— Люблю, — эхом отозвалась Магда.

— В чем тогда дело? — рассердилась я.

— Пусть Лиза и Кирилл спокойно отдыхают, — ответила девочка и потянулась к отложенной книге, — еще уроню чего-нибудь и разбужу всех, у меня руки неловкие, так мама говорит!

Я обозлилась не на шутку: Клавдия постаралась изо всех сил, чтобы превратить несчастную девочку в бесхребетное существо.

— Ступай к холодильнику! — приказала я.

Глаза Магды наполнились слезами, но она покорно села. Это было уже слишком.

— Впрочем, если не хочешь, можешь не ходить, — быстро сказала я.

— А как надо? — пролепетала она.

— Как тебе хочется!

— Мне никак не хочется, — последовал ответ.

Поняв, что и на этом фронте потерпела полное фиаско, я отступила к двери. Магдалена углубилась в книгу. Мой взгляд упал на яркую обложку — «Биографии кровавых убийц». Однако странное чтение для робкой до неприличия девочки.

— Тебе нравятся ужасы? — не утерпела я.

Магдалена кивнула:

— Да, очень люблю детективы и триллеры.

— Тогда посмотри в шкафу, в моей комнате.

— Я уже там глядела.

— Но у меня не было книги, где рассказывается о жизни жестоких убийц, я предпочитаю криминальные сказки.

— Я купила ее на станции, в газетном киоске, — пояснила Магдалена и погрузилась в чтение.

ГЛАВА 19

Сами понимаете, что мне ничего не оставалось, кроме того, как расспросить Клаву. Прежде чем ехать в больницу, я позвонила Катюше в ординаторскую и уточнила:

— Ты давно у Клавы была? Как ее состояние?

В трубке послышалось тихое чавканье, очевидно, Катюшка использовала спокойную минутку, чтобы перекусить.

— Я только что из кардиологии, — ответила она, — состояние ее стабильное, перевели в палату.

— Можно ее навестить?

В трубке хрустнуло, потом зашуршало.

— Что ты ешь? — спросила я.

— Хлебные палочки, — ответила Катюша. — Зачем тебе к Клаве?

— Неудобно получается, она лежит больная, а мы ни разу ее не навестили.

— Так я каждый день к ней бегаю, — резонно возразила Катерина. — В кардиологии отличный уход, к тому же там все знают, что Клава моя знакомая, и стараются изо всех сил, даже в отдельную палату положили бесплатно. Так что можешь не волноваться, вниманием Клава не обделена.

— Все равно надо приехать, — стояла я на своем, — хоть один разочек.

— Пожалуйста, если времени не жаль, — сказала Катюша и снова захрустела.

— Меня к ней пустят?

— Возьмешь пропуск.

— Где?

— Семнадцатый корпус, смотри не перепутай, я в шестнадцатом работаю, а стоят здания, несмотря на то что их номера идут по порядку, в разных концах территории клиники, у ворот поверни налево, — пустилась в объяснения Катерина, — найдешь корпус, подойди к справочному окошку и покажи паспорт, пропуск тебе закажут, круглосуточный.

Я положила трубку и распахнула шкаф. Несмотря на бессонную ночь, тело было полно бодрости. Очень странно: обычно, если я не отдохну положенные восемь часов, хожу потом сонная, как осенняя муха. Ладно, сейчас оставлю детям записку и поеду в больницу, но сначала выгоню собак во двор.

Я распахнула дверь и велела:

— Муля, Ада, Рейчел, Рамик! Гулять, быстро!

Услыхав волшебный глагол, мопсихи, сопя, понеслись в сад. Через секунду с улицы раздались шаркающие звуки. Это противная Мульяна изо всей силы скребла лапами землю возле большой ели, наверное, между корнями устроился крот.

— Ты дела свои делай, — прикрикнула я и пригрозила Муле газетой, — охотничий мопс. Минуточку, а где Рейчел?

Обычно стаффордшириха вырывается на волю первой и стремглав несется за гараж, у нее там любимое местечко. Но сегодня Рейчуха даже не вышла на террасу. Я вернулась в гостиную и увидела бежевожелтую тушу, лежащую под столом.

— Дорогая, мопсы уже гуляют, Рамик носится по саду, а ты спишь? — удивилась я.

Рейчел слабо вильнула хвостом, но даже не пошевелилась. Глаза ее были несчастными, а нос на ощупь оказался сухим и горячим. Разбуженный Кирюшка мигом сказал:

— Она вечером от каши отказалась, мы подумали, что ей из-за жары есть неохота!

Я схватилась за телефон. Вчера у собак был просто царский ужин: рисовая каша с куриными потрохами, Рейчел могла отвернуть морду от обожаемого блюда только в одном случае — если заболела.

— Везите к нам, — велел ветеринар Денис Юрьевич, — поглядим, что к чему.

Мы с Кирюшкой еле-еле запихнули Рейчел в «Жигули» и покатили в Ясенево. Слава богу, клиника не так далеко от Алябьева, если столица и дальше такими темпами станет строиться, наша дача просто окажется в центре мегаполиса.

Рейчел совершенно спокойно лежала на заднем сиденье, хотя она не очень-то любит ездить в машине. Может, собаку укачивает? Во всяком случае, стаффордшириха старается высунуть морду в полуоткрытое окно и с детской непосредственностью оглядывает все вокруг, но сегодня Рейчел спала или лежала с закрытыми глазами, ей явно было плохо. Впрочем, когда я припарковалась у здания, собака сама вылезла наружу и покорно поковыляла рядом, но стоило нам приблизиться к двери, украшенной табличкой «Ветклиника «Ваш друг», как Рейчел без всякого звука обвалилась на пол.

Наши собаки очень хорошо знают это место. Мы возим их сюда на прививки и другие малопривлекательные процедуры. У Ады когда-то удаляли жировик на боку. Муле лечили конъюнктивит... И еще все собаки терпеть не могут, когда им подрезают когти, чистят уши и удаляют с зубов камень. Милейшего Дениса Юрьевича наши животные стараются избегать, причем каждая собака избрала собственную тактику. Шумная, безостановочно гавкающая по поводу и без повода Ада, едва мы подводим ее к клинике, начинает душераздирающе выть. По мере подъема по лестнице тональность звука меняется, и в холл, где, как правило, сидят владельцы больных животных, мы втаскиваем отчаянно визжащее существо. Если бы собаки пели в опере, то Ада явно стала бы примой, она способна держать верхнее «до» в течение нескольких минут, ни разу не сменив дыхание. Однако от ее безобразного поведения все же есть польза, потому что, услыхав пронзительный, почти в диапазоне ультразвука, вой, очередь мигом участливо говорит в один голос:

— Идите вперед, вон как мучается, бедняжка!

На самом деле Аде не больно, просто страшно. Муля придерживается иной тактики, она молча садится на пороге ветлечебницы, и никакие крики и приказы не могут заставить ее поднять толстую попу. Приходится хватать Мульяну и тащить на руках. Все бы ничего, но при виде улыбающегося Дениса Юрьевича Мулечка пускает в ход последнее, коронное средство, она мигом писается, причем каждый раз прудит лужу, которую не сделать и слону. Но если с Адой и Мулей еще можно справиться, они хоть и толстенькие, но все же подъемные, то Рейчел, падающую у подножья лестницы навзничь, оторвать от пола невозможно. Стаффордшириха весит больше меня. Приходится звонить Денису Юрьевичу, и к нам, громыхая носилками, выходят мальчишки в голубых халатах, студенты ветеринарной академии, подрабатывающие тут фельдшерами.

— Что на этот раз? — поинтересовался доктор. — Опять вы, мадам, съели колготки своей хозяйки?

Я улыбнулась, был у нас такой случай.

— Нет, вчера такая веселая по участку носилась, а утром не шевелится.

— Сейчас разберемся, — пообещал ветеринар и погладил Рейчел по голове.

Стаффордшириха обычно пытается увернуться, когда Денис Юрьевич протягивает к ней руку, но сегодня она лишь шумно вздохнула, лежа на носилках.

— Несите ее, ребята, в кабинет, — велел Денис Юрьевич.

Я уселась возле закрытой двери, самое неприятное — это сидеть в коридоре и поджидать, что скажет врач. На мой взгляд, намного лучше заболеть самой, чем наблюдать за чужими страданиями.

Внезапно по коридору быстрым шагом прошла Алла Евгеньевна, хирург. Кивнув мне на ходу, она исчезла за дверью кабинета. Спустя пару минут появился Виктор Сергеевич, пожилой, очень опытный врач. Нам, слава богу, ни разу не приходилось пользоваться его услугами. С мелкими болячками мопсов, стаффордширихи и двортерьера великолепно разбирался молодой Денис Юрьевич. Потом из-за поворота выплыл толстый, просто необъятный Аркадий Семенович, владелец клиники. Словно океанский лайнер, он продефилировал мимо меня и тоже исчез в кабинете. Я испугалась: похоже, за белой дверью собрался консилиум, неужели собаке так худо!

Неожиданно из-за двери донесся рокочущий бас Аркадия Семеновича:

— Пустое дело так рассуждать! Немедленно несите на рентген!

Еще через пару минут Рейчел вынесли в коридор и потащили куда-то в глубь лечебницы.

— Евлампия Андреевна! — спросил бледный, как лист бумаги, Денис Юрьевич. — У вас есть дети?

Молчавший до сих пор Кирюшка удивленно воскликнул:

— Ну да! Вы ж нас знаете! Я и Лизка!

— А маленькие? — поинтересовалась Алла Евгеньевна.

— Еще Магдалена, — ответила я, — она в гости приехала.

— Сколько ей месяцев? — быстро спросил Аркадий Семенович.

Кирюшка захихикал.

— Скажете тоже, месяцев! Магде восемнадцать, она в одиннадцатый класс пошла!

— Сколько? — удивилась я. — Ты точно знаешь? Кирюшка кивнул:

— Ага, я сам удивился, она себя ведет как десятилетняя.

— А младенцы имеются? — не успокаивался Аркадий Семенович.

— Нет пока, — растерянно ответила я, — при чем здесь грудные дети?

— Собака гуляет во дворе, за забором или у вас на глазах? — продолжал задавать идиотские вопросы главный врач.

— Вчера она подкоп сделала и по поселку носилась, — вздохнул Кирилл, — еле-еле поймали, совсем от свежего воздуха офигела! У магазина отловили!

— Мне никто не рассказывал об этом происшествии, — покачала я головой.

— А ты дома-то бываешь? — ринулся в атаку Кирюшка. — Бросила бедных детей голодными...

Я быстро наступила ему на ногу. Иногда Кирика заносит, нет никакой необходимости устраивать свару при посторонних.

Тут раздался крик:

— Аркадий Семенович!!!

Доктора плотной группой рванули на зов. Мы остались с Кирюшкой вдвоем. Я терялась в догадках, что с нашей Рейчел?

Минут через пять Аркадий Семенович в окружении людей в голубых халатах подплыл к нам, в руках он держал рентгеновский снимок.

— Многоуважаемая Евлампия Андреевна, — начал главврач, — мне очень неприятно сообщить вам, вернее, просто ужасно...

Я похолодела, Рейчел умерла!

Аркадий Семенович тем временем продолжал абсолютно не свойственное ему мямленье. Обычно он коротко сообщает:

— Ясно. Операция. Готовим.

А сегодня старательно подбирал слова и никак не мог сообщить суть дела.

— Случается такое, мы с коллегами, естественно, слышали о подобном, тем более со стаффами, все-таки собака сложная.

— Вероятно, отягощенная генетика, — влезла Алла Евгеньевна.

— Да что произошло? — заорал Кирюшка. — Вы не можете нормально сказать?

Аркадий Семенович поднял снимок. Я уставилась на темно-серый лист. Всегда удивлялась, ну каким образом доктора разбираются в этих пятнах?

— Видите позвоночник? — спросил доктор, указывая толстым пальцем на нечто больше всего похожее на гигантскую расческу.

— Да, — хором ответили мы с Кирюшкой.

— Это желудок...

— Да!

— Понимаете, что в нем?

Я вгляделась в смутные очертания: что-то знакомое, длинное, заканчивающееся кругляшкой с пятью коротенькими отросточками...

— Мама! — взвизгнул Кирюшка. — Рука! Человеческая.

Я похолодела. В желудке Рейчел лежала крохотная ручка, принадлежавшая когда-то младенцу. Вот почему Аркадий Семенович интересовался грудничками. Наша Рейчуха... Нет, не может быть... Тут же в уме всплыл рассказ соседки Нины Ивановны о пропавшем из коляски незнамо куда ребенке Ванды, заболтавшейся в магазине с продавщицей, — а стаффордшириху как раз поймали возле этой торговой точки. В полном изнеможении я навалилась на стену и пролепетала:

— Что делать-то?

— Сейчас готовят операционную, — пояснил Аркадий Семенович, — но вы понимаете, после операции мы обязаны будем сообщить в милицию!

Полтора часа мы с Кирюшкой, обнявшись, просидели в холле. Спасибо, сердобольный Денис Юрьевич приволок мне валокордин. После употребления его мне стало немного легче, но потом откуда ни возьмись возникла Алла Евгеньевна и «успокоила» меня:

— Может, еще и не пристрелят.

— Кого? — почти беззвучно спросил Кирюшка.

— Да погоди расстраиваться, — неслась дальше докторица, — могут и не усыпить Рейчел.

— Не хочу! — завопил Кирюшка, но его крики перекрыл громовой голос Аркадия Семеновича:

— Вы только взгляните на это!!!

От операционной летела толпа врачей, впереди несся главврач с эмалированным лотком в руке.

— Вот, — ткнул он мне под нос овальную миску.

Я зажмурилась, ни за какие коврижки не открою глаз!

— Кукла, — завизжал Кирюшка, — Рейчел, любимая, идиоты, кретины, сволочи, вас самих пристрелить надо! Вы чего, не можете настоящую руку от пластмассовой отличить?

Я слегка приоткрыла один глаз, второй распахнулся сам собой от негодования. На дне лоточка лежала ручонка от пластмассового пупса. Очевидно, бегая по поселку, стаффордшириха наткнулась на выброшенную игрушку. Вся кровь бросилась мне в голову, язык парализовало, я только открывала и закрывала рот, словно рыба, выброшенная на берег. Зато Кирюшка, топая ногами, вопил за двоих. Врачи растерянно суетились вокруг нас. Наконец мой язык зашевелился.

— ... — вырвалось у меня.

Кирюшка замолк.

— Где моя собака? — я постаралась взять себя в руки.

— Лежит под капельницей, — сообщил Аркадий Семенович, — вечером заберете домой, через недельку снимем швы, и будет как новая!

— Зачем вы нас пугали, неужели и впрямь не могли сообразить, что рука пластмассовая? — прошипела я. — Хороши ветеринары, мы больше к вам никогда не приедем!

— Ну-ну, — пытались успокоить меня врачи, — случается всякое.

Уже на дороге назад в Алябьево Кирюшка расхохотался.

— Что смешного ты нашел в этой ужасной ситуации? — вздохнула я, не отрывая взгляда от дороги.

— Просто вспомнил, как ты коротко и ясно сказала: «...», — веселился мальчик.

— Не было такого! — возмутилась я. — Я никогда не употребляю таких выражений и других не одобряю.

— Было, было, — хихикнул Кирюшка, — значит, знаешь всякие словечки, а нас с Лизаветой ругаешь!

— Конечно, знаю, — пожала я плечами. — Но хорошее воспитание — это не незнание ненормативной лексики, а умение не употреблять ее по поводу и без повода! Интеллигентный человек никогда не позволит себе в присутствии других...

— А наедине с собой? — перебил меня Кирюшка.

— Тоже, — отрезала я.

— Знаешь, Лампа, — протянул Кирюша, — у меня вопрос возник, как ты думаешь, наш президент моется в ванной?

— Конечно, — удивилась я, — он же живой человек, на тяжелой нервной работе, небось любит в пене покайфовать, а почему ты интересуешься?

— Вот прикинь, — задумчиво продолжил Кирик, — вылез он из воды, встал босыми ногами на плитку, потянулся за полотенцем, поскользнулся, упал... Что будет?

— Кошмар! — покачала я головой. — Еще, не дай бог, власть переменится, а в нашей стране от любой смены руководства ничего хорошего не получается. Нет уж, пусть президент лучше будет здоров, зачем ему падать в ванной! Уж, наверное, догадались ему везде резиновые коврики настелить.

— Да не о политике речь, — отмахнулся Кирюшка. — Как думаешь, что он скажет, со всего размаху шлепнувшись на пол, а?

— Видишь ларек? — быстро перевела я разговор на другую тему. — Сделай одолжение, купи батон, у нас хлеб кончился.

Кирюша вылез из машины, я смотрела ему вслед. Однако странные мысли приходят иногда детям в голову! Что скажет президент, упав в ванной! Что скажет, что скажет... Небось выразится, как все мужчины, вряд ли промолчит. Право же, воспитательный процесс — дело тонкое, что ответить Кирюше? Сказать: «Конечно, глава нашего государства просто тихо встанет», так Кирюшка будет надо мной издеваться. Сказать то, что думаю на самом деле? Мигом услышу:

— Ага, президенту можно, а мне нельзя?

Прочесть длинную, нудную лекцию на тему «В какой момент можно пользоваться ненормативной лексикой»? Нет уж, лучше просто переменить тему. Ох уж эти детки!

Внезапно мысли потекли совсем в ином направлении. Магдалене-то, оказывается, восемнадцать лет. Впрочем, сейчас я уже понимаю, что считать девочку четырнадцатилетней было крайне глупо. Магдалена, правда, крохотного роста, но у нее лицо взрослой девушки, меня ввела в заблуждение ее манера покорно исполнять любые чужие приказы.

ГЛАВА 20

К Клаве я попала лишь около восьми вечера. Пропуск мне выдали без звука, хотя время посещения больных закончилось. Клава лежала на кровати и читала «Мегаполис».

— Лампа? — удивилась она.

— Вот, принесла вам фрукты, — сказала я и стала выгружать на тумбочку зеленые кисти. — Виноград мытый, тут еще сок, бананы...

— Не надо так тратиться, — покачала она головой, — и так вы с Катей хлопот получили. Я в больнице, а Юрка с Магдой на вас свалились... Как они там?

— Магдалена нормально, — я решила начать с приятной новости, — хорошая девочка, воспитанная...

В глазах Клавы неожиданно мелькнул злой огонек.

— В тихом омуте черти водятся, — резко заявила она. — Магде требуется крепкая рука.

Я поразилась: ну разве можно так ненавидеть собственную дочь?

— На мой взгляд, вы не правы! Магдалена абсолютно забитое существо! Если кому и требуется крепкая рука, так это вашему муженьку. Пьет без остановки который день, — сердито возразила я.

— Всю душу мне измотал, — вздохнула Клава, — и тащить тяжело, и бросить невозможно. Зачем только водку, окаянную, выпускают?

«Затем что на деньгах, вырученных от ее продажи, стоит госбюджет», — хотела сказать я, но произнесла другое:

— Чего же с алкоголиком мучаетесь? Можно развестись и жить спокойно.

— Легко советы-то давать, — вскинулась Клава. — Как детей поднять одной? Без мужика трудно!

Я промолчала, ну не говорить же Клаве, что лучше без отца, чем рядом с невменяемым пьяницей.

— Юрка, когда не квасит, хороший, — продолжала она. — Зарабатывает нормально, не жадный. Одна беда: запьет — хоть караул кричи.

— И часто он в штопор входит? — поинтересовалась я.

— Да нет, — покачала головой собеседница, — примерно раз в три месяца, дня на четыре, не больше. Мы уже привыкли, знаем, его трогать не надо, проспится — и снова нормальный.

— По-моему, вы слегка приукрашиваете действительность, — не согласилась я. — Юрий уже почти две недели водку хлещет и не собирается останавливаться. Одно не пойму, где он бутылки берет?

— Это его жизнь подкосила, — прошептала Клава. — Сначала пожар случился, потом Нату посадили. Ну зачем она того парня убила! Зачем? Ведь так хорошо все складывалось: свадьба, муж нормальный, непьющий...

Я посмотрела в ее серые, какие-то застиранные глаза и твердо сказала:

— Да вы великолепно знаете ответ на вопрос. Не любит Ната Володю и никогда не любила, это вы вы-

нудили дочь к браку и по сути являетесь виновницей
произошедшего. Ната обожала Игоря Грачева и мечтала соединить свою судьбу с ним, с любовником.

— Ты глупости не болтай, — возмутилась Клава. —
Моя Ната девушка честная, она до свадьбы сохранила невинность.

Я прищурилась.

— Интересно, сколько стоила вам гименоплас-
тика?

— Что??

— Заштопывание девственной плевы, восстанов-
ление невинности.

Клава посерела, но постаралась сохранить самообладание, пальцы женщины начали быстро мять край
одеяла, но лицо, хоть и изменившее цвет, осталось спокойным.

— Ну и глупости вам в голову приходят! — с возмущением воскликнула баба. — Что за операция
такая!

Возглас, вырвавшийся из ее груди, был настолько искренен, что на секунду я поверила жене Юрия,
но потом увидела ее пальцы, дрожащие, нервно ком-
кающие пододеяльник, и ответила на риторический
вопрос:

— Медики циничные шутники, поэтому более
чем специфическое оперативное вмешательство они
назвали по имени бога бракосочетания Гименея. Вы
можете до свадьбы перекувыркаться со всем городом, а потом сбегать на гименопластику, и у жениха
останется сладкое ощущение первопроходца. Правда,
от невесты потребуется определенное актерское мастерство, но, похоже, в Нате пропала Сара Бернар[1].

— Кто-кто, — прозаикалась Клава, — кто рассказал такую ерунду?

Мне в голову моментально пришел верный ответ:

---

[1] С а р а Б е р н а р (1844 — 1923) — великая француз-
ская актриса, одна из немногих женщин, сыгравших роль
Гамлета.

— Юрий. Он сейчас совершенно неадекватный. Честно говоря, плохо понимает, где находится и с кем разговаривает, постоянно обращается ко мне: «Клава». Вот и разболтал ваш секрет.

Внезапно женщина устало сказала:

— Может, оно и к лучшему. Я-то против затеи была, все Юрка, его мозгов дело, он и Володю этого нашел. Слов нет, хороший мужчина, положительный, если бы и правда моим зятем стал, я бы только радовалась. Но Ната этого Игоря любила, а отец ее сломал.

Она замолчала и уставилась в потолок. Я тоже молчала.

— Юрка жадный дурак, — зло продолжила Клава, — наплели ему сказочку, а он поверил! Прямо цирк! Нет там небось ничего! Но Юрка решил съездить.

Честно говоря, я не слишком понимала, о чем идет речь.

— Ехать надо было в Америку?

— Ага, — кивнула Клава, — штат Нью-Джерси, городок Тун, чертова даль, ихняя глухая провинция, навроде нашего Зажопинска.

— При чем же тут Володя Костин? — вырвалось у меня. — К чему его обманывать надо было, замуж выходить? Не пойму никак.

— Так ты, выходит, ничего не знаешь... — пробормотала Клава и захлопнула рот.

— Говори, — велела я.

Клава насупилась.

— Время позднее, устала я очень, ступай себе домой, за фрукты спасибо, только больше ничего мне приносить не надо, тут хорошо кормят.

— Ты любишь свою старшую дочь? — обозлилась я.

— К чему это? — вяло ответила Клава. — Ната в тюрьме, Володя с ней разведется...

— Твоя дочь никого не убивала!

Клава резко села, потом усмехнулась и откинулась на подушки.

— За дуру-то меня считать не надо! Ее с револьвером у метро поймали!

— Нет, не так дело было!

— А как? — подскочила Клава. — Знаешь, после чего я сюда, в больницу, загремела? У следователя была, он мне четко объяснил: Натка пока не признается, чем себе только хуже делает, ее полно народу видело, а дежурная по станции заявила, что девка в урну пистолет швырнула.

— Не она это.

— А кто? — прошептала Клава. — Господи!

Я вытащила из сумочки удостоверение и ткнула его Клаве в нос.

— В курсе, где я работаю?

— Нет, — растерялась баба, — я думала, ты дома сидишь, хозяйство ведешь, Натка говорила, что Лампа навроде приживалки.

Я стиснула зубы, но справилась с собой и велела:

— Читай.

— Начальник... — промямлила Клава, — ты из легавки?!

— Не совсем, частный детектив, агентство «Шерлок».

— И чего? — окончательно потерялась тетка.

— Того, — хмыкнула я, — я ищу настоящего убийцу, твердо знаю, Нату подставили, она тут ни при чем.

— Почему?

— Пока не знаю, поэтому и требую: расскажи немедленно про Америку и Костина.

Клава молчала.

— Ты хочешь, чтобы твоей дочери дали пятнадцать лет и отправили на зону для особо опасных преступников?

Женщина опять принялась теребить одеяло.

— Ладно, — кивнула я, — если судьба Наты тебе безразлична, подумай о Магдалене, да о себе, в конце концов, легко ли жить будет. С одной стороны, нет-нет да вспомнишь про Нату, а с другой... Да все знакомые начнут пальцем тыкать и перешептываться. Магде потом на приличную работу не устроиться.

Подумай, закончит девочка институт, придет на службу наниматься, а там анкету заполнять надо. И что ей ответят, когда увидят в графе фразу: «Сестра осуждена за убийство».

— Яблоко от яблони недалеко падает, — неожиданно отмерла Клава.

— Ты о чем? — удивилась я.

— Юрка сидел, — пояснила она, — дважды. Все из-за водки. Первый раз он с мужиками на троих соображал, чего-то они там не поделили и передрались. Мой кобель здоровый, кулаки пудовые, долбанул собутыльников, одному черепушку проломил, хорошо, не насмерть убрал. Четыре года дали, через два с половиной выпустили за хорошее поведение. Уж как он клялся, что больше никогда, божился, в ногах валялся. Только толку-то? Во второй раз загремел, когда Натка в третьем классе была. Опять по пьяни. Кошелек у мужика вытащил, в троллейбусе. Я ему в тот день денег на водку не дала, ни копеечки, все припрятала и из дома выгнала, а он решил сам раздобыть. Шесть годков вломили, от звонка до звонка отсидел. Вот уж я нахлебалась говна, по уши наелась! Двоих девок одеть, накормить, выучить да этому харчей отвезти. От Юркиной матери толку не было, она пьяница горькая, а свекор мой — убийца, он двух соседей в избе запер да поджег. Они, когда забор строили, от его участка полметра отхватили, вот он и разобрался. Хорошо, на зоне помер, повезло свекровке, а мой-то вернулся.

— Почему же не разошлись?

— Девок сиротить не захотела, — вздохнула Клава.

Я была потрясена. Чего больше в этом заявлении — мазохизма или глупости?

— Так Ната в родню пошла, — продолжала Клава, — в деда и отца, кровь гнилая, убийцы они. Уж я колотила ее в детстве, колотила, думала, выбью геныто, ан нет!

— Вот что, — решительно заявила я, — ну-ка, быстро рассказывай, что за аферу придумал Юрий. Может, тут ключ к разгадке и зарыт. Пойми, не виновата Ната, не она убивала.

— Все равно ничего не вышло, — напряглась Клава, — да и не хотели мы ничего плохого. Ладно, слушай. У Юркиных родителей народилась куча детей, они, по-моему, всех по именам-то не помнили, только до школьного возраста дожили двое — Юра и Светка.

Светлана была на целых десять лет старше брата и очень любила Юру. Если сказать правду, то девушка заменила брату мать. Их родительница пила, не просыхая, не задумываясь ни о чем. Светлана же в четырнадцать лет отправилась мыть лестницы и покупала маленькому братику еду и немудреные игрушки. Она же потом стала водить Юру в школу, приговаривая:

— Учись хорошо, вот вырастешь, пойдешь работать, получишь много-много денег, мы с тобой так заживем.

— Вдруг тебе принц встретится, — один раз бесхитростно ответил Юрочка, — женится, мне и работать не придется!

Света шлепнула брата.

— Ишь чего захотел! Лентяй.

Потом она горько вздохнула и добавила:

— Какие уж тут принцы, на меня никто и не поглядит в таком платье.

— Ты самая красивая! — с жаром воскликнул Юра.

Света грустно улыбнулась.

— Да уж! Прямо королева.

Самое интересное, что Света на самом деле была хороша, только красота ее не бросалась в глаза. Если говорить языком дамских романов, она не походила на пышную, яркую розу, а напоминала василек, выглядывавший из колосьев ржи. Так бы и пробегала Светочка всю жизнь по подъездам и чужим людям с ведром грязной воды, но однажды богиня судьбы проснулась, приметила трудолюбивую девочку и одарила ее счастьем.

Света пристроилась в семью режиссера Бланка

домработницей. Матвей Георгиевич был величиной в мире театра, о его постановках говорили с придыханием не только в Москве, но и в Лондоне, Париже, Риме. Режиссер часто мотался за рубеж, принимал он иностранных друзей и у себя. В семидесятые годы советским людям не разрешалось дружить с гражданами других государств. Сейчас в это трудно поверить, но, для того чтобы выехать на отдых в социалистическую Болгарию, требовалось преодолеть массу препонов, пройти комиссии в домовом комитете, в парткоме на работе, в районном комитете партии, ответить на многочисленные каверзные вопросы, выслушать инструктаж... И только тогда вы имели шанс пересечь границу СССР, сжимая в кармане тридцать долларов. Большую сумму вывозить категорически запрещалось. Но существовала особая каста советских людей, которые жили не по правилам, в основном это были работники искусств, регулярно выезжавшие на гастроли. Коммунисты сквозь пальцы смотрели на дружбу между московскими и парижскими балетными танцовщиками и не прижимали к ногтю советских пианистов, обменивавшихся письмами с коллегами из Лондона. Матвею Георгиевичу Бланку тоже позволялось звать в гости иностранцев, и в один прекрасный день у него в столовой оказался Марк Радберг, сорокалетний американский холостяк.

Светлана внесла в комнату блюдо с пирожками, Марк глянул на домработницу... Принц увидел Золушку и мигом влюбился, сбылась мечта маленького Юрочки.

Как они договорились, не зная один русского, а другая английского языка, где встречались в Москве, остается за кадром. Важно другое: Марк предложил Свете руку и сердце, она согласилась. Целый год потом, чуть ли не на уровне глав государств, решался вопрос о свадьбе. Марк использовал все связи и добился своего. Хмурым осенним днем его со Светой расписали в московском загсе. Наутро молодые вылетели в Америку. Светочка горько плакала, в те годы отъезд за океан, в США, был подобен смерти.

Надежды на новую встречу с братом у нее не было. Правда, Марк клятвенно обещал употребить все свое влияние и связи, чтобы перетащить мальчика в США, но, очевидно, забыл или не сумел этого сделать. Одно время Юра ждал писем или звонков, но потом понял, что надеяться не на что. Света словно провалилась в прорубь. Началась другая жизнь, через пару лет Юра стал считать сестру умершей, а потом и вовсе забыл про нее. Он вырос, женился, отсидел два раза, потом неожиданно взялся за ум, принялся слесарничать, работал в гараже, даже сделал карьеру, став начальником... Словом, текла обычная жизнь, так живут тысячи людей: женятся, рожают детей, пьют, гуляют, работают...

Но полтора года тому назад как-то вечером к Юрию и Клаве заявился нежданный гость: очень хорошо одетый мужчина. Он показал паспорт гражданина Америки и на слишком правильном русском языке представился:

— Джон Клайманн, адвокат Софи Радберг.

— Кто? — не понял Юрий.

Господин Клайманн сел в кресло и вывалил целый ушат невероятной информации. Светлана, став американкой, превратилась в Софи. Великолепно зная, что КГБ берет на заметку всех тех, кто имеет родственников за рубежом, она оборвала связь с братом. Она была настолько напугана, что даже после перестройки не решилась объявиться. Муж ее давно умер, детей у Радбергов не было, все огромное состояние перешло к Софи. Несколько месяцев назад она, узнав о своей неизлечимой болезни, распродала все, что имела, оставив только крохотную ферму, на которой и провела последние дни. Перед смертью она вызвала к себе Джона и велела:

— Ты поедешь в Россию, найдешь там моего брата Юрия и передашь ему это письмо.

Адвокат, естественно, выполнил поручение клиентки. Когда он ушел, Юра вскрыл конверт, прочитал послание и дал его Клаве. Всю ночь потом супруги пытались переварить информацию.

Светлана сообщала, что хочет оставить нажитое брату и его семье. Но официально оформить наследство она не пожелала.

«Вас заставят заплатить гигантские налоги, — писала она, — а я вовсе не намерена кормить ни ваших, ни наших разжиревших госчиновников. Деньги заработаны тяжелым трудом и должны достаться тебе, Юрочка, целиком, без грабительских вычетов. Я придумала план. Распродала абсолютно все и обратила в деньги, в драгоценности. Их немного, но они эксклюзивны. Из камней, огромных по величине бриллиантов, заказано ожерелье. Ты, Юра, вместе с женой должен приехать в США как турист, вот план моего дома, стрелкой отмечено место, где спрятана шкатулка. На обратной дороге твоя жена наденет на шею ожерелье, под кофтой его скорей всего не заметят, впрочем, к личным драгоценностям путешественников на границе не придираются».

Целую неделю потом Юрий и Клава ломали голову, как поступить. История походила на розыгрыш, посоветоваться с кем-либо муж и жена боялись.

— Ты вспомни, — настаивала Клава, — Светкин почерк или нет?

— Где ж упомнить? — ворчал Юра, вертя в руках послание. — Сколько лет пронеслось.

В конце концов решили ехать, сбегали в турагентство, наскребли денег на путевку и получили от американского посольства решительный отказ. Юре, как дважды судимому, Клаве, как жене уголовника, въезд в США был закрыт навсегда. Представляете, как задергались супруги? Если раньше у них имелись сомнения по поводу наличия ожерелья, то теперь, когда Америка оказалась недоступной, они мигом отпали.

— Уголовник чертов, — «чистила» Клава по ночам супруга, — урод! Из-за тебя таких деньжищ лишились!

Юра только крякал.

— Может, попросить кого другого съездить? — один раз предложил он.

Жена налетела на муженька с кулаками.

— Последний ум пропил! — заорала она. — Кому такое предложить! Сопрут мигом!

Одним словом, положение казалось безвыходным, но тут Юрка совершенно случайно столкнулся на улице со своим бывшим «коллегой» по зоне Степкой Ужковым. Мужики зарулили в кафе, выпили, и Ужков со вздохом сказал:

— Прикинь, кто у меня зять! Мент!

Юрка заржал.

— Угораздило с легавым породниться!

— Эх, — махнул рукой Степка, — да он ничего, нормальный парень, папой меня кличет. Полгода назад с моей дочерью за океан улетел, в ихнюю полицейскую академию, по обмену.

— Погоди, — удивился Юра, — как же твою дочь выпустили?

— Почему нет? — вздернул брови Степка.

— Так ты же судимый, а американцы таких не любят, — стал делиться личным опытом Юрий, — до третьего колена визу не дают!

Степка заржал.

— Дураки они, патриоты гребаные. Говорил же тебе, зять у меня мент.

— И чего? — не понимал Юрий.

Продолжая смеяться, Степан пояснил:

— Они на патриотизме с ума сошли. В Штатах полицейский — страшно престижная профессия, они своих ментов обожают. Этого мало, если ты тоже легавый, да хоть из Чечни, мигом визу дадут, вперед всех, потому как уважают представителей закона в любой стране, считают их лучшими из граждан, усек? Кабы моя дочурка за врача или инженера выскочила, не видать ей Штатов никогда, а раз за ментяру пошла, то с дорогой душой пожалуйте к нам в Америку! Ясно? Одним словом, патриоты долбаные! Дочка пишет, у них в кино перед сеансом гимн играют, а еще они перед своими домами флаг поднимают. Во кретины!

Но Юрий перестал слышать собеседника. В его

голове родился план: немедленно выдать Натку замуж за милиционера и отправить за богатством.

Прежде чем начать боевые действия, Юрий не пожалел денег и посоветовался с законником.

— Да, — подтвердил адвокат, — существует такое неписаное правило. Если ваша дочь имеет мужа — сотрудника МВД, ей мигом дадут визу, и ваша судимость не будет служить препятствием.

Дело было за малым: найти дурака-мента, облапошить его и отправить с женой в Америку. И тут Юрию попался Володя Костин, явившийся в недобрый час чинить свои «Жигули».

— Давайте, бабы, — велел Юрий, — притащу его к нам, действуйте.

Но Ната неожиданно начала сопротивляться:

— Я люблю Игоря Грачева!

— Сказано, жени на себе Костина! — стукнул кулаком по столу отец.

— Зачем? — заорала Ната.

— Твой Игорь голодранец, — завопил в ответ Юрий.

— А ваш Костин кто? — отбрила Ната. — Офигели с матерью совсем!

Родители не ожидали от обычно покорной дочери столь бурного сопротивления. Они переглянулись, рассказывать правду Нате с самого начала им не хотелось, но, видно, другого выхода не было.

Услыхав про несметное богатство, Ната повела себя совсем странно.

— Хорошо, — прищурилась она, — я поеду, но только в том случае, если половина денег моя будет.

Юрий замахнулся на дочь, но та, обычно сжимавшаяся в ожидании оплеухи, на этот раз ухмыльнулась.

— Руки-то не распускай, а то откажусь.

— Не трогай ее, — дернула супруга за рукав Клава.

Юрий растерянно разжал кулак.

— То-то, — с удовлетворением констатировала Ната, — значит, так, даете половину — еду, не даете — с носом останетесь!

ГЛАВА 21

— Как же вам удалось обвести Володю вокруг пальца? — удивилась я. — Он, честно говоря, бабник, но ваша Ната, прямо скажем, не феерическая красавица.

Клава мрачно усмехнулась.

— Ты замужем?

— Нет.

— А была когда?

— Достаточно давно, потом развелась[1].

— Значит, не умеешь с мужиком управляться, — подвела итог Клава. — Это просто: они все, как животные.

— В каком смысле?

— Да в прямом. — Она стала делиться опытом: — Любого можно голыми руками взять, соблюдай только три правила.

— Какие?

Клава рассмеялась.

— Вкусно корми, домашним, постоянно говори ему, что он лучше всех, и не давай до свадьбы. А то, что бабник, так это даже лучше. Набегался, накотовался, спокойной жизни хочет. И то, что Натка невзрачная, тоже хорошо, мужики на больно красивых жениться не спешат, считают гулящими, жена должна быть не на виду.

Я с уважением посмотрела на Клаву. Надо же, какая она рассудительная.

— Так что долго Натка Володю не обрабатывала, — откровенничала Клава. — Он уже сам жениться хотел, а тут она: хозяйственная, спокойная, каждый день в любви признается да еще невинность до свадьбы соблюла, ну разве часто такой вариант попадется, а?

Я только качала головой. Да уж, эксклюзивная

---

[1] История семьи Евлампии Романовой рассказана в книге «Маникюр для покойника», изд-во «ЭКСМО».

штучка, на самом деле не часто встретишь подобный экземпляр!

— Все у нас так хорошо станцевалось, — продолжала Клава, — как по маслу, свадьбу сыграли, думали, зимой Ната отправится в Америку. Вроде как мы с отцом решили им турпоездку подарить, ну а там уж Натке постараться надо было, шкатулочку потихоньку вытащить и ожерелье припрятать.

— Интересное дело, — хмыкнула я, — как бы она объяснила муженьку, откуда взяла бриллианты размерчиком с голубиное яйцо?

— Мужики — идиоты, — безапелляционно заявила Клава. — Натка должна была ему сказать, что купила фальшивые брюлики, он бы точно поверил!

Я с сомнением покосилась на сидевшую в кровати бабу. Нет, Володя не кретин, он легко смог бы отличить настоящий камень от подделки. Хотя... кто его знает. Неожиданно в мозгу всплыло воспоминание. Вот мы все собираемся в ресторан, чтобы отметить день рождения Катюши. Ради такого торжественного случая расфуфырились, как могли. Когда Володя увидел меня в вечернем платье, при макияже и прическе, он восхищенно зацокал языком:

— Лампа! Ну почему ты каждый день так не ходишь!

— Потому что очень неудобно бегать на каблуках, наступая себе на длинный подол, — хихикнула я.

— А какие серьги! — продолжал закатывать глаза Вовка. — Небось целое состояние стоят, огромные бриллианты, с ума сойти! Я и не знал, что у тебя такие дорогие вещи есть, от мамы достались, да?

Я совсем развеселилась.

— У меня есть две пары сережек от матери, она не любила украшения, мои родители, как ты знаешь, собирали картины, а эти, как ты выразился, «с бриллиантами», я купила в переходе у метро за двести рублей. Извини, но в моих ушах словацкие стекляшки.

— Да ну! — восхитился Вовка. — В жизни бы не подумал!

Так что, может быть, Ната и сумела бы обвести

мужа в США вокруг пальца, хотя ей предстояло проделать большую работу. Ну как объяснить супругу, зачем ей понадобилось ехать в совершенно неинтересный, провинциальный городок, куда скорей всего и не заглядывают туристы? Впрочем, наверное, хитрые Клава с Юрием разработали целый план.

— Одного не понимаю! — вздохнула баба. — Ну за каким чертом Натка этого Игоря пристрелила, а? Ведь все хорошо шло, обо всем без проблем договорились: она едет в Америку, добывает камни, возвращается домой, получает деньги, разводится с ментом и выходит замуж за Игоря. Парень-то с понятием оказался. Другой бы начал палки в колеса вставлять, сопротивляться, а Игорь мигом согласился и даже помог Нату уговорить. Ну за каким чертом она полезла на него с револьвером? Оставалось подождать всего ничего! И тут такое!

— Вы теперь понимаете, — тихо спросила я, — что у Наты не имелось ни малейшего повода убивать Игоря? Девушка великолепно понимала: через полгода она станет свободной, с деньгами и сумеет жить так, как ей хочется? Ната, наоборот, должна была лелеять Игоря, она же собиралась стать его женой. Кстати, вы не знаете, где Ната познакомилась с парнем?

— Так у отца в гараже, — нахмурилась Клава. — Юрка-то хороший мастер, вот Игорь свой драндулет и прикатил. Мы уж парня почти зятем считали, он у нас за своего был. Юрка ему машину бесплатно чинил.

Я подавила вздох. Все понятно: жадный Игорь очень хорошо устроился, пользуясь своей популярностью у глупых девушек. Олеся создала ему семейный уют, кормила, поила, отец Наты чинил за просто так машину, не удивлюсь, если узнаю, что у парня еще имелась парочка «невест», одевавших и обувавших негодника. Конечно, он мигом согласился «выдать замуж» Нату, как только услышал про драгоценности, и сам начал подбивать «любимую» на аферу.

— Значит, я права, Ната не убивала Игоря!

— Ее видела куча людей! — тихо возразила Клавдия.

— Нет, это была другая женщина, ниже ростом, чем Ната, у нее на ногах...

Я стала излагать Клаве ход своих рассуждений. Чем больше я говорила, тем сильней бледнела она, в конце концов прошелестела:

— Уж не знаю, верить или нет!

— Я найду убийцу Игоря!

— Послушай, — Клава перевела разговор на другую тему, — дня через два приедет моя сестра, старшая, из деревни, она заберет Магдалену.

— Зачем? Девочка на даче, ей хорошо.

— Аня отвезет Магду к себе, — решительно заявила Клава, — ты ее разбалуешь, девке нужны вожжи.

— Ты совсем ребенка затравила, — возмутилась я, — да она слово лишнее сказать боится. Нет, не отдам девочку, пусть у нас живет!

Клава вперила в меня злые глаза.

— Спасибо тебе, конечно, за заботу и за то, что пытаешься Натку из тюрьмы вызволить, только я сама разберусь с Магдаленой, я ей мать и лучше знаю, чего ребенку надо. Ей нельзя без дела болтаться.

— Она много читает!

— Фу, — скривилась Клава, — вот уж ненужное занятие. Пусть руками у тетки на огороде работает, картошку окучивает, укроп полет, у Аньки сорок соток земли, есть где ломаться, авось из головы у Магды дурные мысли выветрятся. Ты ведь ее совсем не знаешь, одни глупости у нее на уме! Начитается книжонок и блажит!

Я промолчала, но про себя твердо решила ни в коем случае не отдавать Магдалену тетке. Просто удивительно, до чего Клава ненавидит младшую дочь.

На следующий день я не шла, а бежала в фитнес-клуб. После разговора с Клавой стало понятно: убийцу Игоря надо искать где-то тут. Интересно, какое отношение имеют к произошедшему те клиенты, договоры с которыми покоятся сейчас в моей сумочке. Надеюсь, Олеся узнала для меня хоть что-нибудь об этих людях или выяснила фамилии инструкторов, которые шлифовали им фигуры. Но сразу попасть в ее зал мне не удалось, я оказалась там только около трех часов дня. Среди девочек, стоящих у тренажеров, Олеси не было. Я оглядела огромное помещение...

— Ты не знаешь, куда подевалась Олеся? — тихо поинтересовалась я у одной из инструкторш.

— Которая? — мрачно переспросила тренер.

— Здесь много женщин с именем Олеся? — удивилась я. — Рымбарь ее фамилия, такая худенькая с виду, не накачанная.

Инструктор отложила в сторону перчатки.

— Зачем она тебе?

— Понимаешь, — объяснила я, — разговорились мы тут ночью, Олеся хотела дачу снять, а у меня тетка дом сдает, вот договорились, денег много не возьмет...

— Не нужна ей дача, — протянула собеседница.

Я бросила взгляд на ее бейджик: «Кира, дежурная по залу».

— Почему же?

— Иди сюда, — Кира кивнула головой в сторону подсобки.

Через секунду я очутилась внутри знакомой крохотной комнатки, на стуле около стола, на котором белел электрочайник.

— Только не ори! — строго предупредила меня Кира.

— Зачем мне кричать? — удивилась я.

— Если клиентов испугаем, хозяин по голове не погладит, — заявила тренер. — Олеся умерла.

— Что?!!

Кира стукнула кулаком по столу.

— Сказано было, тихо! В зале услышат.

— Как же, — зашептала я, — разве такое возможно? Она молодая, красивая... Под машину попала, да?

Кира нахмурилась.

— Нет, тут, в зале, скончалась, только, сама понимаешь, клиентам об этом знать совсем ни к чему.

— Но почему?

— Шею сломала, — мрачно бросила Кира.

— Каким образом? — вскочила я.

— Простым. Упала.

— Откуда?

— Сверху.

Ее манера ронять через равные промежутки времени короткие фразы стала безумно раздражать меня, и я довольно резко сказала:

— Объясни по-человечески.

Внезапно с лица Киры пропало официально-отстраненное выражение.

— Так рассказывать особо и нечего. Видела «шведскую стенку»?

— Конечно.

— Олеська пришла на работу в шесть, в это время клиентов нет, народ к нам косяком после двенадцати дня валить начинает и до пяти утра прямо демонстрацией прет, а потом мертвый штиль до полудня.

Хозяин фитнеса великолепно знает, что посетители не всегда клубятся в залах, тем не менее не разрешает своим служащим опаздывать на службу. Есть у тебя клиенты, нет ли, изволь к восьми, как штык, стоять в зале. И еще, в клубе обращают самое пристальное внимание на то, как тренер выглядит внешне, располневшую девушку мигом выставят за дверь без всякой жалости. Поэтому инструкторы сами вынуждены заниматься на тренажерах. С них, правда, не берут денег за возможность шлифовать фигуру, но велят приходить в залы тогда, когда отсутствуют клиенты, поэтому несчастные тренеры порой ворочают железки в невероятное время, например, в шесть утра.

Вот и сегодня Олесе было приказано явиться на личную тренировку к половине седьмого. Скорее всего девушка недовольно поморщилась, узнав о том, что ей предстоит забыть о сладком утреннем сне. Но что делать?

О дальнейшем можно только догадываться. Когда в восемь часов группка тренеров вошла в зал, они увидели лежащую на полу Олесю с неестественно вывернутой набок головой, рядом валялась сломанная палка от шведской стенки.

Очевидно, Олеся полезла делать «угол», добралась до самого верха, схватилась за полированную деревяшку, а та неожиданно обломилась. Высота потолка в зале зашкаливает за четыре метра...

— Ужасное происшествие, — тряслась Кира в ознобе, — тело моментально оттащили в приемную к директору. Уж не знаю, сколько хозяин заплатил ментам, но они даже не пошли на место падения смотреть. Знаешь, нашим клиентам не понравится заниматься в зале, где только что лежал труп. И потом, раз перекладина поломалась, следовательно, тут плохо следят за спортивными снарядами, тренажеры ненадежны. Да посетители бегом к конкурентам в «Планету фитнес» понесутся, так что наш владелец быстренько замял дело.

— Но люди все равно будут интересоваться, куда подевалась Олеся. — Я с трудом пыталась прийти в себя.

— А нам велено ее клиентам сообщить, что их тренер вчера попала под машину, — сморщилась Кира, — якобы ей ноги сломало, лежит в больнице. Поохают и забудут, с другими ребятами заниматься начнут. Жалко Олеську, хорошая девчонка была.

В полубессознательном состоянии я выпала в коридор, присела на корточки и попыталась сделать вид, что очень увлечена протиранием плинтуса. Мимо, не обращая на меня никакого внимания, шли люди в спортивных костюмах и купальниках. Мои руки возили тряпкой на одном месте, в голове вертелись обрывки мыслей.

Надо же, сломалась перекладина! Бедная Олеся, вот не повезло так не повезло! Ну зачем она полезла под потолок? «Угол» можно выполнить и посередине шведской стенки без особых проблем. И что теперь делать мне, каким образом добыть информацию об этих людях? Попытаться подружиться с Кирой? Рассказать ей об Игоре, Олесе, Нате? Это глупо.

Но ничего конструктивного просто не приходило в голову. У меня истощился запас фантазии. Я вздохнула и решила сменить позу, от долгого сидения на корточках ноги начали затекать, в голенях словно пузырился боржом.

— Ну и глупость наваляла! — прозвучал резкий голос.

Я выпрямилась, увидела толстого дядьку в красных шортах, парусообразной футболке, шлепках на босу ногу и удивилась:

— Вы мне? Что я сделала?

«Спортсмен» покачал головой, тут только я заметила в его огромной руке, поднесенной к уху, несообразно крохотный телефончик, казавшийся совершенной игрушкой.

— На фига купила маломощный комп? — гудел дядька, медленно тащась по коридору. — Сколько туда информации впихнешь, а? Мне надо кучу всего сохранить!

Я снова села на корточки. Компьютер! Скорей всего менеджеры держат все сведения именно в нем.

Служащие, не работающие в залах и медицинских кабинетах, покидали свои рабочие места в девять вечера. Я прождала еще час для уверенности, потом взяла на рецепшен ключи от офиса. На всякий случай, если дежурная начнет задавать вопросы, у меня был заготовлен ответ: велели вымыть помещение, где сидят администраторы. Но девушка за стойкой даже не повернула головы, когда я, громыхая ведром, подошла к шкафчику, где хранились ключи от служебных помещений. Наверное, она решила, раз уборщица собралась открыть какую-то дверь, значит, ей это приказали.

Хозяин клуба, создав максимально благоприятные условия для клиентуры, абсолютно не позаботился о комфорте для своих служащих. Все комнатенки, где ютились работники, больше походили на щели, чем на нормальные кабинеты. Впрочем, посетителей, желавших заключить контракт, принимали в овальном зале с вычурно-дорогой кожаной мебелью, бронзовой люстрой и уютным ковром, но потом менеджер, кланяясь, провожал нового клиента и шел к себе, в крошечную норку, заставленную столами. Но мне жадность владельца оказалась только на руку, потому что компьютер тут был один, довольно старый, с монитором, похожим на гигантский телевизор. Даже мы, не самые богатые люди в этом городе, купили Лизе более современный, плоский экран.

Я села в вертящееся кресло. Если признаться, я ничего не понимаю в «умных машинах», так, могу напечатать письмо, и все. Но Лизавета в свое время объяснила мне:

— Кнопка включения компа самая большая и расположена, как правило, на виду. Огляди системный блок и смело тычь пальцем в нее.

Я так и поступила, нажала на торчащую пупочку, похожую на таблетку растворимого аспирина. Послышалось тихое гудение, экран заморгал, на черном фоне побежали белые буквы, потом возникла заставка: безумно накачанный мужчина ломает железную штангу.

Не успела я хихикнуть, как на уровне живота качка появилось окошко. «Пожалуйста, введите пароль». Ну и ну, хотя, в общем, это понятно, многие шифруют вход в систему... Но мне-то что делать?

Неожиданно в правом верхнем углу заморгала картинка: большая голова лягушки. Она медленно подмигнула мне правым глазом, затем возникла надпись: «Забыл пароль? Гатор поможет, ОК!»

Не веря в собственное счастье, я подвела стрелочку к двум буквам, щелкнула мышкой. Раздалась бодрая музыка, вход открылся, оставалось только недоумевать, зачем ставить пароль, если мгновенно появляется лягушачья голова и выбалтывает его. Посидев пару секунд перед экраном, я решила, что информацию о клиентах следует искать в разделе «Личные дела», и подвела туда стрелочку. Мигом появился длинный список, я приободрилась и пробежала глазами по строчкам. Да уж, несмотря на несуразные цены, спортклубом пользовалось огромное количество людей, но уже через минуту я поняла, что передо мной перечень абсолютно всех клиентов, даже тех, кто решил больше не посещать занятия. Напротив ряда фамилий стояла короткая запись «абонемент не продлен».

Первой мне попалась Козанина Марина Сергеевна, она ушла из клуба в прошлом году, летом, и больше не возобновляла контракт. Я нажала на строчку «Подробности» и узнала, что Марина Сергеевна родилась в 1950 году, имела хронический холецистит, варикоз и повышенное давление. В графе «Рост» стояло метр шестьдесят четыре, а вес у госпожи Козаниной оказался нехилый, целых восемьдесят килограмм.

Я покачала головой: да уж, такую фигуру не исправят никакие тренажеры. Со мной в консерватории училась очень талантливая девочка, Сонечка Мармелян, будущая певица. У нее была фигура слонопотама, но из ее груди, похожей на два мешка с мукой, лился восхитительно нежный голос. Сонечка идеально спела бы партию Татьяны в «Евгении Онегине» или Лизы в «Пиковой даме», она могла бы петь в «Аиде» или «Травиате», диапазону ее голоса позавидовала бы любая оперная дива, одна беда, к третьему курсу вес бедняжки перевалил за центнер. И тогда ее педагог, изысканно стройная, утонченная Руфина Самуиловна Гольберг, велела:

— Начинай заниматься спортом, бегай по утрам и вечерам.

Соня покорно принялась исполнять приказ, впрочем, ослушаться Руфину Самуиловну не решился бы никто. Через три месяца тренировок бедняжка Мармелян потеряла один килограмм, который после прекращения пробежек вернулся к ней вместе с парочкой своих приятелей. Сонечка была в отчаянии. Как-то раз мы сидели в коридоре, на подоконнике, с Люськой Коган, миниатюрной виолончелисткой. Честно говоря, Люся казалась слишком тощей для этого инструмента, ее просто не было за ним видно.

— Эй, Сонька, как дела? — спросила Люся.

— Да вот, — мрачно ответила певица, — расту, как на дрожжах.

Люся помолчала, а потом выдала просто гениальную фразу, перевернувшую судьбу Сони:

— Ты жри меньше, должно помочь!

Сонюшка вытаращила и без того огромные карие глаза и осторожно поинтересовалась:

— Думаешь?

— Однозначно, — кивнула Люська, — физкультура тут ни при чем! Лопай, что угодно, но на десять копеек в день!

Через год мы не узнали Соню, а у меня с тех пор возникли сильные сомнения в том, что стройную фигуру можно получить, занимаясь спортом. Нет уж, жрите меньше, должно помочь.

Но Козанина Марина Сергеевна была иного мнения по этому поводу. Интересно, удалось ей похудеть, катаясь на велосипеде, приколоченном к полу? Впрочем, она еще занималась и на других тренажерах, имела личного тренера, некоего Журавкина Родиона. Тренировок Марина Сергеевна не пропускала, ходила регулярно два раза в неделю почти полгода, а потом взяла и бросила. Наверное, ей просто надоело, а может, стало не хватать времени. В графе «Профессия» у госпожи Козаниной скромно стояло «Бизнесмен», а занятие бизнесом не оставляет человеку слишком много свободных часов.

Нашлась в компьютере информация и на двух мужчин: Потапова и Нестеренко. Первый страдал от язвы желудка, повышенного давления и сильной близорукости, второй, несмотря на год рождения, 1939-й, хронических болячек практически не имел, его мучило лишь давление.

ГЛАВА 22

Что особенного было в этих клиентах и отчего следовало прятать договоры с ними, я так и не поняла. На первый взгляд, ничего общего между людьми не просматривалось. Они имели разный вес, рост, их объединяло только повышенное давление, но покажите мне человека, у которого после пятидесяти лет сердечно-сосудистая система в норме! Таких, наверное, просто нет! В остальном между клиентами не имелось сходства, и работали они в разных местах. Марина Сергеевна ворочала бизнесом, Владлен Андреевич Потапов был членом Союза художников, а Нестеренко Григорий Ефимович директорствовал на предприятии с загадочным названием «ООО Межпромбум».

Впрочем, прочитав анкеты в третий раз, я обнаружила одну маленькую деталь: все трое занимались у Родиона Журавкина, правда, в разное время. И еще — ни Козанина, ни Потапов, ни Нестеренко больше не посещали «Страну здоровья», но это было все. Похоже, что они никогда не пересекались в залах. Владлен Андреевич прекратил оздоровление своего организма три года назад, а Григорий Ефимович не посещал залы с позапрошлой весны.

Я уже хотела выйти из компьютера, как глаза наткнулись на знакомую фамилию Грачев. Вот только имя было: Валерий Андреевич. Отец Игоря, Валерий Андреевич, тоже посещал сей фитнес-клуб, более того, умер он почти сразу после тренировки. Из чистого любопытства я полезла в данные о нем и нашла там то же, что и у всех: излишний вес и повышенное давление. Но самое интересное, что его личным тренером был... Журавкин Родион.

В легком недоумении я выключила компьютер и вышла в коридор, где на меня с воплем налетел инструктор из тренажерного зала.

— Черт-те что! — кипел он. — Мне сейчас клиент выговор сделал! Хотел положить полотенце на подоконник, а там гора пыли! Разорался так, словно радиоактивный стронций увидел. Иди немедленно вымой, пока этот дебил жалобу не накатал!

Я послушно потрусила на четвертый этаж, в помещение, отданное под силовые виды. Тут повсюду валялись штанги, разноцветные «блины» с надписью «5 кг», «10 кг», «25 кг», гири, гантели и было полно тренажеров. Занимались в этом отсеке мужчины, в основном молодые, — те, что постарше, предпочитали бегать по дорожке, крутить педали или плавать в бассейне.

Я начала протирать тряпкой подоконники, на них в самом деле ровным слоем лежал белый порошок, только это оказалась не пыль. В разных местах зала стояли на высоких ногах тазики, наполненные чем-то похожим на тальк. Собираясь взяться за гриф штанги, многие мужчины опускали руки в порошок, легкое облако взлетало вверх, потом дисперсные частицы оседали где попало.

В зале витал резкий запах парфюмерии и играла ритмичная, бодрая музыка. Я медленно двигалась вдоль стены и наконец оказалась в самом углу, возле очередного тренажера. На нем, с усилием сводя и разводя руки, восседал тучный дядечка лет пятидесяти пяти. Светлая футболка, туго обтягивающая полное, рыхлое тело, потемнела от пота, лицо клиента имело свекольно-бордовый оттенок, по нему текли капли, вид у мужика был совершенно безумный, и он занимался без присмотра. Около других посетителей стояли тренеры, молодые мальчики, руководившие процессом, а этот клиент пыхтел в гордом одиночестве. Я испугалась: еще секунда — и «спортсмена» хватит инфаркт.

Оставив тряпку и ведро, я подошла к стоящей в центре зала стойке.

— Чего тебе? — лениво спросила девушка с бейджиком «Анджела».

— Видишь вон там пузатого дядечку?

— Ну!

— Кажется, ему сейчас станет плохо.

— Дурак, — спокойно выронила Анджела, — жадный кретин. Надо инструктора нанимать, чтобы за нагрузкой следил, а этот решил сам по себе ломаться. Навесил килограммов, думает, чем больше, тем лучше, цирк смотреть.

— Ты бы пошла, остановила его.

— Права не имею, — заявила Анджела, — деньги заплатил, может теперь делать что захочет.

— Но он так до инсульта дойти может!

— Ну и что? — абсолютно не нервничая, поинтересовалась Анджела. — Клуб ответственности не несет, тренера брать надо, впрочем, и тот порой не спасает.

Я удивилась:

— У вас случаются неприятности с посетителями?

Анджела хихикнула:

— Только с идиотами, правда, редко. В прошлом году один ну очень умный парень ночью решил со второго этажа, с балкона, в бассейн прыгнуть. Да угодил на мелководье. Слава богу, жив остался, только расшибся сильно. Так ему, впрочем, и надо.

— Значит, не пойдешь к клиенту?

Анджела покачала головой:

— Не-а, только если сам позовет. Да ты не пугайся, здесь еще и не таких увидеть можно среди старперов, молодые-то поспокойней, а те, кому за сорок, совсем кретины, приходят сюда и думают, что молодость обретут, ни фига подобного, сколько ни ломайся, в двадцать лет не переедешь, так, мышцы слегка подтянут, пресс подкачают, только большинству из посетителей этого делать не надо, по здоровью максимум можно только плавать в бассейне.

— И у вас нет врача, который бы объяснял людям, что к чему?

Анджела засмеялась:

— Есть доктор, дурак дураком! Ему велено, наоборот, говорить: занимайтесь чаще. Это же бизнес, деньги. Никто клиентов отговаривать не станет. Единственный, кто будет за вами пристально следить и дозировать нагрузку, это личный тренер. Он заинтересован, чтобы клиенты чувствовали себя хорошо, потому как получает чаевые.

— И много дают?

Анджела чихнула.

— Вот дрянь какая! Летает по всему залу. А это по-разному, иной сто рублей сунет и считает, что облагодетельствовал, другой сто баксов не пожалеет. Тут очень многое от инструктора зависит. Вон Родька Журавкин больше всех зашибает, его народ обожает.

Высокий белокурый, удивительно красивый парень, стоявший в двух шагах от стойки возле полочек, на которых лежат гантели, недовольно повернулся к нам:

— Что Журавкин?

Анджела кокетливо стрельнула глазами.

— Ничего, Родечка, рассказываю, какой ты тренер шикарный.

— Меньше языком болтай, — процедил юноша и перевел на меня взгляд глубоких, черно-карих глаз, — а ты лучше подоконники мой, сцепились и болтаете, людям работать мешаете.

Я молча посмотрела на Анджелу. Толстый мужик, пошатываясь, побрел к выходу.

— Уконтропупился, — свистящим шепотом отметила Анджела.

Родион сердито глянул на девушку и крикнул:

— Иван Семенович, вам плохо? Может, доктора вызвать?

— Пошел на ... — рявкнул, отдуваясь, мужчина. — Нигде покоя нету — ни дома, ни на работе, ни тут. Специально тренера не беру, чтобы с разговорами не лез.

Шумно дыша, он вышел в коридор. Родион, нахмурившись, поправлял гантели, но уже через секунду лицо парня расплылось, на нем заиграла приветливая улыбка, и Журавкин бросился навстречу мужчине лет тридцати пяти.

— Олег Сергеевич! Вы, как всегда, вовремя, пойдемте.

— Добрый день, Родя, — прогудел посетитель, направляясь в глубь зала. — С чего начнем? С пресса?

Когда парочка приступила к занятиям, Анджела фыркнула:

— Видала, как он Родьку послал? А ты предлагала ему замечание сделать. Нет уж, дураков нет, охота помереть, так кто бы спорил, но не я. И чаевые этот хмырь никогда не оставляет, гад!

На следующий день, проспав до двух часов дня, я обнаружила, что жизнь в Алябьеве течет по кругу. Юрий опять где-то раздобыл водки и «поправил» здоровье. Магдалена тихо лежала в гамаке, на этот раз у нее в руках была «Энциклопедия заказных убийств». Лиза и Кирюша унеслись к приятелям. Муля и Ада спали возле Магды, Рейчел, замотанная в послеоперационную попонку, дремала на веранде, под столом. Рамик отдыхал под кустом сирени. От Катюши вновь осталась записка: «Сварила суп. В холодильнике есть мясо, сделай котлеты». Я пошаталась в ночной рубашке по даче. Готовить обед совершенно не хотелось, вытаскивать мясорубку было лень. Может, просто отварить кусок и сделать макароны по-флотски? Но тогда все равно придется выуживать из шкафчика допотопный железный агрегат и вертеть отварное мясо. Честно говоря, мне очень не хотелось потом мыть мясорубку. Именно из-за моей лени в нашем доме не прижились такие полезные вещи, как комбайн и соковыжималка. Стоило лишь представить, что после того, как натерла одну морковку для супа, придется мыть кучу насадок, нож, контейнер, палочку, которой пропихивают продукты, верхнюю часть агрегата, потом все вытирать, собирать прибор, запихивать в коробку, как руки сами собой тянутся к «дедовской» терке.

Так и не решив, что делать с мясом, я уселась около телефона и позвонила Козаниной.

— Этот номер телефона более не обслуживается, — заявил металлический голос.

Что ж, скорей всего Марина Сергеевна либо потеряла мобильный апарат, либо сменила номер.

Решив не расстраиваться, я вновь позвонила.

— Офис «Межпромбум», — прощебетал звонкий девичий голос, — секретарь Алена, слушаю внимательно.

— Соедините меня с Нестеренко.

В трубке на секунду повисла тишина, потом Алена осторожно переспросила:

— С кем?

— С вашим директором, Нестеренко Григорием Ефимовичем.

— Простите, кто его спрашивает?

— Романова Евлампия Андреевна.

— Уважаемая Евлампия Андреевна, Григорий Ефимович давно скончался, — выдавила из себя секретарша.

— Извините, не знала, — забормотала я, — мы редко общались, а что с ним случилось?

— Инфаркт, — сухо пояснила Алена. — Если хотите, могу вас соединить с господином Нестеренко, нашим директором.

— Вы же сказали, что он умер! — возмутилась я.

— Григорий Ефимович да, а Семен Ефимович, его младший брат, теперь у нас хозяин, — пояснила девушка.

— Да нет, спасибо, — быстро ответила я и отсоединилась.

У Потапова Владлена Андреевича долго не снимали трубку, я уже хотела отсоединиться, как послышался тоненький детский голосок:

— Вам кого?

— Владлена Андреевича.

— Дедушка умер, давно.

— Позови кого-нибудь из старших, — попросила я.

— Так на работе все, — бесхитростно пояснил ребенок.

— Что же приключилось с твоим дедушкой?

— Не знаю, умер.

— А от чего?

— От старости, — сообщила девочка, — ему много лет было, целых шестьдесят.

Я положила трубку на стол. Шесть десятков не возраст в наше время, чтобы отправляться на тот свет, хотя случается всякое. Однако странная картина вырисовывается! Нестеренко умер, Потапов тоже, а у Козаниной новый номер.

Побегав по даче, я оделась и порулила в Путянский переулок, авось удастся побеседовать с Мариной Сергеевной, может, расскажет что-то интересное?

Женщина, открывшая мне дверь, выглядела лет на тридцать, не больше.

— Вы ко мне? — удивилась она.

Я моментально заулыбалась.

— Разрешите представиться, старший менеджер клуба «Страна здоровья» Евлампия Романова.

— И что? — протянула хозяйка.

— У нас новая акция. Те, кто когда-либо посещали клуб, могут сейчас оформить членство за треть цены, вы, Марина Сергеевна...

Хозяйка покачала головой:

— Вы ошиблись, я Женя, Евгения Львовна.

— А где Марина Сергеевна?

— Тут такой нет.

— Не может быть, — решительно сказала я, — должна быть Козанина Марина Сергеевна.

— Миша, — закричала девушка, — поди сюда!

Из комнаты высунулся взлохмаченный парень в бифокальных очках.

— Что случилось, Женечка? — ласково осведомился он.

— Да вот, пришла женщина, какую-то Марину Сергеевну спрашивает, знаешь ее?

Юноша поправил указательным пальцем оправу.

— Конечно.

— Это кто? — изумилась Женя.

— Мы же квартиру у ее дочери, у Галины, купили, — пояснил Миша, — забыла?

— А-а-а, — протянула Женя, — действительно, совсем из головы вон. Точно. Так прежнюю хозяйку звали.

— Куда она выехала?

— На кладбище, — спокойно заявила Евгения, — умерла ваша Марина Сергеевна, дочка ее поэтому нам квартиру и продала, говорила, не может жить тут, все маму вспоминает.

Я вышла на улицу, купила в ларьке булочку, села в машину и задумалась. Однако очень странная ситуация вырисовывается: все трое клиентов, занимавшихся у Журавкина, мертвы, умер и Валерий Андреевич Грачев, а его опекал в спортивном зале тоже милейший Родион. Но одно ясно: ни Григорий Ефимович, ни Владлен Андреевич, ни Марина Сергеевна не могли стать организаторами убийства Игоря Грачева по одной простой причине: они скончались задолго до его смерти.

В полнейшем недоумении я поехала домой. Зачем Игорь хранил договоры? Он ведь небось даже не разговаривал с покойными, хотя, может, знал их раньше, до кончины?

Почувствовав по непонятной причине тяжелую усталость, я еще раз просмотрела розовые бумажки, осталась только одна зацепка: номер машины и телефон со словами «спросить Руслана». Проще всего было набрать номер и попытаться соединиться с Русланом, может, он прольет свет на ситуацию. Существовала лишь одна загвоздка: телефон был шестизначный, а в столице номера семизначные. Руслан проживал в провинции, кода города указано не было, так что про телефон следовало попросту забыть. Но еще имелся номер машины, правда, старый, такие в Москве давно поменяли.

Недолго думая, я вырулила на проспект и, медленно двигаясь в потоке, принялась вертеть головой в разные стороны. Вот так всегда! Стоит захотеть встретиться с гаишником, как все сотрудники, призванные блюсти на дороге порядок, словно проваливаются сквозь асфальт. Наконец впереди мелькнула фигура в форме.

Я аккуратно припарковалась и подошла к сержанту.

— Меня стукнули.

— Где? — нехотя поинтересовался он. — Ничего не вижу.

— Вот смотрите, на крыле крохотная вмятинка, я оставила «Жигули» возле магазина, вышла, смотрю — непорядок, небось кто-то отъезжал и ударил! — быстро выпалила я, тыча в небольшую ямочку на правом крыле, которую заполучила вчера вечером, въезжая в ворота.

— Бывает, — равнодушно сказал постовой, — а от меня чего хотите?

— Машина застрахована, нужна справка об аварии.

— Я тут ни при чем.

— Как же! Вы ГАИ, простите, ГИБДД. — Я очень удачно изображала из себя полную идиотку. — Обязаны зафиксировать произошедшее.

— Вам следовало остаться на месте происшествия и вызвать туда наших сотрудников, — очень вежливо пояснил постовой, — я никаких бумаг выдать не могу.

— Но я знаю номер машины, которая покорежила мои «Жигули»!

— И что?

— Надо найти хозяина.

— Свидетели происшествия есть?

— Да.

— Записали фамилии, адреса?

— Это я. Сама видела через окно магазина, как отъехал нарушитель, и номер записала.

— Не пойдет, — покачал головой сержант, — вы не считаетесь.

— Почему? — ломалась я.

— Так не положено, — не теряя терпения, бубнил постовой, — езжайте домой, придется чинить вам крыло самой.

— Миленький, — загундосила я, хватая милиционера за серую форменную рубашку, — меня дома убьют, свекровь просто со свету сживет, муж ругаться начнет, дорогой, любимый, помоги, умоляю!

— Да чем я могу посодействовать? — удивился мент.

— Слышала, у вас компьютеры есть?

— Ну, имеется техника, — гордо ответил парень, — в машине стоит.

— А нельзя ли по номеру хозяина машины узнать?

— Очень даже легко.

— Сделайте, пожалуйста!

— Зачем?

— Поеду к нему и потребую денег на ремонт!

Сержант принялся кусать нижнюю губу.

— Миленький, — пела я, — ну что вам стоит? Неужели трудно дойти до машины и пробить номерок через компьютер? А? Сделайте божескую милость, меня со свету сживут, свекровь никогда не поверит, что виноват другой водитель, решит, что я сама стукнулась, а на неведомого человека сваливаю. Хотите заплачу вам? Могу дать сто рублей.

Парень усмехнулся:

— Сто рублей, говоришь? Давай номер, взялась на мою голову, несчастье!

— 51-08 МОИ.

Постовой тяжело вздохнул.

— Погоди тут.

Неторопливым шагом он дошел до бело-голубого «Форда» и нырнул в салон. Потянулись томительные минуты ожидания.

ГЛАВА 23

От нетерпения я сгрызла карандаш для бровей, который попался под руку в сумочке. Наконец милиционер вернулся:

— Говоришь, 51-08 МОИ?

— Да.

— Интересный номерок. Своими глазами видела машину?

— Да.

— И какую?

— Что какую?

— Ну «Жигули», «Волга», «Москвич»?

Я растерялась.

— Вроде «Волга».

— Правильно, — бормотнул постовой, — она самая.

У меня вновь появился воздух в легких, надо же, угадала, вот уж неожиданность, обычно в таких ситуациях я попадаю пальцем в небо.

— Машина давным-давно в розыске, — начал объяснять сержант, — ДТП на ней, со смертельным исходом, давно дело было, зарегистрирована по адресу: Мишин переулок, на Карпову Елену Тимофеевну.

— Почему же тогда виновницу аварии не арестовали, раз про нее все известно? — удивилась я.

Постовой чихнул.

— Не знаю, у нас только краткая информация.

— А подробности у кого?

Неожиданно сержант посуровел.

— Гражданочка, чегой-то не пойму... Вмятина, номер... Ну-ка, сами предъявите документики!

Я вытащила рабочее удостоверение.

— Начальник оперативно... — прочитал вслух постовой и уставился на меня круглыми светло-голубыми глазами.

Его бледное лицо со слегка курносым носом и россыпью мелких веснушек на носу порозовело.

— Это вы? — удивился постовой. — Наврали, значит, про свекровь?

— Наврала, — кивнула я.

— А зачем?

Внезапно я почувствовала, что смертельно устала. Над городом висела плотная жара, с неба немилосердно палило не желтое, а ярко-белое солнце, над проспектом, не колыхаясь, висел смог из смеси бензиновых паров и пыли, дышать было решительно нечем.

— Как ты тут стоишь? — вырвалось у меня.

— Куда деваться? — неожиданно по-детски ответил постовой и снова чихнул.

— Так и здоровье испортить можно, целый день гадостью дышать.

Сержант поморщился.

— Отслужил в армии, и куда податься? Семью кормить надо, вот и пошел.

— У меня брат милиционер, — сказала я, — в уголовном розыске работает, Володя Костин, майор. Ты машину хорошо водишь?

— В двенадцать лет дядька за баранку посадил.

— Хочешь, поговорю с братом, им вечно шоферы на оперативные машины нужны. Конечно, работа нервная, но все же лучше, чем на дороге стоять, и в институт сумеешь поступить, в автодорожный, на вечернее. Хотя ты на перекрестке небось хорошо зарабатываешь.

— Я бы пошел водителем, — по-детски радостно воскликнул постовой, — вранье это, насчет денег на дороге. Их совсем не так уж и много. А вы правда можете с братом поговорить?

— Он сейчас в отпуске, а когда приедет, сразу попрошу.

— И что мне вам за это сделать?

— Узнай подробности про «Волгу», что за ДТП, кто виноват, ну, сам понимаешь, тебя как зовут?

— Влад.

— Вот, держи, это номера моих телефонов: первый на дачу, второй мобильный.

— Ладно, — деловито кивнул паренек, — идет, я вам по своим каналам мигом все узнаю, а вы меня шоферить пристроите.

— Только не тяни, — попросила я, — меня время поджимает.

Я села в «Жигули», доехала до магазина, набрала продуктов в проволочную тележку и встала в очередь. Отчего-то в большом супермаркете работала только одна касса. Чтобы посетители не скучали, прямо над кассовым аппаратом, на подставке стоял телевизор, народ хихикал, глядя в экран, шла дурацкая передача с претензией на юмор. Отчего-то мне стало грустно, наверное, я просто дура. Ну почему, когда большинство населения катается по полу от смеха, мне не хочется даже улыбаться? А вдруг дело не во мне? Может, просто профессиональные шутники измельчали? И потом, меня не веселит, как бы это выразиться помягче, генитальный юмор. Кстати, я могла бы рассказать писателям, пишущим скетчи для эстрадных исполнителей, много забавных сюжетов, правда, основную массу их я узнала от отца.

Мой папа, хоть и имел на плечах погоны генерала, на самом деле был ученым, доктором наук, академиком. Занимался отец ракетостроением, вся его трудовая и научная деятельность была строго засекречена. Вопреки расхожему мнению о том, что ученые люди — угрюмые, забывающие есть, пить, умываться из-за того, что поглощены научными изысканиями, мой отец был веселым человеком, любящим розыгрыши и шутки, впрочем, его коллеги тоже обладали чувством юмора. Как-то раз, первого апреля, они решили подшутить над сотрудниками Центра управления полетами. В те годы космонавтика только начинала развиваться, и имена летчиков были известны всей стране.

Подготовку к «спектаклю» сделали на земле. Честно говоря, отец сомневался, согласится ли космонавт N на то, чтобы поучаствовать в розыгрыше, но летчик сначала долго хохотал, когда услышал «сценарий», а потом, потирая руки, сказал:

— Вы только, ребята, не забудьте само действо на видеопленку записать, очень хочется на морды дежурных посмотреть.

И вот настало первое апреля. В определенный час Центр управления полетов вызвал корабль, ну, предположим, так:

— Алло, «Союз», вы нас слышите, ответьте Земле.

— Привет, ребята, — донесся из наушников бодрый *женский* голос, — у нас тут все отлично.

При этом следует отметить, что во время некоторых сеансов связи космонавта не видно на экране, его только слышно.

Центр отключился, дежурная смена привела в порядок нервы и повторила вызов.

— Да слышу я вас, — прозвенел *женский* голосок, — куда сами пропали, говорю же, дела идут прекрасно.

— Кто на связи? — абсолютно обалдели сотрудники ЦУПа.

— Вы меня не узнали? — обиженно воскликнула дама. — Наташа, жена N, вот, привезла своему домашненького покушать, борщик, котлетки, пирожки, вы не против? Не волнуйтесь, все свеженькое, только утром сделала.

— А где N? — только и сумел выдавить из себя начальник смены, его подчиненные в полуобморочном состоянии стекли по креслам.

— Так покушал и спать лег, — пояснила Наташа, — мне велел ничего не трогать, в особенности тут одну кнопку, такую здоровенную...

После этой фразы у начальника смены началась истерика, а его подчиненные в массовом порядке побежали в медпункт, где выпили все имеющиеся запасы валерьянки, валокордина и пустырника.

Естественно, папе с приятелями пришлось «расколоться», впрочем, вы, наверное, сами догадались, в чем тут дело. Перед полетом голос Наташи был записан на пленку, в нужный момент N просто включил магнитофон.

— Девушка, — устало сказала кассир, — выкладывайте продукты.

Я вздрогнула и принялась вываливать на движущуюся резиновую ленту пакеты с молоком и кефиром, яйца, сосиски, йогурты.

У нашей дачи я наткнулась на Замощину.

— Ребенок нашелся! — возвестила Нина Ивановна.

— Какой? — удивилась я, вытаскивая из багажника пакеты.

— Так младенец, которого у Ванды украли, — затараторила соседка. — Ой, а что это такое, в розовом пакете?

— Кисель.

— Вы покупаете готовый кисель? Но его же ничего не стоит сварить самой!

— И кто же унес мальчика? — перебила я Замощину.

— Представляешь, никто! — воскликнула Нина Ивановна. — Ну и Ванда! Она его у Лесковых забыла.

— Как это? — попятилась я. — Разве это возможно?

— Вот-вот, — уперла руки в боки Нина Иванов-

на, — а чего ты хочешь, коли Ванде самой едва сем-
надцать стукнуло? Какая из нее мать? Она, оказывается, с утра поехала к Машке Лесковой в гости. Сына в
дом занесла и на кровати у Маши положила! А потом
девки чумные забыли, что младенец-то в доме спит, и
покатили пустую коляску к магазину, вот какие безголовые.

— Что же Лесковы молчали? — возмутилась я,
вспоминая лежащую в эмалированном лотке пласт-
массовую ручонку, — весь поселок на ушах стоит,
ребеночка ищет, а они...

— Так Машкины родители в Испании отдыхают, — пустилась в объяснения Нина Ивановна, — в
доме только Серафима Сергеевна, бабушка, а она глухая, словно комод, и еле ходит от старости, ей на второй этаж, где ребенок орал, не подняться, и крика
она не слышала. Шаркала себе по веранде. А Машка,
шалава известная, домой лишь через день заявилась,
к друзьям на танцульки умотала, несчастный маль-
чонка посинел от крика!

Я молча понесла пакеты в дом. Сзади шла ворча-
щая Нина Ивановна:

— Как только детям рожать разрешают? Ну разве
Ванда мать?

Остаток вечера прошел в хозяйственных хлопо-
тах, хорошо, Юрий не буянил, просто храпел в спальне. Вот еще одна загадка: где мужик берет водку? Он
же ни разу не вышел за порог дачи, и тем не менее
каждый день я нахожу у изголовья его кровати пустую тару с этикеткой «Гжелка».

Влад позвонил около полуночи.

— Не разбудил?

— Нет, — обрадованно закричала я, — узнал?

— Ну, в общем...

— Давай, говори.

— «Волга» номерной знак 51-08 МОИ сбила на
Хухревском проезде Грачеву Ангелию Константиновну.

— Кого? — подскочила я.

— Грачеву Ангелию Константиновну, — спокойно повторил Влад, — проживавшую на Хухревском проезде, дом пятнадцать. Вечером, около восьми, наверное, с работы шла. Машина летела на большой скорости, Ангелию Константиновну убило на месте. Виновник с места происшествия скрылся.

— А как же узнали про «Волгу»?

Влад кашлянул, потом чихнул.

— Ты бы аспирин выпил, — посоветовала я.

— Да нет у меня простуды, — ответил парень, — аллергия напала, поэтому и хочу с дороги убежать, а про «Волгу» просто узнали, свидетель был, Коля Сомов. У него отец военный, принес домой бинокль ночного видения, вот подросток и решил проверить, как он работает. Вытащил оптический прибор, навел на улицу, а тут, бац, наезд. Коля, не будь дурак, номерок записал. Естественно, мигом вышли на Карпову Елену Тимофеевну, только она оказалась в командировке. Уезжая из Москвы, она поставила автомобиль возле дома, откуда его благополучно украли. Против Карповой у сотрудников милиции ничего не было, и скорей всего она говорила правду. Во-первых, Елена Тимофеевна имела на руках использованный билет Киев—Москва, дата которого свидетельствовала: в момент происшествия она спокойно разгуливала по Крещатику, а во-вторых, глазастый мальчик Коля углядел, что за рулем находился светловолосый мужчина, а не коротко стриженная брюнетка, которой является госпожа Карпова.

Следствие зашло в тупик, через положенный срок дело причислили к «глухарям», «Волга» до сих пор считается в розыске.

— Да небось ее давным-давно разобрали на мелкие части, — высказал предположение Влад, — делото нехитрое.

Всю следующую смену я носилась по фитнесклубу, раздумывая над полученной информацией. Договоры с тремя клиентами и номер машины, которая убила первую жену Грачева, мать Игоря, какая между ними связь? Она точно есть, только я все никак не способна докопаться до сути дела.

За несколько рабочих дней я успела изучить здание и знала, где можно спрятаться, чтобы спокойно отдохнуть в неположенное время. Около зала силовых видов спорта имелось странное помещение. Для чего оно служит, осталось для меня тайной. Войдя внутрь, вы попадали в небольшую овальную комнатку, где стояли два кресла и крохотный диванчик. Может быть, предполагалось, что клиенты станут тут уединяться для того, чтобы поговорить друг с другом или с инструктором без лишних глаз? В самом углу комнаты был стенной шкаф, вернее, это я, попав сюда впервые, подумала, что вижу встроенный гардероб, и из любопытства потянула на себя створку. Дверца легко повернулась на смазанных петлях, и глазам открылось еще одно помещение, намного меньше первого, без окон, зато тоже с диванчиком. Если комната с креслами была предназначена для приватных бесед, то в «шкафу», очевидно, должны были прятаться подслушивающие чужие тайны люди.

Впрочем, скорей всего эти комнатенки получились в результате просчета архитектора, случается иногда такое, а владелец клуба решил использовать «отсеки» в своих интересах.

Я прошмыгнула в дальнюю часть и легла на гобеленовые подушки. Ведро и швабру оставила стоять у санузла на первом этаже, пусть думают, что уборщица пошла за туалетной бумагой. Полчаса меня никто не хватится, тут просто идеальное место для тех, кто решил сачкануть. Интересно, я одна обнаружила убежище или еще кто-то им пользуется? Не успела последняя мысль возникнуть в голове, как до ушей долетел сначала тихий скрип, потом приятный баритон сказал:

— Входите, здесь никого нет.

— Нас тут не подслушают? — нервно спросило женское сопрано.

— Исключено, — безапелляционно заявил мужчина, — тренеры все в зале, впрочем, они сюда имеют право заходить лишь с клиентом, видите, здесь пусто? Помещение крохотное.

— А в шкафу? — настаивала тетка.

Понимая, что сейчас произойдет, я мигом скатилась на пол и залезла под диван, только бы мужик не посмотрел под него. Если он заметит уборщицу, мигом поднимет скандал, и меня выгонят с позором, а тайна смерти Игоря закопана в клубе, я теперь в этом не сомневаюсь.

Дверь распахнулась.

— Никого, — прошептала баба.

— Неужели, по-вашему, я не знаю, где у нас можно спокойно поболтать? — усмехнулся баритон. — Деньги принесли?

— А результат?

— Пирог готов, считайте, испекся.

— Но я его только что видела, — с возмущением заявила женщина, — он очень даже хорошо выглядел, красный только, но у него морда из-за давления всегда такая.

— Мне неприятности на работе не нужны, давайте бабки.

— Нет, Родион, мы так не договаривались!

Я чуть не вскрикнула. Значит, один из разговаривающих — Журавкин, тренер.

— Через час все будет в порядке, а может, и раньше.

— Нет, оплата только по факту.

— Ладно, — процедил Родион, — тогда ждите, думаю, скоро узнаете, телефончик не выключайте. Кстати, денежки-то принесли?

— Я похожа на сумасшедшую, которая таскает такие суммы при себе? — отбрила его женщина. — У меня карточка есть. «VISA».

— Обналичьте.

— Только по факту.

— Понял уже.

— Пойду пока, поплаваю.

— Конечно.

Послышался шорох.

— Алика Тахировна, — окликнул Родион.

— Чего тебе? — глухо спросила женщина.

— У меня проколов не случается.

— Вот и отлично, дружок, как только, так сразу, — не сдалась клиентка.

Послышался тихий стук, дама отправилась в бассейн. Я лежала тихо-тихо, надеясь, что Родион сейчас тоже покинет помещение. Под диваном было душно и пыльно, пошевелиться из-за низкой его посадки оказалось невозможно. Но Родион не торопился. Раздалось попискивание, парень решил воспользоваться мобильным телефоном. Проклиная того, кто изобрел сотовую связь, я уткнулась носом в клоки пыли, только бы не чихнуть.

— Русик, — сказал тренер, — все по плану. Ушел на своих ногах.

Очевидно, собеседник Родиона начал о чем-то беспокоиться, потому что инструктор сначала замолчал, а потом ответил:

— Пусть попробует! Не волнуйся, жди вечером, подъеду после десяти. Давай, до скорого.

Снова послышался тихий стук. Я полежала еще несколько минут тихо, потом выползла наружу, пару раз с наслаждением чихнула, вышла в коридор и побежала на первый этаж, где меня поджидали ведро и швабра.

Около сиротливо стоящих орудий труда в полном негодовании высилась фигура дежурного администратора.

— Куда спряталась? — наскочил он на меня.

— Да вот попросили там протереть...

— Где?!

— Там, — неопределенно махнула я рукой, — ну, в общем, на другом этаже...

— Судя по твоему виду, — отрезал дежурный, — ты вытирала грязь животом, это, конечно, похвальная усердность, но я напоминаю тебе о существовании тряпок и ведер.

Я оглядела свою серую от пыли одежду и принялась отряхиваться. Администратор отскочил в сторону:

— Эй, поосторожней.

— Девушка, — послышался голос.

Я подняла голову, надо мной высился толстый парень.

— Принесите мне сигарет, — попросил он, — «Голуаз», синие, тут в кафе таких не держат.

— Боюсь, мне не разрешат во время работы отлучиться, — пробормотала я.

— Глупости, — взвизгнул администратор, — не беспокойтесь, Андрон Сергеевич, сейчас она сбегает, ну-ка, живо, одна нога здесь, другая там... Пыль она животом собирает! Дуй за сигаретами.

Взяв у парня ассигнацию, я пошла к метро. Завернула за угол здания спортклуба и увидела машину «Скорой помощи», ГИБДД, роскошный, вызывающе красный «Мерседес» и скособоченный «жигуленок» со смятым капотом. Очевидно, здесь только что произошло столкновение.

Вокруг автомобилей суетились три милиционера, на тротуаре стояли зеваки, я тоже притормозила и уставилась на происходящее.

— Да он небось пьяный! — заорал мужичонка в грязных джинсах. — Я ехал по своей полосе, крался ваще, сорока не было на спидометре. Вдруг бац! С противоположной стороны! Обожравшись он или обкуришись! Точняк говорю! Пусть теперь платит! Вон сидит, не вылазит, боится небось или не может на ногах устоять. Ну-ка, дайте я ему пятак начищу!

— Ты замолчи, — велел один из патрульных, — ща разберемся, отойди в сторону тихо.

— Еще и тихо! — взвыл шофер. — Может, мне ему задницу джемом намазать! Совсем офигели, да? Раз в «мерсе» сидит, так ему все можно? Нет, я этого так не оставлю, тоже друзей имею.

— Успокойтесь, — буркнул милиционер, — марка автомобиля нам по фигу.

— Ага, — завелся было потерпевший, но тут сотрудники ГИБДД открыли дверь «Мерседеса», и из салона буквально выпал молодой мужчина.

Его лицо, красное, с открытыми глазами и разинутым ртом, показалось мне отчего-то знакомым.

— Тю, — воскликнул мужик в джинсах, — что я вам говорил, в жопу плохой! Ваше без рефлексов!

— Доктор, — позвал один из ментов.

Полная женщина в белом халате присела около тела.

— Экзитус леталис, — пробормотала она.

— Вроде целый совсем, — растерянно отозвался один из гаишников, — да и удар-то ерундовый, ну железку чуток помяло, с чего ему помирать?

— Может, сердце прихватило, инфаркт за рулем дело частое, сами знаете, — спокойно ответила врач, — это не наш клиент.

— Так он че, труп? — растерянно засипел шофер «Жигулей». — Кто же мне теперь за капот заплатит?

— Дед Пихто, — довольно зло ответил из толпы рыжеволосый юноша в мятой футболке, — человек умер, а ты о железке дрожишь.

— Ага, — чуть ли не с кулаками налетел на него потерпевший, — меня машина кормит!

— Идите в микроавтобус, — сухо приказал один из ментов.

Другой, листавший паспорт, воскликнул:

— Молодой совсем. Войтыко Олег Сергеевич. Шестьдесят восьмого года рождения, прописка московская, женат на Омаровой Алике Тахировне, детей нет.

У меня перед глазами неожиданно заплясали разноцветные зайчики. Олег Сергеевич! Тот самый излишне полный парень, к которому на моих глазах чуть ли не с распростертыми объятиями бежал в тренажерном зале Родион. «Ах, Олег Сергеевич, вы, как всегда, без опозданий!» Значит, внезапно умерший водитель — клиент Журавкина. В памяти услужливо всплыл кусок только что подслушанного диалога.

«— Пирог испеку. Где деньги?

— Только по факту.

— У меня проколов не случается».

ГЛАВА 24

Тротуар начал уходить у меня из-под ног. Нестеренко, Потапов, Козанина... Валерий Грачев, теперь этот несчастный Войтыко... Неужели Родион каким-то образом убивает своих клиентов? Зачем? Что он с этого имеет? Деньги?! Так вот почему Игорь спрятал копии договоров, он сумел докопаться до правды и, наверное, то ли припугнул, то ли начал шантажировать Родиона. Значит, я знаю, кто убрал Грачева.

— Вам плохо? — заботливо поинтересовалась женщина лет пятидесяти. — Водички хотите?

— Спасибо, — отмахнулась я, — не надо.

Милиционер тем временем вытащил из портмоне визитные карточки и присвистнул:

— Смотрите, ребята.

Коллеги глянули на визитку.

— Да уж, — цокнул языком один.

Другой поманил пальцем потерпевшего:

— Держи.

— Это че? — напрягся шофер.

— Визитка, читай, видишь, кем он был?

— Вот это да!

— Ты бумажонку-то спрячь, — деловито проинструктировал мент, — ща этого Олега Сергеевича похоронят, ты у вдовы деньги на ремонт и стребуешь, небось не станет жадничать, ей твой капот починить, как мне плюнуть, даже не заметит, что копейки из кошелька высыпались.

Мне стало интересно: кем же работал толстяк?

— Попрошу всех разойтись, — начал разгонять толпу патрульный, — останьтесь только вы, как свидетели.

Люди начали медленно расходиться.

Я побежала назад в клуб.

— Купила? — спросил администратор, столбом маячивший у рецепшен.

— Что? — удивилась я.

Он схватился за голову.

— Ну почему сюда попадают на работу только клинические идиотки? Сигареты! Тебя за ними к метро послали.

— А их там нет, — бодро соврала я, — такие, какие клиент хочет, не поставляют, вот его деньги.

— Иди, протри стеклянные двери на третьем этаже, — прошипел администратор и потерял ко мне интерес.

Я подхватила ведро и покорно пошла наверх. Может, я ошибаюсь? Вдруг Родион тут ни при чем? Простое совпадение... Я опустила тряпку в ведро и принялась тереть противно поскрипывающее стекло. Нет, конечно, тренер — убийца, одного не пойму: каким образом он все это проделывает?

И тут меня осенило, тряпка выпала из рук. Этот Родион собрался встретиться в десять вечера со своим соучастником, тренер работает с кем-то в паре. Боже, как просто, я прослежу за юношей и выясню личность его помощника, а там посмотрим.

— Ну и безобразие, — завопила довольно толстая тетка в красной футболке с надписью «Страна здоровья» на груди. — Это кто же так стекла моет, а?

Я тяжело вздохнула и стала собирать тряпкой воду с пола. Оказывается, быть уборщицей непросто, мало того что приходится выполнять нудную, неинтересную работу, так еще всякий норовит наорать и тобой командовать. По-моему, слишком много неприятностей за маленькую зарплату. Часа два я ломала голову над тем, как же не упустить Родиона. У тренера, естественно, есть машина, он сядет за руль, вдавит педаль газа в пол и будет таков. Угадайте, где останусь я? Правильно, буду тащиться в правом ряду, шарахаясь от окружающих автомобилей. Мне срочно нужен шофер, причем хороший, а где его взять?

От злости я добела вымыла лестницу, отскоблила две раковины, принесла кипу выстиранных халатов из прачечной и на секунду присела в холле.

— Владик, — закричала одна из клиенток, — извини, я опоздала.

— Ничего, дорогая, — улыбнулся довольно пожилой мужчина, — я уже привык, что ты всегда являешься спустя час после назначенного времени.

Девица насупилась, но я перестала вслушиваться в чужую перебранку. Влад, вот кто мне нужен, только бы гаишник сидел дома. В виде исключения судьба решила осчастливить меня.

— Слушаю, — раздался в трубке мужской голос.

— Влад?

— Он самый, кто говорит?

— Лампа Романова, мой брат уже вернулся, могу поговорить с ним.

— Вот здорово, — обрадовался юноша, — сегодня в городе, ваще, кранты, два часа кашлял, чуть легкие не выплюнул.

— Уже пришел домой?

Влад хмыкнул.

— Оригинальный вопрос, ты же мне на квартиру звонишь. А в чем дело?

Действительно, глупо вышло.

— Надо что-то? — продолжил Влад. — Ну, мои биографические данные...

— Это само собой, — протянула я, — анкету заполнишь, есть лишь одна небольшая сложность.

— Какая? — погрустнел Влад.

— Мне придется рекомендовать тебя брату...

— Но мы же договорились, — быстро перебил меня парень, — я, между прочим, обещанное выполнил, а ты, похоже, в кусты норовишь уйти!

— Вовсе нет, — успокоила его я, — пойми меня правильно, ведь я не знаю, как ты машину водишь? Вдруг через пень-колоду? Меня Володя потом со свету сживет.

— Я за рулем с двенадцати лет, — принялся отбиваться Влад.

— Можешь продемонстрировать навыки?

— Каким образом?

— Подъезжай сейчас ко мне, прокатимся в твоей машине, и, если ты нормально управляешься с автомобилем, я завтра же уговорю Костина пристроить тебя.

— Куда рулить-то? — со вздохом спросил Влад. — Где ты находишься?

Я с готовностью сообщила ему адрес и строго приказала:

— Стой у главного входа в клуб «Страна здоровья» без пятнадцати девять, заодно проверю, точный ли ты человек.

Теперь осталось решить еще одну проблему, а

именно, как убежать с работы в неурочный час. Промаявшись до половины девятого, я взяла маникюрные ножницы и, стиснув зубы, аккуратно надрезала указательный палец левой руки. Потекла тоненькая струйка крови. Я выбежала из туалета и подскочила к дежурной.

— Вот!

— Что это? — отшатнулась девушка.

— Стекло на полу валялось.

— Иди к врачу, — велела администратор, — йодом зальет.

— Мне надо срочно домой!

— С какой стати?

— У меня гемофилия!

Дежурная нахмурилась:

— Что?

— Гемофилия, — быстро затараторила я, — как у цесаревича Алексея, сына Николая Второго, светлая ему память и земля пухом!

Надеюсь, дурочка не знает, что женщины не болеют этой болезнью, а только передают по наследству дефектный ген.

Девчонка на всякий случай отпрыгнула от меня подальше.

— Абсолютно не заразная болячка, просто кровь не свертывается, — поспешила успокоить дурочку я.

— Ну и?

— Сейчас вся вытечет, и умру.

— Через такой порезик? — недоверчиво осведомилась администратор.

— Ага, — кивнула я, — надо срочно принять лекарство, а оно дома.

Пару минут дежурная колебалась, потом приняла решение.

— Ладно, ступай, но имей в виду, сегодняшний день тебе оплатят наполовину.

Но я уже неслась к выходу. Ровно без пятнадцати девять к подъезду подкатила раздолбайка, «Жигули» шестой модели, ржавые и непрезентабельные. За рулем сидел Влад. Я юркнула к нему в салон. Под ногами валялись отвертки, мятые салфетки и полупустая бутылка «Фанты».

— Ну и грязь у тебя тут! — возмутилась я.

— Где? — удивился Влад.

— Везде, на полу инструменты, на заднем сиденье тряпки.

— Так мне не мешает, — резонно заметил шофер, — а в дороге все понадобиться может.

— Убери в багажник!

— Там колеса! Ехать куда?

Я открыла было рот, но тут на тротуаре показался Родион. Тренер вразвалочку дошел до серебристой «десятки» и сел за руль.

— Вот, — ткнула я пальцем в автомобиль Журавкина, — значит, так, преследуешь эти «Жигули», прямо до того места, куда они направляются. Если не упустишь, поговорю с братом.

Влад крякнул. «Десятка» понеслась вперед, «шестерка», дребезжа всеми частями, села ей на хвост. Родион чувствовал себя за рулем совершенно свободно. Его автомобиль легко перескакивал из ряда в ряд, ныряя в невероятно маленькие пространства. На Копыльской улице мы угодили в пробку, но Журавкин не захотел толкаться в длинном хвосте до поворота. Он вылетел на трамвайные пути, Влад понесся за «десяткой», мне показалось, что сейчас отвалится все: руки, ноги, уши — так меня затрясло. Но это были лишь цветочки. На Грязновском проезде нас вновь поджидала пробка. Ничтоже сумняшеся Родион вырулил на встречную полосу, включил фары и полетел вперед так, словно за ним гналась смерть. Влад повторил маневр. Я в ужасе закрыла глаза. Машины, несущиеся навстречу, уворачивались в самый последний момент, в какую-то секунду Влад притормозил, мгновенно послышался недовольный гудок.

— Россия — единственная страна, где тебе могут поддать под зад во время езды по встречке, — меланхолично заявил мой шофер, — как полагаешь, мое наблюдение справедливо? Эй, чего молчишь? Язык проглотила?

Я не сумела ответить. Во мне боролись противоречивые чувства. Господи, как хорошо, что за рулем сидит такой ас, как Влад, сама бы я потеряла Родиона мгновенно, прямо в момент старта. Ну зачем я это затеяла, мы сейчас обязательно попадем в аварию. Нервно гудя, навстречу пролетел «КамАЗ». Родион свернул вправо, поехал под знак, строго-настрого запрещавший подобный маневр, не обращая внимания на желтый свет светофора, пролетел через перекресток. Владу пришлось пересекать дорогу уже на красный сигнал.

— Вот устроюсь на работу шофером, — мечтательно сказал парень, — денег накоплю, машину поменяю...

— Замолчи, — прошептала я.

— Это почему? — удивился мой спутник.

— Смотри за дорогой, сосредоточься.

Влад засмеялся.

— А че? Все нормально!

— Сумасшедшая езда!

— Разве? Не заметил.

«Десятка» резко встала. Родион выбрался из-за руля и пошел к подъезду высокой блочной башни. Я уставилась на табличку: «Мишин переулок, дом двадцать один, корпус ноль два». Минуточку, но ведь по этому адресу зарегистрирована «Волга», которая сбила первую жену Валерия Грачева, мать Игоря.

Я толкнула Влада.

— Немедленно беги за парнем, узнай, в какую квартиру он направляется, давай живо.

— Но...

— Быстрее, он уедет!

Влад покорно потрусил в подъезд. Я принялась барабанить пальцами по «торпеде». С противоположного переулка, откуда-то из дворов, подкатил роскошный, серебристый джип, из него вышла эффектная молодая блондинка с небольшой сумочкой. Щелкнув брелком сигнализации, она нырнула в подъезд. Через мгновение в открытое окно «Жигулей» вполз удушливо-тяжелый запах дорогих духов. Меня затошнило, в Москве который день стоит пыльная жара, надо же быть такой идиоткой, чтобы вылить на себя целый пузырек французских духов! Ей-богу, у некоторых людей начисто отсутствует чувство меры.

— И во что ты меня втравила? — спросил Влад, сев на свое место. — Развела, как лоха! Шоферское умение проверить решила! Ну и как?

— Классно водишь, — я решила подольститься к нему, — прямо Шумахер.

— Мне бы его деньги, — печально вздохнул Влад, — и проблем никаких. Что-то в голову нехорошая мысль пришла!

— Какая?

— Врунья ты, никакого брата нет, и шоферского места не видать мне как своих ушей.

— Да ты что! — возмутилась я. — Я на такое неспособна! Только скажи номер квартиры.

— Двадцать восьмая, — сообщил Влад и чихнул, — вот зараза! Кто же такие духи вонючие делает, нос прям набок свернулся.

— От меня не пахнет, — быстро сказала я, — тут женщина проходила.

— Ага, — кивнул Влад, — в ту же квартиру, что и парень, приехала, Полиной звать.

— Ты с ней познакомился? — удивилась я.

— Не-а, — улыбнулся Влад, — зашел вместе с тем парнем в лифт, он на седьмом вышел, я до восьмого доехал, пешком один пролет сбежал и увидел, как дверь квартиры захлопывается. Ну вызвал лифт, а тут кабина подкатывает, из нее эта фря вылетает, с запахом. Я как начал чихать, слезы с соплями потекли, давай платком утираться. Она меня обошла и в ту же квартиру позвонила. Из-за двери спросили: «Кто там?», а девка ответила: «Это я, Полина, открывай, Руслан».

— Как? — переспросила я.

— Полина, открывай, Руслан, — повторил Влад.

У меня закружилась голова, на бумажке, где записан номер автомобиля, стояло «21-28-02...». Я решила, что это телефон в провинциальном городе, и ошиблась. «21» — номер дома, «28» — квартиры, «02» — корпус, очень странный номер, но каких только в Москве нет. Корпус иногда буквами, иногда изображением животных, а тут — 02.

— Ну, теперь куда? — поторопился Влад. — За кем еще гоняться надо?

— Отвези меня назад, к спортклубу, — попросила я.

Дома я оказалась около полуночи и обнаружила на веранде Катюшу, делавшую котлеты.

— Вот, — устало сказала она, — решила обед на завтра приготовить.

Мне стало стыдно. Катя сутками пропадает на работе, при этом учтите, что она не сидит в офисе и не перекладывает, зевая, с места на место бумажки. Нет, она стоит у операционного стола, порой по шесть-восемь часов в день, одно неверное движение — и больной в худшем случае лишится жизни, а в лучшем — голоса. Щитовидная железа расположена в очень неудобном месте, в шее, там, рядом, много всяких нужных органов. Естественно, что ей требуется отдыхать, а не прыгать у плиты.

— Иди ляг, — велела я, — сама дожарю!

— Ой, спасибо, — обрадовалась Катя, — честно говоря, я дико устала!

Я вымыла руки и принялась швырять комки фарша на раздраженно шипящую сковородку, и именно в этот момент ожил телефон.

— Вам кого? — недовольным голосом осведомилась я. Скорей всего это ошибка, наши все дома, а Сережка с Юлечкой и Вовка не станут звонить после полуночи.

— Вас беспокоит Аня, сестра Клавы, — донесся из трубки грубый голос. — Магдалену хочу забрать к себе, в деревню, Клавка велела за ней присмотреть.

— Девочки нет, — быстро соврала я, — может, Юрия прихватите? Привезу его вам к поезду.

— Спасибочки, — ответила Аня, — на фиг он мне сдался, алкоголик чертов, пущай с им Клавка сама возится, девку могу присмотреть, хотя она тоже не сахар! Мне дочка скандал устроила, когда узнала, что Магдалена появится.

— На мой взгляд, вы несправедливы к девочке, — не выдержала я, — Магда тихий, забитый ребенок.

— Актриса она, — сообщила Аня, — кривляка, ни слова правды не дождешься. Уж мы ее лупим-лупим, Клавка зимой, я летом, а толку? Брешет безостановочно! Вы ее просто не знаете!

От негодования я промахнулась и уронила кусок фарша прямо на голову Мули. Пока тугодумка Мульяна соображала, что за подарок послала ей фортуна, проворная Ада подскочила и мигом проглотила неожиданное угощение. Мулечка, сообразив, что ее обидели, собрала на лбу складки и залаяла. Ада побежала в гостиную, Мульяна за ней.

— Магдалена уехала, — решительно повторила я.

Ни за что не отдам девочку тетке, по-моему, в родной семье над ней просто издеваются, постоянно ругают, попрекают, даже бьют.

— Куда? — удивилась Аня.

— Я не знала ведь, что вы захотите племянницу к себе забрать, и отправила ее в лагерь.

— Какой?

— Пионерский, то есть, простите, оздоровительный, до тридцать первого августа.

— Да? — растерялась Аня. — Тогда ладно. Чего же Клавке-то не сказали?

— Не успела.

Из трубки понеслись гудки. Я продолжила процесс жарки котлет. Однако эта Аня не слишком воспитанна, взяла и швырнула трубку. Внезапно телефон снова зазвонил.

— Как место-то называется? — спросила Аня. — Где лагерь находится, скажите, съезжу за племянницей, Клава велела с нее глаз не спускать.

Однако! Да сестры просто кровожадные злодейки, им просто необходимо мучить несчастную девочку.

— В Израиле, — мигом нашлась я, — милое такое местечко возле Иерусалима.

— Возле Истры, что ль? — не поняла Аня. — По Рижской дороге? Так недалеко.

— Там Новый Иерусалим, — прервала я ее, — имею в виду настоящий Иерусалим, в стране Израиль, неужели никогда не слышали?

— У евреев, что ли? — воскликнула Аня.

— Да.

— За границей?

— Именно.

— И мне туда не попасть?

— Без загранпаспорта и визы никак, — решительно отрезала я.

— Ага, — ошарашенно буркнула Аня, — значит, ясно.

В трубке снова запищало, я перевела дух. Клава не знает адреса нашей дачи, следовательно, ее малопривлекательная сестрица не свалится мне на голову, и Магдалена спокойно проживет лето в Алябьеве. Ей-богу, некоторым людям совершенно не стоит заводить детей!

ГЛАВА 25

После жаркого, липкого дня наступила душная ночь. Вопреки моим ожиданиям, не стало прохладней. Даже под тонкой простыней было невыносимо жарко, а подушка походила на раскаленный уголь. Промучившись без сна, я осторожно дошла до кухни и вытащила из холодильника мороженое. Через пять минут мне стало только хуже, захотелось пить. Пришлось вновь бежать к холодильнику, но холодного «Боржоми» не нашлось, бутылку я обнаружила на столе, на веранде. Теплая, без газа вода оказалась безумно противной. Поняв, что заснуть не удастся, я выползла во двор и легла в гамак. В голове было пусто, тело отяжелело, неожиданно ко мне начала подкрадываться дрема. Вместо того чтобы пойти в дом, я лениво закрыла глаза. Полежу тут, на улице. Несмотря на все время ухудшающуюся криминальную обстановку в стране, в Алябьеве тихо, мы порой забываем запереть дачу. Это, конечно, неправильно, но в нашем поселке нет ни воров, ни бандитов. Огромная, неестественно желтая луна смотрела на Землю, звезды усеяли небо, скорей всего завтра опять будет жарко.

Послышался тихий скрип. Я лениво перевела глаза в сторону веранды. Из дома легкой тенью выскользнула Магдалена, за девочкой хвостом выскочила Ада. Адюшка любопытна сверх меры, ей всегда хочется знать, кто, куда и зачем пошел.

Решительным шагом девочка направилась к сараю. Я хотела уже воскликнуть: «Магда, почему не спишь?»

Но тут Ада тихонько тявкнула.

— Заткнись, — зло прошипела Магдалена, возясь с замком, — захлопни пасть, кретинка.

Надо же, как она, оказывается, разговаривает с собаками, когда думает, что ее никто не слышит! Может, мне послышалось? Обычно девочка нежно щебечет: «Адочка, Мулечка, мопсики любимые», а сейчас: «Захлопни пасть, кретинка!»

Ада, однако, несмотря на грубое замечание, продолжая тявкать, подбежала к Магде. Девочка в этот момент как раз открыла дверь сарая. Адюшка хотела было юркнуть внутрь, и тут Магда с силой пнула ее ногой. Собачка обиженно заскулила, потом села на траву и затряслась от обиды.

Адюня у нас существо нервное, способное упасть в обморок. Мулечка, та спокойная, недаром мы зовем ее Мульдозер. В свое время Катя купила Мульяну Кирюшке в качестве подарка на день рождения. Мальчик пришел в бурный восторг и начал самозабвенно ухаживать за собачкой. Через полгода Муля превратилась в добродушное существо, не нервничающее ни по какому поводу. Да и зачем бы ей суетиться? Два раза в день, без исключения, перед носом мопсихи появлялась мисочка, наполненная вкусной кашей с мясом. Спит Муля исключительно на кровати, залезая с головой под пуховое одеяло. Ее никогда не ругают и, естественно, не бьют, на нее ни разу даже не замахнулись тряпкой. Если Мульяна совершает проступок, ну, утаскивает со стола конфеты, рвет тапки или прудит лужу в гостиной, впрочем, последнее случается крайне редко, я беру в руки газету, свернутую трубкой, сажаю перед собой мопсиху, колочу печатным изданием по полу перед ее носом и приговариваю:

— Фу, как стыдно, гадкая собачка!

Мульяна великолепно понимает, что ей высказывают порицание, поэтому она старательно изображает раскаяние и даже тихо поскуливает, виляя скрученным хвостом, но уже через пару секунд мне становится жаль ослушницу. Газета отправляется в помойное ведро, а в моих руках оказываются строго запрещенные ветеринаром и от этого еще более горячо любимые Мулей медовые пряники. Я никогда бы не сумела стать дрессировщиком или учителем. По-моему, эти профессии очень похожи: надо без конца указывать животным и детям на их ошибки, ругать, наказывать. Моего педагогического пыла хватает максимум на пять минут. Потом я начинаю совершать антипедагогические поступки, отправляю двоечника в кино или кормлю безобразницу-собачку сладкой выпечкой. Мне кажется, что Мульяна знает об этой особенности хозяйки, поэтому совсем не пугается, увидев газету.

Пни Магда сейчас Мулю, мопсиха бы решила, что ей предлагают новую, не слишком, правда, удачную игру, и с лаем принялась бы кидаться на Магду, но пинок достался Аде, а Адюша совсем другая. История ее появления в доме Катюши скорее трагична. Когда Кирюша впервые вынес погулять крохотную Мулечку, ее увидела соседка по дому Гелена Львовна, престарелая балерина, справившая девяностолетие. Несмотря на преклонный возраст, Гелена Львовна считает себя девушкой лет двадцати и одевается соответственно. Правда, справедливости ради следует отметить, что танцовщица сохранила великолепную фигуру, но мини-юбка все равно странно смотрится на старухе. Еще Гелена Львовна считает себя бессмертной. Лет пять назад она сломала шейку бедра и была отправлена в НИИ Склифосовского, где ей сделали пластику сустава. Катюша прибежала навестить соседку и застала в палате изумительную сцену.

Лечащий врач, покосившись на историю болезни, решил успокоить восьмидесятипятилетнюю даму и заявил:

— Сустав великолепный, из титанового сплава, срок его годности сорок лет...

— Молодой человек, — в полном возмущении перебила хирурга Гелена Львовна. — Сорок лет! Безобразие! Мне через четыре десятка лет придется его менять! Нельзя было поставить что-нибудь понадежнее?

Бедный парень просто лишился дара речи, а бывшая балерина еще долго негодовала по поводу сустава.

Гелена Львовна — страстная собачница, увидав Мулю, она пришла в восторг, вечером прибежала к Кате и потребовала:

— Ну-ка, скажи, где брали мопсенка?

— У заводчика, — пояснила Катюша.

— Там еще есть щенки?

— Конечно.

— Давай адрес!

Растерянная Катя написала адрес на бумажке и только потом спросила:

— А зачем вам?

— Тоже хочу мопса! — заявила Гелена Львовна.

Ни у Кати, ни у Сережки не хватило окаянства справедливо возразить:

— Разве можно на пороге столетия брать щенка? Куда он денется после вашей смерти?

Впрочем, даже посмей они высказать свое мнение, Гелена Львовна не прислушалась бы к нему, она была уверена, что переживет всех мопсов.

Не прошло и недели, как у балерины появилось существо, названное Аделаидой. Дальше начались проблемы. Все-таки девяносто лет не двадцать. Гелене Львовне не хотелось выходить вечером на улицу.

Бедный щенок, аккуратный от природы, бегал в ванную, за что получал от хозяйки пинки.

— Дели, — взывала Гелена Львовна, — изволь терпеть!

Но никакая, даже самая послушная, собачка не способна справлять нужду всего один раз в сутки. Видя мучения Дели, так звала Аду хозяйка, Кирюшка предложил:

— Давайте буду брать вашу мопсиху вечером на прогулку.

Гелена Львовна согласилась. Мулечка страшно обрадовалась, получив подругу, Дели стала проводить время у нас. После обеда балерина ложилась поспать, и ее раздражал лай щенка.

— Ваша Муля спокойная, — заявила как-то раз старуха, — а моя Делька просто истеричка, гавкает, носится по квартире, подсунули нервно-патологическое животное...

Катя опять проглотила замечание. Собака, как правило, подстраивается под хозяина. В нашем доме никто не орет дурниной, а Гелена Львовна — артистическая натура, циклотимик[1], она, потискав Делю в объятиях, мигом начинала бить щенка. Мопсиха просто стала истеричкой. И еще, как многие балерины, Гелена Львовна испытывала «комплекс коровы», глядя на любую еду. Есть ей хотелось всегда, но профессия предписывала строжайшую диету. В преклонные годы танцовщица, маниакально боясь располнеть, перешла на кефир, и Делю она кормила только обезжиренным «Биомаксом». Приходя к нам, мопсиха кидалась к Мулиной миске и принималась стонать. Бедная Дели просто голодала.

Кирюша попытался один раз вразумить Гелену Львовну, но та категорично отрезала:

— Все болячки от ожирения. Кефир — вот спасение!

---

[1] Циклотимик — человек, у которого настроение меняется по сто раз в день, от плача до смеха.

Может, оно и так, но только не для молодой собаки. У Дели начались проблемы: клоками посыпалась шерсть, заболели лапки...

— Точно, подсунули некондицию, — качала головой балерина, — вон ваша Муля веселая, но спокойная, а моя больная, с истерическими припадками.

Очевидно, Аду ждала печальная судьба, скорей всего она бы просто погибла. Но тут Гелена Львовна сломала правую руку и уехала жить к своей правнучке, а у той имелся сынок, страдавший аллергией на шерсть. Балерина пришла к нам перед отъездом и попросила Кирюшу:

— Продай Дели на «Птичке», сделай одолжение, она мне стоила триста долларов.

На семейном совете было решено оставить мопсиху у нас, заплатив соседке требуемую сумму. Целый год Катя лечила Аду. Кличку Дели все в доме постарались забыть, потому что, услыхав ее, Адюшка мигом залезала под стол и сидела там, не дыша. Сейчас Адка превратилась почти в настоящего мопса, только миниатюрного. Из-за неправильного питания в детстве у Адюши не развился так, как надо, скелет. И еще, мы никогда не ругали Аду. Стоит кому-либо повысить на нее голос, как несчастная псинка падает в истерическом припадке. Кстати, даже сейчас, прожив несколько лет в сытости и благополучии, Адка боится, что ее забудут покормить, и визжит, когда мы достаем миски. Катя старательно поила мопсиху ново-пасситом, а потом бросила бесполезное занятие.

— Видно, детские воспоминания самые сильные, — решила подруга, глядя, как Ада изо всех сил старается вспрыгнуть на плиту, где остывала кастрюля с кашей для собак.

Понимаете теперь, почему я возмутилась до глубины души, когда Магда пнула Адюшу? Мопсиха зашлась в рыданиях.

— Замолчи, дрянь. — Девочка кинула в нее кусок кирпича.

Ада мигом ринулась назад в дом, плача, словно

ребенок, которого побили во дворе. От негодования я не сразу сумела выпутаться из гамака, Магда нырнула в сарай. Через секунду она вышла назад, неся в руках... бутылку «Гжелки». Я лежала в гамаке, не шевелясь. Девочка пробежала в дачу. Так вот кто спаивает Юрия! Зачем Магдалена дает отцу спиртное?

Утром я как ни в чем не бывало попросила:

— Магдалена, положи собакам кашу.

Девочка мигом выполнила приказ. Муля и Черри рванули к мискам, Ада прижалась к моим ногам.

— Адочка, — залебезила мерзавка, — иди, попробуй, как вкусно.

Но обычно с лаем бросающаяся завтракать Адюня лишь крепче впечаталась в мои тапки, тельце собаки затряслось.

— По-моему, она тебя боится, — медленно проговорила я, — Ада ведет себя так с теми, кто ее обижает.

— Да что вы! — вскинулась Магда. — Разве я ее обижаю, Адюлечка, моя любимая, кис-кис, иди сюда...

Я слушала ее нежный, звенящий, словно небесный колокольчик, голосок и не верила своим ушам. Неужели эта девочка ночью орала: «Захлопни пасть, кретинка» и пинала мопсиху? Да быть не может! Небось я заснула в гамаке, вот и привиделся кошмар.

Магда встала на колени, вытащила слабо сопротивляющуюся Адюшку из убежища и принялась нацеловывать ее морду со словами:

— Что стряслось? Адюлик, ты не заболела? На, возьми курочку...

При виде куска цыпленка мопсиха повеселела и побежала к своей миске.

— Такая жара стоит, — покачала головой Магда, — даже собачкам плохо. Сбегаю-ка я на станцию, принесу «Боржоми».

— Не надо, — возразила я, — бутылки тяжелые.

— Ерунда.

— Нет, я сама привезу на машине.

— Ладно, — мигом согласилась Магда. — Сколько здесь ворон на участке, с шести утра каркают, так противно!

— Первый год налетели, — сказала я, наливая чай, — раньше их тут не было. Действительно, жуткие звуки издают, а как избавиться от противных птиц, не знаю, может, пугало поставить?

— Эх, — вздохнула Магда, — жаль Наты нет, она бы их мигом перестреляла.

— Кто? — удивилась я.

— Ната, — тихо повторила Магдалена, — моя старшая сестра.

— Она умеет обращаться с оружием?

— У нее разряд по стрельбе, — пояснила девочка. — Ната училась в такой школе, где физра главный предмет.

— В спортивной?

— Ага, — кивнула Магда, — мама и папа весь день на работе сидели, забирать после уроков Натку некому, вот ее и пристроили в место, где сразу после занятий — тренировки.

— Твои родители хотели, чтобы девочка стала выдающейся спортсменкой?

— Да нет, — протянула Магдалена, — лишь бы не болталась на улице некормленая. В спортшколе порядок: еда три раза, прогулка, занятия в залах. Я сама там тоже учусь.

— Но почему Нату отдали на отделение стрельбы? Вроде это не женское занятие!

Магда снисходительно улыбнулась.

— Это только так кажется, девчонок в секции полно, просто, когда Натку записывали в школу, место нашлось лишь по этому виду спорта. Маме и сказали: «Если желаете у нас учиться, то только на стрельбе». Но Натке понравилось, а меня и не спрашивали.

Я растерянно слушала Магду. Надо же, одним из аргументов в пользу того, что новобрачная не причастна к преступлению, была как раз моя глубокая уверенность в том, что Ната не умеет стрелять. И вдруг такой поворот!

— Эх ма, дай-ка пить, воды неси, — донеслось из окна второго этажа, — Клавка...

— Папа очнулся, — в полном ужасе воскликнула Магда, — можно, на станцию побегу? За «Боржоми».

— Несите пить, гады, — ревел Юрий, — живо, дряни!

Кирюшка выскочил на веранду.

— Опять буянит, где только водку берет?

— Отнеси ему воды, — попросила я.

— Вечно мне все самое противное достается, — заныл Кирюша, — почему я? Пусть Лизка сходит!

— Ты мужчина.

— Вот поэтому мы раньше женщин и умираем, — вздохнул Кирюшка и, прихватив бутылку с минералкой, исчез.

— Скажи, ты тоже не знаешь, где Юрий добывает спиртное? — провокационно спросила я.

Магда спокойно пожала плечами.

— Не-а. Мама всегда удивляется, откуда у отца бухалово, в магазин он не ходит. Небось заначку имеет.

Мне надоело ее наглое вранье.

— Знаешь, дорогая, думается, ты лукавишь.

Магдалена опустила глаза вниз.

— В чем?

— Я пошла ночью в туалет и увидела, как ты осторожно идешь по лестнице к Юрию в спальню с «Гжелкой» в руке, — слегка подкорректировала я ситуацию.

Магда захлопнула рот и молча уставилась на меня.

— Только не начинай сейчас лгать, — быстро сказала я, — была лунная ночь, в комнате — светло, словно горели все лампы.

Магдалена опустилась на стул, закрыла лицо руками и зарыдала так горько, что у меня остановилось сердце. Вмиг на веранду вылетели Кирюша и Лизавета.

— Что случилось? — завопили они.

Наши собаки, тонко чувствовавшие настроение людей, тоже кинулись к плачущей Магде. Краем глаза я отметила, что Муля, Рейчел и Рамик лижут Магде босые пальцы ног, высовывающиеся из резиновых шлепок, а Ада, даже не шелохнувшись, жмется у плиты.

— Пусть они уйдут, — прошептала Магда.

— Муля, Рейчел, — решительно скомандовала я, — ступайте во двор, отстаньте от нее.

— Собаки пусть останутся, — шмурыгнула носом Магда.

— Это нам надо уйти?! — возмутился Кирюшка. Магдалена кивнула.

— Еще чего! — вскипел мальчик. — Офигела совсем? И с места не сдвинусь!

Лизавета потянула Кирилла за руки:

— Пошли.

— Фиг ей, тут моя дача, — не сдался Кирюшка, — надо — пусть сама улепетывает.

— Забей, — махнула рукой Лиза, — видишь, истерика у человека.

Магда заплакала еще горше.

— Уйдите, пожалуйста, при вас рассказывать стыдно!

— А что она натворила? — с жаром поинтересовался Кирюшка.

— Носит Юрию водку, — ответила я, — по ночам.

ГЛАВА 26

— Обалдеть! — всплеснула руками Лиза. — На всю голову больная! Он же алкоголик.

— Ну ты и дура, — накинулся на Магду Кирюшка, — ваще без всякого понятия! Нашла кого жалеть! Сама говорила, что он тебя лупит пьяный!

— Мне его не жаль, — залилась в плаче Магда, — из-за вас старалась, хотела угодить.

— Ну-ка, вытри лицо, выпей воды и постарайся объяснить нам, зачем спаиваешь отца, — сурово велела я.

Магдалена покорно выполнила приказ и зашептала:

— Помните, тут ваша соседка, Нина Ивановна, рассказывала про колдунью из Внукова?

Я кивнула:

— Было дело.

— Я сбегала к ней, — Магда прижала к груди острые кулачки, — купила травки сушеные. Бабушка эта сказала: «Подсыпай папе каждый день в водку, давай регулярно, скоро бросит пить». Вот я и стараюсь, купила «Гжелку», в сарае спрятала, а как все заснут, делаю лекарство и возле его кровати ставлю. Только все никак! Не берет его. Сегодня последний пакетик использовала, больше нет, и деньги кончились. Хотела, чтобы вы нормально лето провели, а не с моим папой мучились.

Вымолвив последнюю фразу, она зашлась в плаче. Я подскочила к Магде и обняла ее.

— Не плачь, милая!

— Колдунов не существует, — безапелляционно заявил Кирюшка, — обман сплошной! Сколько она с тебя взяла?

— Три тысячи, — утирая слезы, сказала Магда, — просила сто долларов, но потом согласилась на меньшую сумму!

— Какие деньжищи! — ужаснулась Лизавета. — Где же ты их взяла?

— Из коробки вытащила, — прошептала Магда, — на ролики собирала, у всех есть, а мне не покупают, мама с папой не любят зря тратиться, второй год коплю...

Лизавета с Кирюшкой переглянулись, у меня перехватило горло.

— А водку каждый день покупать, значит, не зря тратиться? — обозлился Кирюшка. — Гады твои родители!

— Кирилл! — воскликнула я.

— Совершенно правильно, — ринулась в бой Лизавета, — сволочные гадюки! На ролики денег пожалели!

— Отнюдь не всем покупают ненужные вещи, — я пыталась, непонятно зачем, выгородить Клаву с Юрием.

— Ролики просто необходимая штука, — топнул Кирюша, — вот без «Гжелки» вполне обойтись можно! Вот что, Магда, бери мои, и пошли к магазину, там площадка заасфальтированная, мы тебя кататься научим!

Лиза повертела указательным пальцем у виска.

— Ты, Кирюха, совсем, того... Какой у тебя размер?

— Сорок второй уже, — гордо ответил мальчик, — самый большой в классе, даже у Петьки меньше!

— То-то и оно, — продолжала Лиза, — а у тебя, Магда?

— Тридцать пятый...

— Вот видишь! — сказала Лизавета. — Ей даже мои безнадежно велики будут.

Внезапно Магда бухнулась на колени перед мопсихой и, обняв ту, запричитала:

— Аденька, прости, никогда больше, ну извини, я дрянь!

— Что случилось? — окончательно растерялась Лиза.

— Вчера ночью, — рыдала Магда, — я пошла в сарай за бутылкой, а Адюша за мной следом выскочила и давай лаять. Я испугалась, что кто-нибудь проснется, увидит меня с водкой, и сначала наорала на нее, а потом камнем в нее швырнула... Адюшечка, умоляю, прости, прости, прости...

Забывшая обиду Ада стала лизать Магде щеки.

— Прости, прости...

Я попыталась поднять девочку.

Вставай, ерунда, ну подумаешь, заорала. Вон Кирюша весь день вопит, и ничего.

Честно говоря, чтобы успокоить Магду, я сильно покривила душой. Кирюшка кричит от темперамента, в его воплях нет злобы, а в голосе Магды ночью звучала откровенная ненависть.

— Прости, прости. — Магда принялась внезапно биться лбом о пол.

Лизавета бросилась к девочке:

— Успокойся, Ада и думать забыла обо всем, она вообще решила, что ты с ней играешь!

Внезапно Магда села и захохотала, по ее лицу потоком потекли слезы.

— Чего смешного-то? — оторопел Кирюшка, растерянно глядя на меня. — Что ее развеселило, а?

Лизавета топталась около Магды, приговаривая:

— Ну, ну, ну...

После каждого ее восклицания из груди Магдалены вырывался то ли всхлип, то ли вскрик. Я схватила кастрюльку, налила в нее холодной воды и опрокинула на девочку.

Магда захлебнулась и захлопнула рот.

— Ты че, Лампа! — взвыл Кирюша. — Ну и денек! Все кругом офигели.

— У нее истерический припадок, — пояснила я, помогая Магдалене перебраться с пола на стул, — если не остановить, может в обморок упасть! Лиза, сделай ей горячий и сладкий чай.

— В жару! — фыркнул Кирюша.

— Видишь, ее трясет.

Лизавета ринулась к чайнику. Примерно через час все устаканилось. Усталая, заплаканная Магда мирно спала в постели, Юрий, пооров и побуянив, тоже утих. Собаки устроились на диване. Лизавета и Кирюшка пошли к сараю за велосипедами. Я наконец-то села выпить кофе. Из раскрытого окна донесся звонкий голос Кирюши:

— Лизка, как ты думаешь, почему она отцу водку тайком ставила?

— Стеснялась, — ответила девочка.

— Чего? Ведь вылечить хотела!

— Ну, — протянула Лизавета, — странная она такая, все молчком, бука, одним словом, а может, думала, мы смеяться станем. Прикинь, какие сволочи, они ей ролики не купили!

— Два года копить, — ужаснулся Кирюшка, — я бы умер.

Кофе показался мне горьким, и я бросила в кружку еще один кусочек сахара. Некоторые родители не покупают детям велосипеды, боясь, что ребенок расшибется. Лично мне в детстве не разрешали играть в подвижные игры. Вот на этом самом участке, где сейчас стоит наш новый дом, я тихо сидела у деревянного, вкопанного в землю стола и часами складывала мозаику. Уж не знаю, где и за какие деньги моя мама доставала то, что сейчас называется «паззл», — картинки, разрезанные на мелкие кусочки. У меня не было ни велосипеда, ни мячика, ни прыгалок, ни самоката. Мама панически боялась, что круглый, прыгающий предмет ударит дочурку по голове и вызовет рак мозга, а резиновые веревки с ручками запросто могут удушить неловкое дитятко. Почему остракизму были подвергнуты велосипед и самокат, думаю, даже объяснять не стоит. Но зато у меня шкафы ломились от коробок с мозаиками, пупсы сидели на полках в четыре ряда, в углу высился кукольный дом, двухэтажный, с мебелью и посудой, а про армию плюшевых игрушек я и не говорю. Отказывая мне в чем-нибудь, мама всегда объясняла свою позицию:

— Понимаешь, Фросенька[1], — говорила она, — очень неразумно пользоваться санками, они не имеют руля, ты не сумеешь ими управлять, повернуть, если увидишь препятствие, или затормозить. И что? Понесешься с горки, врежешься в камень, упадешь, сломаешь шею! Я умру тут же!

Естественно, я злилась, но ощущения, что мама меня не любит, в моей душе не было никогда. Став чуть старше, я поняла, что ребенок, родившийся у пожилых родителей, обречен на сложное детство, в котором нет места подвижным играм и прочим шалостям. Но никогда, ни разу я не слышала от мамы фразу:

— Не куплю, и точка, отвяжись, спиногрызка.

Странное дело, существуя в системе жестких ограничений и завышенных требований, не имея подруг и до двадцати лет везде ходившая только с мамой за руку, я была абсолютно счастлива. Наверное, потому, что знала: меня очень любят родители и, что

---

[1] Настоящее имя Лампы — Фрося. См. «Маникюр для покойника».

бы со мной потом ни случилось, никогда я не пожалуюсь на отсутствие любви, потому что она в моей жизни уже была.

А вот у Магды этого ощущения нет. Мне стало до слез жаль девочку. Отодвинув чашку, я пошла в спальню, достала коробочку из-под печенья, где хранится «касса», пересчитала деньги... Вообще говоря, в плане покупок на первом месте стояла дубленка для меня. Зимнее пальто окончательно потеряло товарный вид, и Катюша велела:

— Немедленно иди за шубой.

Летом цены на мех, овчину и кожу падают... Ладно, значит, приобрету необходимое позже, а сейчас надо срочно купить Магде ролики.

На дорогах города движение сегодня полностью парализовано. Было непонятно, откуда на улицах появилось такое количество машин. Пробка начиналась уже на Минском шоссе, в том месте, где можно съехать на МКАД, и кончалась почти на Кутузовском проспекте. Я двигалась в потоке черепашьим шагом, раздумывая, как лучше поступить. Значит, Родион знаком с Русланом, более того, похоже, что они вместе проворачивают темные делишки. Зачем? По какой причине были убиты Нестеренко, Потапов и Козанина? Надо каким-то образом разговорить Родиона, авось выболтает нужную мне информацию. Какое отношение к делу имеет «Волга», зарегистрированная на имя Карповой Елены Тимофеевны? При чем тут эта женщина? Значит, она соврала, когда сообщила в милицию, что машина угнана. Или правда считала ее украденной? Что же у меня получается?

Первая жена Валерия Грачева погибает в результате дорожно-транспортного происшествия. «Волга» скрывается, потом выясняется, что она украдена, дело закрывают. Типичный «висяк», как обычно выражается Володя Костин. В милиции страшно не любят дела об угнанных машинах. Год тому назад я отправилась на рынок за картошкой. Когда притащила на автостоянку туго набитые сумки, выяснилось, что какой-то подлец снял с моей «шестерки» номера, причем спереди и сзади, вместе с пластмассовыми держателями. Чертыхаясь сквозь зубы, я отправилась в милицию, попала в кабинет к следователю, который мигом объяснил мне всю сложность положения.

— Значит, так, гражданочка, — бубнил парень, глядя в окно, — если я сейчас приму у вас заявление, то придется заводить дело, проводить оперативно-розыскные мероприятия, заявлять номер в розыск.

— Ну давайте повернем ситуацию так, будто я сама потеряла номер, — решила я прийти ему на помощь.

— А тогда я справку не дам! — обрадованно воскликнул мент. — Сама виноватой выходишь!

— Вдруг его украли в криминальных целях? — тут дошло до меня. — Нет уж, открывайте дело!

Милиционер запричитал. Вкратце его речь выглядела так: бедный он, несчастный, на хрена ему все это надо, теперь придется начинать осмотры-досмотры, сидеть в засаде, а главное, писать кипу бумажек о проведенных мероприятиях, а на нем, бедняге, висит целая куча дел, не продохнуть, жена не видит мужа, дети — отца, мать — сына...

Периодически он останавливался и смотрел на меня, но я не дрогнула, а спокойно ответила:

— Дело придется открывать, без номера я ездить не собираюсь и виноватой быть не хочу.

Поняв, что потерпевшая непоколебима, мент приуныл, вытащил из ящика какие-то бланки, и тут его осенило. На его лице появилась совершенно счастливая улыбка.

— А ведь у нас в прошлую пятницу ураган был! — воскликнул он.

— Да, — осторожно ответила я, не понимая, куда он клонит.

— О! — воскликнул мент. — Пиши: «В пятницу, такого-то числа, я, подойдя к автомобилю марки «ВАЗ», обнаружила отсутствие номерного знака. Очевидно, его снесло сильным порывом ветра, в результате урагана».

— Еще дождь лил, — услужливо подсказала я.

— Хорошо, — кивнул он, одобрительно глядя на меня. — Тогда так: «...сильным порывом ветра или смыло потоком воды».

Расстались мы весьма довольные друг другом. Я получила вожделенную справку, а мент дело, открытое и закрытое одним числом. Думается, таких сотрудников в органах МВД немало, вот и не стали слишком копаться в банальном наезде. Но мне интуиция сейчас подсказывает, ситуация совсем не так проста. Нестеренко, Потапов и Козанина! Эти люди каким-то образом связаны с наездом, но как?

Я притормозила возле магазина «Мир спорта», поднялась на этаж, где торговали роликами, и присвистнула. С ума сойти, ну и цены! Семь тысяч, десять, двенадцать! Но тут подскочил продавец, вертлявый парнишка, по виду чуть старше Кирюшки, и мигом вытащил коробку.

— Эти берите, в сто баксов уложитесь, как раз для начинающих, если кататься не умеет, зачем ей с наворотами. И цвет хороший, розовый, девчачий. Хорошо идут, сегодня уже две пары продал, вы третья берете.

Пока он болтал без умолку, проверял ролики и выписывал чек, я походила по залу, разглядывая спортивную амуницию.

Однако занятия фитнесом обременительное для кармана дело! Большинство посетителей «Страны здоровья» щеголяло в специальных перчатках, и только сейчас я узнала, что одна пара тянет на две тысячи рублей. Правда, можно было приобрести другие, нитяные с резиновыми пупырышками, за триста целковых, но клиенты спортклуба все, как один, носили замшевые. Кроссовки тоже оказались отвратительно дорогими. Я притормозила у стенда. Вот такие, серебристого цвета, с синими шнурками, были на ногах у Олеси Рымбарь, упавшей со шведской лестницы. Она, наверное, хорошо зарабатывала, раз позволила себе обувь за двести долларов.

Внезапно по моей спине пополз липкий холод. Минуточку, так ли случайна ее смерть? Машинально я взяла довольно большую коробку, бросила ее в багажник и села за руль. Спокойно, Лампа, не нервничай, рассуждай, не торопясь.

Значит, так, я попросила Олесю узнать, у кого занимаются Нестеренко, Потапов и Козанина. Девушка согласилась и... погибла.

Первый раз в жизни я пожалела, что не курю, говорят, это успокаивает. Наверное, Олеся узнала чтото нехорошее, подошла к Родиону, а тот убил тренершу, представив дело как несчастный случай. И что мне теперь делать? Ясно одно, к Родиону нельзя даже приближаться, информацию нужно собирать крайне осторожно. Может, попытаться зайти со стороны Руслана? Выяснить, кто он такой, чем занимается...

Во дворе дома Руслана с гиканьем носились мальчишки лет десяти. Взрослых не было. Я села на скамеечку и опять пожалела, что не имею привычки курить, женщина с сигаретой на лавочке не вызовет никаких подозрений, а вот сидящая просто так, без собачки или ребенка, может возбудить ненужный мне интерес.

Недалеко от меня шваркала метелкой по асфальту дворничиха, довольно полная баба лет пятидесяти, с простоватым, круглым лицом. Она без конца поглядывала в мою сторону, потом заявила:

— Не смей тут окурки расшвыривать, я только подмела.

— Я не курю.

— Ага, все так говорят, — забрюзжала тетка, — а чуть отвернешься, весь двор в бычках.

— Я совсем не курю, даже сигарет с собой нет.

— Только не вздумай бутылки от пива бросать, — обозлилась дворничиха, — ваще народ опупел. Утром выйдешь — банки повсюду, стекляшки, бумаги. Ну не хотят жить красиво. Травку посеяли, лавочки поставили, гуляй, радуйся, нет, надо все кругом изгадить. Грязи нашвырять, бутылок...

— Я не пью, даже пиво.

Дворничиха села рядом со мной и совсем другим тоном поинтересовалась:

— Чего сидишь-то?

— Спина заболела, — соврала я, — прямо скрутило, вот я и пристроилась в вашем дворике.

— Да уж! — вздохнула тетка. — Эта я понимаю! Саму иногда так сворачивало, хоть волком вой! Спасибо, Елена Тимофеевна помогла, земля ей пухом, хорошая женщина была.

— Кто? — Я мигом среагировала на знакомое имя.

— А Карпова, жиличка наша, — пояснила дворничиха. — Шла один раз по двору, увидела, что я на метле вишу, и спрашивает: «Что случилось, Таня?» Я и пожалилась на спину. Елена Тимофеевна и предложи: «Сходи к Русику, он хоть и без диплома, но много чего умеет». И точно, как рукой сняло. Понажимал мне, и все, забыла я про спину, и ведь что интересно: ломило поясницу, а пальцем он мне в пятки тыкал, ну ты скажи, какая странность!

— Кто такой Русик? — быстро спросила я. — Сделайте божеское дело, расскажите, может, и мне страданья облегчит!

— А чего же не разобъяснить? — охотно зачастила Таня. — Никакой тайны тут нет. Руслан, сын Елены Тимофеевны. Она его незнамо от кого родила. Уж намучилась с парнем! Я-то тут всю жизнь двор мету, жильцов наперечет знаю, кто, с кем, когда и как! Руслан Елене Тимофеевне тяжело достался, хулиганистый очень был, учиться совсем не хотел. Она из-за парня каждый день в школу бегала, вот позору наелась! Сама-то женщина положительная, богатая, портнихой работала, только не в ателье. Клиентура у Елены Тимофеевны своя была, платили, видать, отлично, она по всему Союзу ездила. В квартире всего полно. У нас мусоропроводы в кухне засоряются иногда, вот жильцы и зовут прочистить. У Карповой прямо красота была: мебель полированная, ковры, хрусталь, любо-дорого посмотреть. И сама милая, чаем угощала, а если во дворе встретит, всегда остановится, про здоровье спросит. Вот только Русик у нее не пришей кобыле хвост получился.

Как ни старалась Елена Тимофеевна, но после

окончания школы сын не поступил в институт, а загремел в армию. Тане было жаль Карпову, было видно, что та ужасно переживает. Один раз Таня не выдержала и окликнула Елену Тимофеевну.

— Не расстраивайтесь, вернется Русик, пойдет учиться.

Та неожиданно расплакалась.

— Спасибо, Танюша, на добром слове, только загнали моего мальчика на край света, в Хабаровский край, на китайскую границу. Никаких городов рядом нет, одни деревни, а в них сплошь китайцы живут. Письмо два месяца идет.

— Ну-ну, — попыталась успокоить Карпову Таня, — может, и хорошо, что в захолустье, соблазнов меньше. А то еще вдалеке от пригляда запьет или загуляет, а в деревне не забалуешь. Небось китайцы самогонку не варят. Вернется, другим станет, повзрослеет, дурь пройдет.

Как ни странно, но Таня неожиданно оказалась права. Руслан, вернувшись домой, и впрямь переменился, пошел учиться на массажиста, больше не гулял в веселых компаниях, стал молчаливым, даже угрюмым.

— Ну вот, видите, — сказала дворничиха Карповой, — ваш-то какой вырос! Скоро женится, детки народятся.

Елена Тимофеевна покачала головой:

— Все-то у нас не слава богу!

— Сейчас чего? — искренно изумилась Таня. — Не пьет, не курит, с девками не шляется...

И тут Елена Тимофеевна принялась жаловаться. Руслан, или, как его все звали, Русик, во время службы в армии свел знакомство с китайцем, который занимался целительством. Два года Сяо Цзы обучал Руслана всяким премудростям, парень оказался послушным учеником.

— Русик его называет Учителем и слушается во всем, — вздыхала Карпова, — раз в три месяца навещать летает, деньги огромные на дорогу тратит. Этот Сяо Цзы ему всех заменил и ведь что внушает Руслану! Друзей иметь плохо, жена — зло, дети не нужны. Если хочешь овладеть тайнами целительства, живи один. Русик совсем другим стал: мясо не ест, алкоголь не пьет, молится каким-то не нашим богам и ходит босиком. Ну что за напасть! Лучше бы хулиганил, понятней как-то!

Во дворе тоже начались пересуды, да и каким образом их можно было избежать, когда Руслан в тридцатиградусный мороз совершенно спокойно выходил из подъезда в одной футболке и вьетнамках на босу ногу? Естественно, его посчитали сумасшедшим. Но потом произошел случай, мигом изменивший общественное мнение в пользу Русика.

ГЛАВА 27

Как-то раз летом пятилетний Ванечка из семьдесят девятой квартиры, играя в салки, споткнулся и налетел животом на железный прут, торчащий из земли. Пока отец бегал за «Скорой», а рыдающая мать заламывала руки, глядя на бьющую из ребенка фонтаном кровь, Русик, до этого сидевший на лавочке, не торопясь подошел к мальчику и странным движением ткнул в шею несчастного малыша пальцы. Мать Вани хотела ударить соседа, но ее остановило совершенно безумное лицо парня: бледное, с широко распахнутыми глазами и быстро-быстро шевелящимися губами. А потом произошло настоящее чудо. Кровь, до этого толчками бьющая из раны, остановилась, а Ваня попытался встать со словами:

— Больше не болит.

Тут подъехала «Скорая», естественно, ребенка мигом решили отправить в больницу. Доктор недоуменно покачал головой.

— Одного не пойму, отчего кровь не течет.

— Я держу точку второй жизни, — ответил Русик.

Врач хмыкнул, и тут парень отдернул руку от шеи Ванечки, несчастный мальчик закричал, вверх взметнулась темная струя. Руслан мигом вернул пальцы назад и спокойно сказал:

— Если вас чему-то не учили в мединституте, это не значит, что подобного явления нет. Китайцы несколько тысячелетий владеют знанием точек. Мне надо поехать с вами, если не разрешите, мальчик умрет.

— Конечно-конечно, — забормотал врач. Русик пошел рядом с носилками.

— Послушай, — не выдержал доктор, — как ты это делаешь? Научи, может, пригодится.

Руслан ответил:

— Показать нетрудно, да у вас ничего не получится, учиться надо.

— И долго?

— Всю жизнь, даже Сяо Цзы не считает себя просвещенным.

— Ты можешь так запросто убрать и боль? — не успокаивался ошарашенный врач.

— Это самое легкое, — усмехнулся Русик, — с болью справляются после года занятий, другой вопрос, следует ли от нее избавлять пациента.

— Почему? — окончательно потерялся доктор.

Русик объяснил:

— Болезнь никогда не посылается человеку зря, она дает понять, что жизненный путь выбран неправильно. Если у тебя болит желудок — ты жаден, страдаешь печенью — был зол к окружающим, мучаешься от мигрени — много врешь. Повышенное давление говорит о суетности, запор — об излишней нервности, ожирение — о скупости. Отсюда вывод: хочешь выздороветь — изменись внутренне, стань другим, и болячки уйдут, подумай о себе, туда ли идешь, пойми, что был не прав. Только так, вывернувшись наизнанку, — можно выздороветь. Лечи душу — и обретешь здоровое тело. Это аксиома. А боль дана нам в качестве сигнала, зачем ее убирать? Только в экстренных случаях. Таблетки лишь оглушают человека, проблемы они не решают. Исцеление внутри нас самих. Каждый сам себе лучший лекарь.

Эту речь слышало почти все население дома, собравшееся на крики матери Вани.

Мальчика успешно прооперировали, и через несколько месяцев он, забыв о произошедшем, вновь носился по двору. Мать парнишки прибежала к Руслану с подарком. Купила дорогущую бутылку коньяка и набор фужеров, но Русик просто выставил ее за дверь со словами:

— Не могу принять дары, Учитель не велит, потеряю мастерство, сребролюбие — грех.

А потом Анну Филимоновну, из пятнадцатой квартиры, скрутил приступ холецистита. Под утро, согнувшись дугой, пожилая женщина позвонила Руслану и взмолилась:

— Говорят, ты умеешь боль убирать, сделай божескую милость, а то умру.

Русик легко справился с проблемой, не взял у бабки ни копейки и предупредил:

— Вы с невесткой ругаетесь, со свету сживаете, отсюда и болячка. Помиритесь с ней.

— Так она шалава беспутная, — завела Анна Филимоновна, — ничего по дому не делает!

— Простите ее.

— Как? — обозлилась старуха. — Она, шалава беспутная...

— Полюбите ее.

— Надьку?! — возмутилась Анна Филимоновна. — Ты мне еще предложи с крысами из подвала подружиться!

— Злая вы, — нахмурился Русик, — а злость тело точит, добрый человек долго живет, негодующий рано умирает.

— Да как же ее полюбить! — взвыла старуха. — Ну не получится же.

— Хотите помогу? — спросил Руслан.

Анна Филимоновна кивнула. Что было дальше, не знает никто. Что Руслан проделал со старухой, куда нажимал пальцем или втыкал иголки, осталось за кадром, только злобная свекровь превратилась для Нади во вторую мать. На глазах изумленных жителей двора Анна Филимоновна и Надюша, чуть ли не обнявшись, как лучшие подружки, ходили вместе в магазин. И что самое невероятное, примерно через шесть месяцев желтая кожа Анны Филимоновны приобрела белизну, на щеках заиграл румянец, белки глаз поголубели, на губах поселилась улыбка, потом она быстро потеряла десять лишних килограммов, постройнела, выпрямилась и стала выглядеть почти ровесницей Нади.

Сами понимаете, что со всеми болячками жители дома теперь шли только к Русику. Он старался помочь всем, причем бесплатно. Парень не брал ничего — ни денег, ни спиртного, ни продуктов. Исключение делалось только для тех вещей, которые больной создал собственноручно, и Руслана завалили вязаными шарфами, свитерами, домоткаными коврами, банками с маринадами и домашними пирогами.

Больше никто не называл Руслана психом. Наоборот, когда он зимой в шортах и майке выходил на улицу, мужики сдергивали шапки и почтительно кланялись.

— Доброго здоровья, Руслан Михайлович, не простудитесь.

— Того, что мне желаете, вам вдвойне, — улыбался Русик.

Справедливости ради следует признать, что Руслан мог помочь не всем. От своих пациентов он требовал слишком многого: бросить пить, курить, сквернословить, возлюбить ближних. На подобные подвиги способны, как оказалось, единицы. И еще, Русик подчас давал ну совсем идиотские советы. Севе, сыну Ольги Марковны, из второй квартиры, абсолютному дебилу, жестокому парню, от проделок которого стонал весь двор, целитель велел выйти в полночь на улицу и подобрать первого попавшегося щенка.

Сева скривился, до сих пор самой большой радостью для него было поймать дворовую собаку и медленно, с удовольствием, перебивать ей палкой лапы. А тут щенок! Но у Севы неожиданно начались странные припадки, врачи нашли у него эпилепсию, вот Ольга Марковна и упросила сынка-идиота послушать Русика. Сева приволок маленького, блохастого щенка, назвал Эдиком и первое время старательно не замечал собачку, но потом с ним произошла еще более удивительная метаморфоза, чем с Анной Филимоновной. Эдик сейчас — разбалованный пес, которого Сева на руках переносит через лужи. По вечерам парень ходит к рынку и подкармливает бездомных животных. О припадках он давно забыл, более того, Сева, двоечник и лентяй, взялся за ум и поступил учиться на парикмахера. Теперь он хороший дамский мастер, а Ольга Марковна каждый день молится за Русика.

— Знаешь, он какой странный, — вдохновенно рассказывала Таня, — первый раз придешь — поможет. Во второй заглянешь — тоже боль уберет, третий раз прибежишь — руки за спину спрячет и скажет:

«Будешь меня слушаться — вылечу, если нет, то больше не ходи, пальцем не пошевелю».

А кой-кого не берет. Сразу заявляет: «Извините, не мое...»

Я молча слушала словоохотливую дворничиху, а та неслась дальше, словно курьер со срочным письмом, без передышки и остановок.

— Сходи ты к нему, вмиг спину поправит!

— Так он меня с улицы и возьмет.

Таня всплеснула руками.

— Русик — святой, никогда дверь не запирает. Тут недавно тетка примчалась, муж у нее алкоголик. Чем ни лечила, все зря. И что ты думаешь?

— Помог?

— Ну! Бросил в одночасье квасить!

Внезапно я сообразила, как поступить.

— Танечка, а вы можете меня к нему отвести?

— Пошли, — подхватилась уборщица, — сюда, в подъезд.

Дверь нам открыл высокий худой парень, одетый в короткую футболку и шорты, ноги его были босыми, а на предплечье виднелась странная татуировка, в беспорядке разбросанные палочки.

— Добрый день, Татьяна Андреевна, — улыбнулся юноша одними губами. Глаза его, карие, почти черные, чуть раскосые, оставались серьезными, — надеюсь, вы здоровы?

— Твоими молитвами, — затарахтела дворничиха, — слава богу, ничего не болит.

— Так и не должно, — продолжал улыбаться Русик, — коли мяса, как просил, не едите.

— Не ем, — подтвердила Таня, — да не обо мне речь, вот подружку тебе привела, помоги, Христа ради, спина у ней болит, прямо выламывается, идти не может.

— Заходите, — кивнул Русик, — туфли снимите и носки.

Я покорно выполнила приказ.

— Сюда, — велел целитель и пошел по коридору. Таня мигом убежала, мы остались вдвоем.

Помещение, куда провел меня Руслан, выглядело необычно, из мебели было только несколько низеньких длинных столиков, без скатертей или клеенок. Окна без занавесок, на полу лежали циновки и валики.

Русик сел на пол, скрестив ноги, и спросил:

— Можно вашу руку?

Мне пришлось устраиваться рядом, на жесткой циновке было очень некомфортно.

Русик взял меня за запястье, пальцы парня оказались горячими, словно раскаленные угли, и я чуть было не выдернула руку. Лицо целителя вытянулось, он зашевелил губами, потом отпустил меня и тихо произнес:

— Ваша спина не болит совсем.

Сказать, что я удивилась, это не сказать ничего. Пришлось сознаваться во вранье.

— Действительно, поясница у меня в полном порядке, а как вы узнали?

Но Русик не ответил на мой вопрос, он задал свой:

— У вас проблема не со здоровьем, верно? Чувствуется какая-то тревога.

Я опять удивилась.

— Я совсем здорова, да?

Руслан вновь улыбнулся своей странной, немного отрешенной улыбкой, внезапно лицо парня показалось мне знакомым.

— Абсолютно здоровых людей нет, — пояснил он, — но вам нечего волноваться, у вас всего лишь пониженное давление, больше ничего. Вам надо пить зеленый чай с молоком и питаться регулярно, а не хватать куски по дороге. Ешьте гречневую кашу, овсянку. Попробуйте, станете бодрее и обязательно сходите к зубному, понимаю, что вы боитесь, но кариес — ворота инфекции, так можно посадить сердце.

— Но откуда вы это узнали?!

— Про кариес?

— Нет, про давление и сухомятку?

Русик вздохнул.

— Сложно объяснить, вас ведь здоровье не беспокоит, проблема в другом.

— Понимаете, — вдохновенно начала я, — родственник пьет, Юрий...

Русик спокойно слушал мой рассказ.

— Вашей беде можно попытаться помочь. Говорите адрес, приеду завтра, сегодня мне на работу во вторую смену.

— Это в Подмосковье.

— Ну и что?

— Лучше я вас заберу на машине.

— Хорошо, — согласился парень, — когда?

Я приуныла.

— Вот беда, завтра не получится.

— Почему?

— Работаю сутками, я уборщица.

Внезапно Русик вскинул вверх тонкие, словно нарисованные тушью, брови.

— Уборщицей? Странно.

— Что же здесь удивительного? Любой труд хорош.

— Это верно, — кивнул Руслан, — но мне показалось, что вы музыкант, у вас руки такие... вы должны хорошо играть на струнном инструменте. Я вижу вас за арфой.

У меня помертвели губы. Этот парень просто колдун.

— Удивительно, — пролепетала я, — абсолютно верно угадали. На самом деле я закончила консерваторию по классу арфы, но потом жизнь так повернулась, что пришлось идти в поломойки.

Внезапно Русик встал.

— Далеко живете?

— В часе езды.

— Тогда пошли.

— А как же ваша работа?

— Успею. Вы же потом меня сумеете отвезти?

— Конечно, — обрадовалась я.

— Вот и хорошо, — улыбнулся Русик.

Открывая «Жигули», я сказала:

— Не боитесь, когда женщина за рулем?

— Нет, — ответил Русик, — у меня мама машину водила, я не умею.

— Не хотите учиться?

— Машины нет, — улыбнулся Руслан, — ездить не на чем.

— А мамин автомобиль? Или она вам его не дает? — обнаглела я.

— Мама умерла.

— Простите, давно?

Русик промолчал.

— А машина куда делась?

Если Руслан и принял меня за нахалку, то внешне он никак не выказал этого.

— «Волгу» украли незадолго до маминой кончины, — пояснил юноша, — угнали со двора, очень неприятный случай.

— Да уж, чего хорошего, — подхватила я разговор. — «Волга» просто так не достается, на нее заработать надо. Небось ваша мама не один день копила.

Русик уставился в окно.

— Мама очень хорошо зарабатывала, — пояснил

он, — она была просто гениальной портнихой, клиенты на нее молились. Конечно, остаться без колес плохо, но в этом деле был еще один, очень неприятный, нюанс.

— Какой?

— «Волгу», очевидно, угнал пьяный человек, он совершил на ней наезд, — пояснил Русик, — убил женщину.

— Да ну? — Я старательно изобразила удивление.

Руслан кивнул.

— Мы с мамой даже рады были, что «Волгу» не нашли, лично я бы никогда не сел в автомобиль-убийцу. А потом, спустя некоторое время, внезапно умерла мама, новую машину она купить не успела.

— И вы не сумели помочь матери?

Руслан обладал просто ангельским характером. Другой человек давно бы послал к черту любопытную бабенку, но целитель спокойно пояснил:

— Я уезжал в Хабаровский край, к своему Учителю. Живет он вдали от мира, ни телефона, ни почты, до ближайшей станции двести километров по бездорожью. Из внешнего мира в деревню, где обитает Сяо Цзы, не просачивается почти никакой информации, там идеальные условия для обучения учеников, и я узнал о кончине мамы спустя месяц.

— Вот ужас! — совершенно искренне воскликнула я. — Кто же занимался похоронами?

— Мои ближайшие друзья, — ответил Русик, — Родион и его сестра Полина, мы в школе с Родей в одном классе учились, а Полина старше нас. Я когда-то в нее влюблен был.

— Что же не женились?

Русик улыбнулся, на этот раз не только губами.

— Она на маленького мальчика и смотреть не хотела. Я ей не нравился! Очень я переживал, даже с собой покончить хотел, хорошо, Родька рядом оказался. Молодой был, глупый, суетный.

— Зато теперь эта Полина, наверное, локти кусает, когда видит, каким вы целителем стали, — решила я подтолкнуть разговор поближе к интересующей теме.

Руслан неожиданно стал серьезным.

— Полина не для меня.

— Почему?

— Не судьба мне жениться, мое предназначение другое, — проронил Русик и спросил: — Вы не против, если я подремлю чуток? Перед сеансом требуется сосредоточиться.

Не дожидаясь моего согласия, он закрыл глаза. Мне пришлось захлопнуть рот, и остаток пути мы проехали в полной тишине. Через некоторое время у меня возникло полное ощущение, что рядом, на сиденье, находится только оболочка, пустое тело, а душа Русика витает неизвестно где. Лицо его побледнело и вытянулось, нос заострился, закрытые веки не шевелились. Он даже не качался в такт движению, просто окаменел. На секунду мне стало страшно, очень уж Руслан походил на окоченевший труп. От испуга я нажала на педаль газа и пронеслась оставшиеся километры на безумной скорости, в левом ряду.

ГЛАВА 28

Притормозив у ворот дачи, я тронула спутника за плечо.

— Эй, проснитесь, приехали!

Русик мгновенно открыл глаза, я отшатнулась. На меня смотрели огромные, пустые зрачки, без всяких признаков мысли. Господи, он что, и правда умер?

Но тут Руслан моргнул и улыбнулся, я перевела дух.

— Где же ваш родственник? — спросил парень.

— Сейчас, — засуетилась я, открывая ворота, — сюда, на второй этаж. Муля, Ада, уйдите. Простите, у нас собаки, они немного невоспитанны, но не кусаются!

— Очень красивые мопсы, — сказал Руслан и погладил Мулю, — мне подняться на второй этаж?

— Да, давайте вас провожу.

— Лучше будет, если вы останетесь внизу, — голосом повелителя ответил он.

Пришлось остаться в гостиной. В доме царила тишина, ни Магды, ни Лизы, ни Кирюшки не было. На столе стояла грязная посуда и валялись три пустых пакета из-под томатного сока. Дети, пообедав, напрочь забыли про тарелки. Интересно, куда они подевались? Скорей всего носятся по поселку на великах, а безропотную Магду отправили пешком на станцию за мороженым. Вспомнив про купленные ролики, я сбегала в машину, вытащила коробку, отнесла ее в комнату к Магде и положила на кровать, пристроив сверху записку: «К самым хорошим детям Дед Мороз приходит и летом».

Жаль, что не услышу, какой вопль восторга издаст Магда, увидев подарок, мне придется отвозить Руслана на работу.

Заскрипели ступеньки, Руслан медленно спустился вниз, встряхивая кисти рук. Он словно сбрасывал с них что-то прилипшее, противное, вязкое. За ним молча брел Юрий.

— Можно ли попросить у вас чаю? — тихим голосом осведомился Руслан. — Лучше всего зеленого, если нет — любой сойдет.

Я сорвалась со стула.

— Конечно, сейчас заварю, хотите перекусить? У нас, правда, ничего особенного, картошка и курица.

— Спасибо, — вежливо ответил Руслан, — меня бы вполне удовлетворила ложка овсяных хлопьев и кипяток.

Я ринулась к шкафчику, но была остановлена голосом Юрия:

— Тут ванна есть?

— По коридору налево.

Алкоголик, слегка пошатываясь, пошел в ванную, я включила чайник, дождалась, пока со дна вверх побежали веселые пузырьки, взяла в руки коробочку с зеленым чаем...

— Что вы делаете? — неожиданно спросил Русик.

— Хочу налить кипяток.

— Ни в коем случае.

— Почему?

— Разрешите, я объясню, как обращаться с зеленым чаем?

Я отошла в сторону.

— Сделайте одолжение.

Руслан выключил чайник, потом осторожно отсыпал часть заварки назад в коробочку и аккуратно залил скрученные листочки слегка остывшей водой. Губы его шевелились, словно парень молился.

— Кипяток мгновенно убивает зеленый чай, — пояснил он, — температура воды не должна быть выше девяноста градусов, но и холодную брать не следует.

— Мне придется держать на кухне термометр, — хихикнула я.

Русик очень серьезно ответил:

— Нет, вполне достаточно вскипятить воду, оставить на минуту, а потом лить в заварку. И еще, зеленый чай должен настаиваться не менее десяти минут, чем дольше, тем лучше. Это не черный, байховый сорт. У китайцев есть поговорка, которая в вольном переводе звучит так: свежезаваренный чай — лекарство, простоявший два часа — подобен укусу ядовитой змеи. Зеленый чай чем больше стоит, тем лучше делается, максимальной концентрации полезные вещества в нем достигают на следующее утро после приготовления. Те же китайцы говорят: «Зеленый чай, выпитый через двенадцать часов после того, как вода и лист поженились, похож на поцелуй любимой девушки».

— Но он же будет горьким! — воскликнула я.

— Его следует заваривать не водой, а молоком, — пояснил Русик, осторожно накрывая маленький чайничек блюдцем.

— Вот крышечка лежит, — подсказала я, думая, что он не заметил ее.

— В ней маленькая дырочка.

— Это специально, чтобы пар выходил.

— Понимаю, — кивнул Руслан, — но горячий воздух вырывается еще и через носик, поэтому вместо крышки лучше положить плоскую тарелку, иначе напиток потеряет свою полезность.

— И потом укутать чайничек.

— Ни в коем случае, — покачал головой парень, — сразу убьете чай. Заваривание чая — сложная процедура, с которой европейцы практически незнакомы.

И он снова зашевелил губами.

— Вы молитесь? — не выдержала я.

Руслан улыбнулся.

— Не совсем. Китайцы уверены, что у каждой вещи есть душа. У камня, у цветка, у куска хлеба. Если хочешь, чтобы еда пошла впрок, поговори с душой, ну, допустим так:

— «Душа чая, улыбнись мне и помоги». Попробуйте, через пару дней убедитесь, что еда стала вкусней, а если сказать: «Душа платья, укрась меня», то любая одежда станет просто изумительно сидеть на вас.

Я постаралась сдержать улыбку, похоже, парень сильно с левой резьбой. Значит, натягивая лодочки, следует присюсюкивать: «Душа туфелек, не натри мне ноги!»?

Руслан взял протянутую мной пачку овсянки, насыпал в пиалу ложку хлопьев, залил кипятком и начал есть «обед» без соли и сахара. Ну, если он всегда питается таким образом, то тогда понятно, отчего парень похож на высохшую щепку.

— Юрий сейчас придет трезвым, — пояснил Руслан, — но я не могу избавить его от алкоголизма сразу, следует провести около десяти сеансов.

— Я буду его возить, только скажите, куда и к какому часу.

— Занятия должны проходить регулярно.

— Понимаю, не волнуйтесь, я пригоню мужика пинками, не захочет идти — принесу.

— Нет, — покачал головой Русик, — Юрий должен идти сам, трезвым, имея твердое желание изба-

виться от алкогольной зависимости, если тащить его
насильно, толку не будет. Я попытался ему сегодня
объяснить, что его ждет впереди, если не остановится, но, похоже, Юрий не слишком испугался. Его
душа спит, надеюсь, пока еще не мертвым сном, но
он уже на пороге...

— Чего? — испугалась я.

— Исчезновения личности, — пояснил Русик, —
в жизни каждого алкоголика наступает такой момент, когда его душа, испугавшись, покидает тело.

— И человек умирает?

— Нет, — пожал плечами Руслан, — живет дальше, существует, словно пустой кувшин, тело тут, а
духа давно нет. Такой индивидуум обречен, но фи-
зическая смерть может наступить и через несколько
лет. Все зависит от того, какая мера наказания опре-
делена вам.

— Мне?!

— Ну да, если в семье имеется пьяница, это крест,
посланный его жене, матери или детям за их прегре-
шения. Поэтому никогда не следует ругать пьющего,
посмотрите на себя, исправьте собственные ошибки.
Никогда не задумывались, отчего некоторых алкоголиков лечат, лечат, а все без толку?

— Ну, лекарства такого нет!

— Просто нужно сначала исправить себя, —
резко заявил Русик, — избавиться от пороков, иску-
пить собственные грехи, тогда и муж в чувство придет. Впрочем, иногда у пьяницы хватает сил побе-
дить недуг, тогда он спасает семью сам. Пьянство —
сложная тема. Извините, мне пора.

Я схватила ключи от машины. Из ванной доносился плеск воды. Похоже, Юрий и впрямь волшебным образом протрезвел.

— Куда вас везти?

— В центр, в клуб «Страна здоровья», я покажу
дорогу.

От удивления у меня выпала из рук связка ключей.

— Куда?

— Есть такой фитнес-центр «Страна здоровья», — спокойно пояснил Русик.

— Вы там работаете?

— Да, массажистом.

Тут только до меня дошло, где я видела парня раньше. В самую первую смену мне велели вымыть кабинет массажа, вот там я и наткнулась на Русика, потом просто не узнала его. В «Стране здоровья» все служащие ходят в форме. Впрочем, Руслан тоже не понял, что перед ним уборщица из клуба, да и немудрено, мы столкнулись всего один раз. Увидав, что я втаскиваю в его кабинет ведро и швабру, Руслан улыбнулся и вышел, вот и все свидание.

— Зачем же вам работать массажистом? — воскликнула я.

— За зарплату, — пояснил он, — правда, мне мало надо, но, к сожалению, даже овсянку в магазине бесплатно не дадут. Я хороший массажист, знаю разные способы воздействия и вполне способен избавить женщин от целлюлита, а мужчин от «пивного живота». В фитнес-клубе в основном просят об этих услугах.

— Но вы могли бы озолотиться, плати вам пациенты!

Русик покачал головой.

— Нельзя брать деньги за исцеление, вот избавление от складок жира — платная услуга, понимаете?

На всякий случай я кивнула, хотя не очень-то поняла, отчего за мануальное воздействие на точки нельзя брать деньги, а за поглаживание и поколачивание можно, но Руслан мыслил не так, как обычные люди.

Я довезла его до «Страны здоровья» и поехала в Алябьево.

Значит, Родион давнишний приятель Руслана, а таинственная Полина — девушка, в которую целитель когда-то был влюблен. Чем больше я думала о Русике, тем яснее понимала: он в этой истории должен быть ни при чем, не может такой человек быть замешан в убийстве. Но почему тогда Родион позвонил ему сразу перед смертью несчастного Олега Сергеевича?

Голова просто шла кругом. Неожиданно я разозлилась. Абсолютно уверена, что Игоря Грачева убил Родион, он же отправил на тот свет Нестеренко, Потапова и Козанину. Но, во-первых, нет никаких доказательств, а во-вторых, совсем не ясно, зачем тренеру убивать несчастных.

Так и не додумавшись ни до чего, я доехала до Алябьева и обнаружила тихого Юрия, мрачно пившего чай на веранде, перед ним стояла бутылочка лосьона «Огуречный», пустая. Все недовольство собой, все испытанное отчаянье и бессилие от глупого, не принесшего никакого успеха расследования, вылилось в моем гневном крике:

— Юрий! Ты выпил средство для очистки лица!

— Не вой, — бросил мужик, нагло щурясь, — голова болит, поправиться захотел. Вы че, водки про запас не держите?

— Нет! — заорала я. — У нас никто не пьет!

— Вот бедняги, — покачал головой алкоголик, — как же вы отдыхаете?

Я замолчала. Ну какой смысл объяснять такому про существование театра, кино, книг и консерватории. В конце концов можно смотреть телевизор, слушать радио, играть в настольные игры, делать ремонт в квартире, выпиливать лобзиком, чинить ботинки. Может, Руслан прав и Юрий послан своей семье за грехи? Тогда при чем тут я?

— Если увижу у тебя в руках спиртное, — прошипела я, — имей в виду...

— Что? — нагло ухмыльнулся мужик.

— Ну...

— Что?

Я вновь замолчала. Действительно, что? Выгнать на улицу погорельца, пусть даже бесшабашного пьяницу, у меня никогда не хватит окаянства.

— Не злись, — фыркнул дядька, — печенка лопнет.

Вымолвив последнюю фразу, он пошел было наверх, но я крикнула ему в спину:

— Если еще раз приложишься к бутылке, Руслан не станет тебе помогать.

— Этта кто? — обернулся Юрий.

— Доктор, который днем вывел тебя из запоя. Приди в себя, поспи, поешь, завтра к нему опять поедем.

— Зачем?

— Лечиться. Руслан великолепный специалист, мигом про спиртное забудешь.

— Я не алкоголик, — насупился Юрий, — просто выпиваю иногда, для поправки здоровья.

— Вот и перестанешь!

— Не хочу.

— Как?

— Очень просто, не желаю, мне и так хорошо, — заявил отец Магды и потопал по лестнице.

Скрипнув зубами, я села у стола. Ну и ну! Вот это экземпляр. Нет уж, больше не стану ничего предпринимать, насильно к ангелам не тянут! Неожиданно в голове всплыл не слишком аппетитный анекдот, недавно рассказанный Костиным. Две крысы, мать и сын, плывут в трубе канализации. Грязные, мокрые, тощие. Нашли какой-то островок, вылезли на него, встряхнулись, прижались друг к другу... Вдруг прямо у них над головой промелькнула летучая мышь.

— Мамочка, — кричит крыса-ребенок, — это кто?

— Тише, сыночек, — отвечает мать, — ангел пролетел.

Так что в конечном счете все зависит от точки отсчета. Для грызунов, живущих в коллекторе, летучая мышь — ангел, а для Юрия бутылка — любимая подруга.

Со двора понеслось хихиканье.

— Давай ногу поднимай, — крикнула Лизавета.

— Ща упаду, — звонким голосом возвестила Магда.

Через секунду девочки вошли на веранду. Вернее, вошла Лиза, а Магда, еле-еле перебирая ногами, обутыми в розовые ботинки с роликами, карабкалась по ступенькам, ведущим в дом.

— Понравились ролики? — обрадовалась я.

— Такие классные, — в полном восторге затараторила Магда, — суперские.

— Я очень рада, честно говоря, боялась, не подойдут.

— А при чем тут ты? — удивилась Лизавета.

— Ну я покупала ролики без Магды без примерки...

— Ты покупала?!

— Да, кто же еще?

— Я, — протянула Лизавета, — ролики Магде подарила я.

— Ты?

— Ага, — кивнула Лиза, — с утра съездила до Солнцева и купила в универмаге.

Пока я, хлопая глазами, слушала Лизавету, Магда сняла ботинки, прошла к себе в спальню и выскочила с воплем:

— Тут еще одни ролики!!!

— Вот здорово! — Я постаралась исправить идиотскую ситуацию. — Две пары! Такого ни у кого нет. В понедельник, среду и пятницу будешь кататься в одних, в четверг, субботу и воскресенье в других!

Лизавета покраснела.

— Вечно ты, Лампудель, всем удовольствие портишь идиотскими поступками.

Я хотела возмутиться, но тут из сада долетел вопль:

— Эй, Магда, выгляни в окошко, дам тебе горошка.

Мы высунулись наружу. На дорожке, под цветущим жасмином, стоял улыбающийся Кирюшка, в руках он держал коробку.

— На, — сказал мальчик и протянул Магде картонный ящик.

— Спасибо, — растерянно ответила та, разглядывая еще одни ролики.

— Надевай живо, — велел Кирюша, — ща учиться станем. Фу, устал, прямо весь город исколесил, нигде нужного размера нет. Больших сколько угодно, а маленькие как корова языком слизала. Взял тридцать седьмой, на носок сойдут. Чего молчите? Не нравятся?

— У нее уже есть ролики, — сердито ответила Лиза.

— Откуда? — подскочил Кирюшка. — Где взяла?

— Ей Лампа купила! — заявила Лизавета.

— Вот, — огорчился Кирюшка, — всегда так! Весь день угробил, мотался, а Лампудель кайф сломала!

— Но ведь я не знала о ваших планах, — попыталась отбиться я.

Кирилл вбежал на веранду.

— Елки-палки! — воскликнул он. — Зачем ты две пары приперла?

— Эти от Лизы!

— И что теперь делать станем?

— Одни можно Оле Балакотовой на день рождения отдать, — заявила практичная Лизавета, — все равно подарок покупать придется.

— Ага, — забубнил Кирюшка, — а мои, значит, выкинуть?

— Точно. — Лиза не упустила момента поддеть его.

Мне стало жаль мальчика.

— Очень хорошо, что ты принес ролики, я целый год о таких мечтала.

— Ты? — хором вскинулись дети.

— Именно, давно думала купить, буду на них за хлебом бегать, быстро и удобно.

— Вот что, Лампа, — оживился Кирюшка, — надевай, ща будем учиться.

Тут только до меня дошло, какой капкан я поставила сама на себя.

— Уже поздно, потом, завтра.

— Нет, сейчас, — вцепились в меня дети.

Не успела я и охнуть, как Кирюшка зашнуровал на мне ботинки и вздохнул:

— Эх, нету наколенников, упадет ведь, расшибется.

— Правильно, — обрадовалась я, — завтра куплю амуницию, и начнем.

— Давай ей на колени нацепим чашечки от купальника, — затараторила Лиза, — запихнем туда вату и привяжем к ногам.

— А голова? Шлема нет, — пискнула Магда.

— Да, — сморщился Кирюшка, — голова у Лампы слабое место, ее обязательно беречь надо! Придумал! На чердаке ушанка лежит, ща принесу!

— Ни за что не надену зимнюю шапку в июне, — я попыталась было возразить, но мое слабое сопротивление было задавлено в зародыше.

ГЛАВА 29

Через десять минут меня, обутую в ролики, в ушанке и с привязанными к ногам чашечками от купальника, вытащили на дорогу.

— Давай, отталкивайся, — велел Кирюшка.

Я попыталась выполнить приказ, но тут же поняла, что ноги больше не принадлежат мне. Они разъезжались в разные стороны, и, похоже, в теле сместился центр тяжести, потому что голова, став неожиданно слишком тяжелой, перетягивала тело вперед. Дети принялись раздавать указания.

— Выпрямись.

— Втяни живот.

— Убери попу.

— Соедини ноги.

— Не так! Толкайся!

— Не так! Скользи!

— Не так! Стой!

— Не так! Ты на коньках никогда не каталась?

— Нет, — честно призналась я, — ни разу в жизни.

— Чего же зимой делала? — удивился Кирюшка.

Я уцепилась за Лизу.

— Все времена года я проводила одинаково, играла на арфе и складывала мозаику.

— У тебя было страшное детство, — ужаснулся Кирюшка, — небось мечтала о роликах!

— Нет, ни минуты, мне нравилось возиться с картинками.

— Только не ври, — заявила Лизавета, — это занятие никому не может прийтись по душе. Ладно, радуйся теперь, что у тебя есть мы, которые способны воплотить мечту в жизнь. Давай, начали!

«Господи, избави нас от тех, кто хочет одарить нас своими мечтами», — пронеслось в моей голове, и это была последняя связная мысль, потому что дети поволокли меня вперед, приговаривая:

— Не горюй, научишься.

Пару раз мимо проезжали машины. Увидав издали группу подростков, водители осторожно притормаживали, в нашем поселке все стараются демонстрировать хорошее воспитание, но, поравнявшись с нами, шоферы мигом давили на газ. А вы как бы поступили, увидав на проезжей части светлым, душным, безветренным июньским вечером потную, красную тетку в армейской ушанке со звездочкой на отвороте, с привязанными к коленям клоками торчащей в разные стороны ваты. Тетку тащит орда тинейджеров, азартно выкрикивая:

— Живее, шевелись, не умирай, дома скончаешься, правой, левой...

Я бы точно хотела оказаться от места происшествия как можно дальше.

— Так не пойдет, — утер пот Кирюшка, — мы ее катим, а надо, чтобы Лампа сама ногами работала.

— Как ее заставить, ума не приложу, — вздохнула Лиза, — трусливая она очень.

— Знаешь, как плавать учат? — оживился мальчик. — Бросают в воду, и человек от страха начинает руками-ногами бултыхать.

— Тут воды нет, — некстати высказалась Магда, — и потом, Лампа в роликах утонет, они тяжелые!

Кирюшка постучал указательным пальцем по лбу.

— Ты совсем ку-ку! Мы ж ее не плавать учим, хотя... Эй, Лампудель, на воде держаться умеешь?

— Нет, — в ужасе пискнула я, — даже не пытайся, сразу камнем на дно пойду!

— Дожить до старости и не научиться плавать! — возмутилась Лиза.

— Я совсем не старая!

— Но и не молодая! Тебя не водили в детстве в бассейн? — заинтересовалась Лиза.

— Нет!

— Почему?

— Мама боялась, что я получу воспаление среднего уха, — сказала я чистую правду.

Лизавета захохотала.

— А на ночь тебя укутывали в вату и укладывали в коробку.

— Придумал! — заорал Кирюшка. — Ща зашевелит ногами!

Я напряглась: что еще падет на мою бедную голову, вспотевшую под ушанкой?

— Стой тут, — приказал Кирилл, — слушай, сейчас покатишься, растопырь руки в стороны, ноги держи параллельно, слегка присядь, не сгибай спину, задери подбородок, а главное — ничего не бойся, все будет в шоколаде, не трусь. Как только почувствуешь, что останавливаешься, начинай ногами отталкиваться.

— С чего бы ей катиться? — заинтересовалась Лиза.

— А меня так Вадик научил, — радостно воскликнул Кирюша, — вот на этой самой горке пнул под зад, я и понесся вниз, видишь, тут дорога под уклон идет, живо научился равновесие держать. В случае чего, там, внизу, магазин стоит, она налетит на него и остановится.

— Не делай этого! — хотела закричать я, но из горла отчего-то вырвался лишь тихий стон, и ситуация стала развиваться без моего участия.

Горя желанием побыстрей научить неподатливую особь, Кирюша толкнул меня в спину.

— Руки расставь, — послышалось сзади.

Я попыталась присесть, но ничего не вышло. Дорога со страшной скоростью летела навстречу, я заорала от ужаса, но, сами понимаете, вопль не помог. Тело качалось, ноги выскакивали вперед; потом, наоборот, отчего-то они уехали назад, голову потянуло вниз. Понимая, что сейчас на полной скорости шмякнусь о дорогу и меня от перелома основания черепа не спасет никакая ушанка, я попыталась удержать лоб на одной линии с ногами, неожиданно маневр удался, но притормозить не смогла. Я сначала закрыла глаза, потом открыла и внезапно увидела перед собой дверь нашего деревенского магазина, тут я инстинктивно выставила руки вперед, чтобы смягчить удар...

Хлоп! Дверь открылась, я влетела в довольно тесное пространство, стукнулась о прилавок, шлепнулась на пол и перевела дух. Жива! Не может быть! Очевидно, я имею очень авторитетного ангела-хранителя, другой бы ни за что не упросил господа оставить меня на этом свете. Бац! Сверху на мою голову упала большая, трехлитровая банка, набитая леденцами. Через секунду меня покрыл ковер из конфет в ярких фантиках и мелких, почти невидимых осколков.

Я стряхнула с себя сладости и огляделась. У стены испуганно жались Ванда, та самая, забывшая своего младенца у соседей на втором этаже, Света, ее подруга, продавщица, и Нина Ивановна Замощина. Последняя быстрее всех пришла в себя и заголосила:

— Бог мой! Ты расшиблась!

Я попыталась собрать лежащие будто отдельно от тела нижние конечности в кучу.

— Нет, я абсолютно цела.

— Господи, что у тебя на ногах! — не успокаивалась Нина Ивановна.

— Ролики, — отреченно ответила я.

Ну отчего мне вечно везет со знаком минус? Уже довольно поздно, основная часть населения дачного поселка спокойно сидит у телевизоров, в магазине должно быть пусто. И, катись с горки на коньках, ну, допустим, Надя Илловайская с третьей дачи, в лавоч-

ке тосковала бы одна продавщица, но поскольку это
я, то у прилавка оказался не кто иной, как главная
сплетница Нина Ивановна, и завтра, нет, уже сегодня, через час, все станут со смаком обсуждать дочь по-
койного генерала Романова, которая совсем сошла с
ума, нацепила в июне солдатскую ушанку...

— А почему у тебя на голове ушанка? — мигом
спросила Замощина.

— Темечко мерзнет, — рявкнула я.

— Летом?

— Да, лысею потихоньку.

— Боже мой! — закатила глаза Нина Ивановна. —
Видела бы тебя сейчас покойная матушка... Думается, ей бы стало плохо.

Да уж, скорей всего мама бы схватилась за сердце и слабым голосом пробормотала: «Доченька, умоляю, больше никогда не совершай подобных поступ-
ков, иначе я просто умру».

Мама всегда пугала меня своей близкой смертью, если я, по ее мнению, поступала неправильно.
Это был последний аргумент во всех спорах. Стоило
услышать фразу: «Фросенька, как же ты станешь жить
одна», как у меня мигом пропадало желание стоять
на своем — я очень любила маму.

— Ты жива? — завопил Кирюшка, вбегая в магазин. — Я видел, как ты летела с горы! Жаль, мы не догадались видеокамеру включить.

— Можно опять затащить ее наверх и столк-
нуть, — проговорила запыхавшаяся Лиза.

— Точняк, — обрадовался Кирюшка. — Магда,
дуй на дачу, открой шкаф в гостиной, там лежит «Сам-
сунг»...

— Ну уж нет, — возразила я, — на сегодня хватит, и потом, на улице уже темнеет.

— Почему ты вся в конфетах и осколках? — тихо
спросила Магдалена.

— Банка на голову упала и разбилась, — пояснила я, — а в ней лежали леденцы.

— Да, — протянул Кирюша, — шапку можно было
и не надевать.

. — Ты так считаешь? — спросила я, кряхтя и вставая на подгибающиеся ноги.

— Ага, — подтвердил мальчик, — если вот эта здоровенная дура из толстенного стекла, упав на твою башку в ушанке, все-таки развалилась, значит...

Кирюшка замолчал и обвел всех взглядом.

— Значит что? — заинтересовалась Лизавета.

— ...У Лампы черепушка свинцовая, — как ни в чем не бывало договорил мальчик, — упади она на асфальт с голой головой, трагедии не случится. Ну дырку в дороге пробьет.

— Нельзя сказать про голову «голая», — вмешалась я.

— Запросто!

— Нет, никто не употребляет это прилагательное по отношению к этому существительному.

— А я считаю наоборот, — не сдался Кирюша.

В этот момент мои ноги разъехались в разные стороны, чтобы удержаться, я попыталась уцепиться за прилавок, но земное притяжение оказалось сильней, и через секунду я, падая, стукнулась лбом о стекло, за которым лежали куски сыра, завернутые в пленку, стояли йогурты и громоздились пакеты с молоком, кефиром и ряженкой.

Раздался немелодичный звук, на пол хлынул поток осколков.

— Ну Лампудель, — восхитился Кирюшка, — ты прямо Терминатор с железной головой, бац — и всех убила.

— Ой, мамочки, — запричитала продавщица, — Ахмет ругаться будет.

— Это кто такой? — сразу спросила Нина Ивановна.

— Хозяин, ему точка принадлежит.

— Чеченец? — нахмурилась Замощина. — Вот не знала, чей магазинчик, больше сюда не приду.

— Почему? — удивилась Лизавета.

— Не хочу поощрять террористов, — ответила Нина Ивановна.

— Так не все же чеченцы плохие, — взвилась Лиза.

— Все, — безапелляционно заявила Замощина.

Кирюша раскрыл было рот, но я, испугавшись, что спор на национальную тему заведет нас очень далеко, быстро сказала:

— За стекло я заплачу, не волнуйтесь. Ну-ка, помогите встать, ноги скользят.

Нина Ивановна сдернула с моей головы шапку и заявила:

— Волосы у тебя и впрямь редеют, скоро облысеешь!

Стараясь сохранить самообладание, я, опираясь на Лизавету, поковыляла к выходу. Ноги тряслись, руки дрожали, ныла ушибленная спина, и слегка тошнило.

— Купи репейное масло, — не успокаивалась Замощина, — помогает от облысения.

И тут случилось невероятное. Сжав крохотные ладошки в кулачки, Магда заявила:

— Сама свое репейное масло пей, жаба бородавчатая, у Лампы волос на пять собак хватит!

Повисло изумленное молчание, в полнейшей тишине мы выскользнули за дверь, прошли несколько метров, и тут ожил Кирюшка:

— Ну, Магда, ну, выступила! Жаба бородавчатая!

— Как у нее челюсть отвисла, — закатилась в хохоте Лиза. — Ой, сейчас умру.

— Репейное масло не пьют, им мажут голову. — Я решила заняться просветительством Магды.

Но дети не слушали меня.

— Волос хватит на пять собак, — умирал, сгибаясь пополам, Кирюшка. — Ну представьте: идут шавки и у всех блондинистые ежики, как у Лампуделя! Знаешь, Магда, а ты ничего, когда из себя гордость родителей корчить устаешь.

Дойдя до дома, я юркнула в ванну и погрузилась в теплую воду. Гора белой пены возвышалась над водой, все мысли покинули меня. Полежав минут двадцать, я стала вылезать, но, очевидно, сегодня был не мой день. Поскользнувшись, я рухнула назад, в воду, ударившись головой о край ванны. Пришлось, чертыхаясь и отплевываясь, повторить попытку. Уже моя за собой ванну, я обнаружила на том месте, куда попала при падении моя голова, небольшой скол на эмали. Пальцы выронили щетку. Может, Кирюшка прав и моя черепушка в самом деле из чугуна? Иначе почему я перебила столько стекла, испортила эмаль и не могу придумать ничего конструктивного в отношении Родиона?

На следующий день неожиданно резко похолодало и полил дождь, противный, нудный. Над Москвой нависли серые, мрачные тучи, страшно хотелось спать. Проклиная детективные расследования, я выползла из-под уютного одеяла и стала собираться на работу в клуб. Только сейчас я поняла, как мне повезло, а ведь некоторые люди всю жизнь встают в шесть утра, чтобы успеть на службу. Вот бедняги, представляю, как им тяжело поздней осенью и зимой: кругом темнота, холод, слякоть, а ты бредешь, нога за ногу, к метро, чувствуя себя самым несчастным существом на свете.

Натянув джинсы, я шепотом приказала собакам:

— Эй, пошли гулять!

Но никто из членов стаи не выказал готовности к любимым прогулкам. Из кровати доносилось мерное сопение, мопсихи дремали, замотавшись в одеяло. Я толкнула Мульену:

— Вставай.

Собачка открыла большие карие глаза, зевнула и вновь смежила веки. Весь ее вид говорил: «Отвяжись, бо.. ради. Мне очень хорошо в теплом гнездышке, я не имею ни малейшего желания шлепать лапами по лужам».

Решив оставить собак в покое, я прилепила на холодильник записку: «Мы не писали» — и пошла в гараж.

Весь день я шлялась по клубу, не зная, что придумать. Родиона не было, очевидно, он взял выходной, в кабинете массажа работал незнакомый светловолосый парень. От тоски я слишком тщательно вымыла лестницу, за что получила от дежурного ад-

министратора благосклонный кивок, а еще потом
одна из клиенток послала меня в аптеку за проклад-
ками. Получив пухлый пакет, дама небрежным жес-
том протянула мне пятидесятидолларовую купюру.
Решив, что она ошиблась, я не стала брать деньги, а
тихо сказала:

— Тут полсотни.

— Мало тебе? — скривилась клиентка.

— Наоборот, слишком много, все дают по десять
долларов...

— Я не все, — отрезала тетка, — я Эльвира Райн!
Слышала мое имя?

Я быстро кивнула и соврала:

— Конечно.

— Тогда бери баксы и уматывай.

Я сунула зеленую купюру в карман, а потом
спросила у другой уборщицы, мывшей туалет:

— Кто такая Эльвира Райн?

— Дура с деньгами, — последовал ответ.

Не успели мы посудачить на интересную тему,
как дверь в туалет распахнулась и появилась дежурная.

— Опять лясы точите, — зашипела она и уперла
в меня палец с ярко-красным ногтем, — давно за
тобой слежу, постоянно сачкуешь! А ну, марш на
первый этаж, в баню, комната двенадцать, быстро!
Вымыть и вылизать!

Отчаянно зевая, я спустилась вниз и обнаружила
в небольшом помещении кучу грязи. В предбанни-
ке, на маленьком столике, высились пустые водо-
чные бутылки, на полу в беспорядке валялись ском-
канные халаты и полотенца. Я собрала белье в мешок,
отнесла в прачечную, выволокла мусор и решила проверить, что творится в парной.

Но в маленькой, донельзя жаркой комнатке оказалось чисто, только на деревянной полке сиротливо
лежала белая простынка. Я хотела уже выскочить, но
тут послышался капризный голосок:

— И что, помогло?

— Сама видишь, — ответила другая женщина.

— Господи, как он мне надоел, чертов пузан!

— Так в чем дело?

— Хорошо тебе, Алика, — зачастил голосок, — а я решиться не могу.

— Эля, слушай меня!

Я осторожно глянула в щелочку. Возле стола сидели Эльвира Райн и темноволосая молодая женщина.

— Разве я когда подводила тебя? — спросила последняя.

— Нет, — вздохнула Эльвира, — нет, Алика.

— Мы вместе со школьных лет, — продолжала Алика, — кто тебе списывать давал?

— Ты.

— Кто на работу пристроил?

— Ты.

— Кто жениха нашел?

— Ну ты.

— Кто научил, как за Райна замуж выйти?

— Опять ты.

— Вот видишь! Ты хотела денег и получила их.

— Вместе с пузаном!

— Так теперь избавься от него! Я уже опробовала методику, Олега нет, хозяйкой всему я осталась.

— Боюсь.

— Чего?

— Не знаю... поймают...

— Кто?!

— Милиция!

Алика хрипло рассмеялась.

— О боже! Совсем сдурела! Во-первых, менты за деньги любое дело прикроют, это раз, во-вторых, Родион проделывает все просто гениально, ни у кого никаких сомнений даже не возникает. Вот у Олега, например, случился серьезный приступ.

Я стояла у щелки, боясь пошевелиться, чувствуя, как невыносимая жара окутывает тело, а воздух раскаленным ножом врезается в нос.

— Все равно страшно, — ныла Эльвира.

— Ну и живи с пузаном до самой смерти, — обозлилась Алика, — надоела ты мне, право слово, тащу тебя на себе, словно гирю. Богатого мужа нашла, загс организовала, теперь объясняю, как стать счастливой вдовой! Тебе пятьдесят тысяч баксов жаль?

— Нет, конечно, — причитала Эльвира, — разве это деньги? У пузана в одной Швейцарии пара миллионов спрятана.

— Тогда давай действуй.

— Никто ничего не узнает?

— Стопроцентно.

— Ладно, — сдалась Эльвира, — что надо делать-то?

— Пиши телефон: восемь — сто тридцать два — ... это мобильный. Скажешь, я дала, дальше он объяснит.

— Я боюсь, — всхлипнула госпожа Райн, — может, ты за меня договоришься?

— Ну уж нет, дорогуша, — обозлилась Алика, — всю жизнь за тебя каштаны из огня таскаю! Нет уж, тут придется действовать самой, хоть я Родиона предупредила.

— Хорошо, — прошептала Эльвира, — как скажешь!

— Вот и умница, а теперь пошли в баньку, давай, раздевайся, я тебе массажик сделаю.

— Ненавижу пузана и всех мужиков, — заплакала Эльвира.

— И я тоже, — хмыкнула Алика, — только как нам с тобой было денег добыть, ну, не реви, представь будущую жизнь: мы вместе, богатые, без мужей.

С этими словами восточная красавица стянула с себя маечку, на свет показалась безупречной формы грудь.

Я в ужасе отшатнулась от двери. Они сейчас сюда войдут, что делать? Взгляд упал на забытую кем-то простыню.

В одно мгновение я сорвала с себя одежду, скомкала ее в узел, замоталась в белую ткань, пристроила узел на животе и легла на полку.

Дверь без скрипа распахнулась.

— Ой, — взвизгнула Эльвира, — вы кто?

Я села и потрясла головой.

— Что? Где? Мама, который час?

— Восемнадцать ноль-ноль, — ответила Алика, — мы сняли баню с шести до восьми вечера.

— Бога ради, простите, — затараторила я, бочком пробираясь к выходу, — я устала и заснула. Такая расслабуха! Должна была в пять тридцать уйти!

Алика улыбнулась.

— Бывает, но в бане спать вредно, тем более беременным.

— Ага, точно, спасибо, я больше никогда, — частила я, выскакивая в предбанник, держа одной рукой на животе тюк с одеждой, — приятного отдыха! Спасибо, что разбудили. Надо же, так крепко дрыхла, ни звука не слышала, кабы не вы — угорела бы до смерти.

Алика и Эльвира устроились на полках. Я, потная, красная, дрожащими руками натянула на себя форму и выпала в коридор, где была немедленно остановлена администратором.

— Где шляешься?

— Баню мыла.

— Ступай в раздевалку на третий этаж, к мужчинам. Там флакон с одеколоном разбили.

— Я? К мужчинам?

— Почему нет?

— Но они там голые!

— И чего?

— Как-то неудобно, и потом, они женщину стесняться станут!

Начальница прищурилась.

— Ты не баба, а метелка, заканчивай базар.

ГЛАВА 30

Я взлетела наверх, но вместо того, чтобы подобрать осколки, забилась в самый дальний угол коридора, села на стул возле вечно закрытого кабинета ароматерапевта, вытащила из кармана мобильный и набрала номер, врезавшийся в память.

— Алло, — ответил приятный баритон.

— Будьте любезны Родиона, — прочирикала я, стараясь сделать свой голос капризным.

— Слушаю.

— Ваш номер мне подсказала моя лучшая подруга, Алика Тахировна... Имеется небольшая проблема, требующая разрешения.

— Вы Эльвира Райн?

— А как вы догадались, голубчик? — абсолютно по-идиотски захихикала я.

— Сегодня в девять, площадь Курченко, дом шесть, кафе «Пеликан», — бросил Родион, — успеете?

— Постараюсь.

— Не опаздывайте.

— Ну-ну, не надо злиться раньше времени, — продолжала ломаться я, — если дама чуть задерживается, это естественно.

— У нас не любовное свидание, — отчеканил Родион, — деловая встреча, мне недосуг в потолок плевать, опоздаете — пеняйте на себя, уйду сразу.

— Ах, какой сердитый мальчик, — ломалась я, — уговорил, приеду в девять.

Из трубки понеслись гудки. Бросив у стены ведро и швабру, я побежала было вниз, переодеваться, но внезапно остановилась. Родион назначил удобное время, мне нечего опасаться. Алика и Эльвира до восьми просидят в бане, потом медленно оденутся, попьют чаю, скорей всего, заглянут в кафе, Эльвира не станет в это время звонить Родиону, я успею поболтать с тренером и исчезнуть.

Так, теперь срочно нужен диктофон, впрочем, это легкоразрешимая задача. Возле метро есть большой магазин «М-видео», и в кошельке у меня греется пятидесятидолларовая купюра, полученная от Эльвиры Райн, уж небось на прилавках найдется записывающий аппарат за эту цену.

Я ринулась в раздевалку. Плевать на службу, я больше не приду сюда, потому что через пару часов узнаю абсолютно все и получу доказательства. Напевая от радости, я вытащила из шкафчика джинсы, тоненькую, старенькую водолазку и замерла. Вот, черт, как же я собираюсь изображать богатую и капризную даму Эльвиру Райн в таких шмотках? Джинсы раньше носила Лиза, они довольно сильно потерлись, впрочем, сейчас это очень модно, только мои брючки стали такими от старости, на новых проплешины выглядят по-иному. Родион, постоянно имеющий перед глазами обеспеченных баб, мигом сообразит, что к чему, да еще свитерок потерял всякий вид. Что же делать? Купить себе новые шмотки? Но таких денег у меня нет. Впрочем, есть в моем гардеробе пара недурственных вещичек, приобретенных «на выход», в частности, великолепный брючный костюм, только времени катить на городскую квартиру и переодеваться у меня совершенно нет!

Я подошла к окну и глянула на улицу. Что прикажете делать? Сказать Родиону с наглой усмешкой:

— Не обращайте внимания, дружочек, на мою одежду, ради конспирации я взяла ее у домработницы?

Не поверит и будет прав, вряд ли Эльвира Райн способна на столь героический поступок.

И надо же было сегодня нагрянуть похолоданию! Вчера на мне был сарафанчик из льна, который запросто мог сойти за вещь из бутика!

Взор упал на молодую даму, осторожно переходившую дорогу. Вот уж кто одет как надо. Элегантный светло-бордовый костюм с длинной, в пол, юбкой, маленькая круглая шапочка-таблетка с достаточно густой вуалью, в руках дорогая спортивная сумка. Девица явно шла в клуб полировать бока. Внезапно меня осенило, я со скоростью борзой понеслась к рецепшен. Успела как раз вовремя.

— Дайте мне сорок пятый шкафчик на втором этаже, — прощебетала дама в «вуали».

— Пожалуйста, — заулыбалась дежурная.

Я дождалась, пока бордовый костюм исчезнет за поворотом коридора, открыла висящий в укромном углу короб с запасными ключами, схватила ключ с биркой «45-2» и пошла наверх.

Через полчаса в чужом костюме, пахнущем дорогими незнакомыми духами, я выскользнула на улицу. В сорок пятом ящике остались лежать мои джинсы, свитерок и записка: «Извините, я не воровка, просто мне необходимо временно воспользоваться вашими вещами. Дело очень серьезное, речь идет о жизни и смерти. Надеюсь, вы не обидитесь. Думаю, мои джинсы вам подойдут. Завтра утром ваш костюм, выстиранный и выглаженный, будет лежать на месте».

Одна беда, у дамы оказался крошечный размер ноги, и мне пришлось остаться в кроссовках, к слову сказать, достаточно грязных.

В назначенное место я принеслась первой, вошла внутрь и задохнулась. Это был клуб, один из тех, где собираются подростки. Пластмассовые столики и крошечные стулья вдоль стен, посреди огромного зала прыгала толпа потных, разгоряченных разновозрастных детей. Шум стоял невозможный, люстр не было. Пространство освещалось узкими, разноцветными лучами прожекторов. Впрочем, над столиками горели тусклые бра, но толку от них практически не было. Желтые круги света падали лишь на липкие столешницы, лица сидящих тонули в тени. В клубе висел сигаретный смог, а, кроме запаха табака, в воздухе витал «аромат» пота, французского парфюма и чего-то сладко-въедливого, до жути противного. Я едва сдержала кашель.

Кое-как протолкавшись к свободному месту, я устроилась на жестком сиденье и привела диктофон в боевую готовность. Здесь стоял такой гам! Надеюсь, аппарат не подведет и запишет речь Родиона. Тут только до меня дошло, что мы не договорились об опознавательных знаках и каким образом парень предполагает найти меня? Я-то его знаю, но могу ли продемонстрировать это?

— Вы Эльвира? — раздалось сзади.

Я обернулась. За спиной стоял тренер.

— Да, как вы меня вычислили?

Инструктор улыбнулся:

— Очень просто, по одежде. В зале всего одна дама, одетая в эксклюзивный костюм от Ферре, остальные в дешевых шмотках.

— Ну и место для встречи вы нашли, — делано возмутилась я, незаметно включая диктофон, — просто ужас.

— Зато тут никому до нас дела нет, — спокойно парировал Родион, — одна половина присутствующих пьяна, другая под кайфом, а, думается, нам с вами огласка ни к чему. Алика Тахировна рассказывала мне о вашей проблеме. Сумму знаете?

— Пятьдесят тысяч? — прошептала я.

— Наличными, карточку не возьму.

— Хорошо.

— Задаток десять.

— За что? — возмутилась я.

— Не хотите — до свиданья.

— Но ведь не могу же я таскать с собой пачки долларов, тем более в такое место!

— Отдадите завтра, не беда.

— Ладно.

— Ваш муж занимается в клубе?

— Нет.

— Пусть запишется.

— Он не захочет!

— Заставьте.

— Как?

— Ваша проблема.

— Ну, предположим, мне это удастся, хотя будет трудно, — ломалась я. — И дальше что?

— Через полгода ситуация придет к логическому завершению.

— Так долго?! Мне надо завтра!

— Не получится.

— Почему?

— Вы же не хотите вызвать подозрения?

— Естественно.

— Тогда придется потерпеть.

— И как?

— Что?

— Ну как ситуация придет к логическому завершению?

— Сколько лет супругу?

— Уже не мальчик.

— Наверное, есть проблемы? Повышенное давление?

— У кого его нет?

— Инфаркт или инсульт. Никто не удивится.

— Только не инсульт! Еще останется парализованным, а я потом за ним остаток жизни ухаживай!

— Не волнуйтесь, проколов не случается.

— Точно?

— Стопроцентно. Давайте, уговаривайте мужа на занятия, и будем действовать.

— Он такой упорный, — протянула я, — вдруг категорически откажется? Можно ли будет мне помочь в этом случае?

— Попытаемся.

— А как?

Родион встал.

— Чего без толку базарить, сначала попробуйте абонемент в «Страну здоровья» для него достать, не удастся, решим проблему иным способом. Все. Звоните, когда контракт подпишет.

Понимая, что парень сейчас уйдет, я воскликнула:

— Эй, погодите, вы не спросили, как зовут моего супруга!

Родион улыбнулся открытой улыбкой.

— Полагаю, его фамилия Райн.

— Точно, как вы догадались? — Я вновь прикинулась кретинкой.

— Алика Тахировна сказала, — засмеялся убийца, — ладно, потом напишете для меня на бумажке его координаты, не тяните. В случае чего, звоните. Десять тысяч завтра, наличкой, здесь, в одиннадцать вечера. Не принесете — дела с вами иметь не стану никогда.

Спокойно сказав последнюю фразу, он исчез за дверью. Я перевела дух, посидела для уверенности минут десять в оглушающем шуме и выбралась наружу.

«Жигули», припаркованные в ближайшем дворе, мирно поджидали хозяйку. Я влезла в салон и включила диктофон. Раздался шум, гам, звуки музыки, потом голос: «Зато тут никому нет до нас дела».

Я чуть не зарыдала от радости. Удалось! Все, дело раскрыто, теперь остается самая малость — дождаться возвращения Вовки и изложить ему цепь моих умозаключений.

Я завела мотор и уже собралась ехать в Алябьево, но тут же сообразила, что делать этого нельзя. Стоит мне показаться в костюме на веранде, как Кирюшка и Лизавета налетят с дурацкими вопросами, выйдет из своей спальни Катя... Нет уж. Сейчас поеду на городскую квартиру, переоденусь... «Страна здоровья» работает круглосуточно, я, кстати говоря, сейчас должна шмыгать там тряпкой по полу. Положу бордовый костюм в пакет, оставлю на рецепшен.

Наша квартира встретила меня непривычной тишиной и застоявшимся воздухом. Открыв ключом дверь, я по привычке, чтобы сберечь одежду и колготки, выставила перед собой руку, ожидая нападения Мули и Ады, но из коридора никто не выскочил мне навстречу. Муля и Ада сейчас на даче. Я вошла в темную прихожую, зажгла свет и пробежала по комнатам. Вроде все более или менее в порядке, только повсюду разбросаны вещи. Надо выбрать время и убрать тут как следует.

У Лизы в комнате повсюду валялись пакеты, коробки и обрывки бумаги, Кирюшка забыл перед отъездом застелить кровать. Только у Магды был порядок. Софа накрыта идеально натянутым пледом, подушка стоит «домиком», и никакой одежды на спинке стула. Я машинально распахнула шкаф, куда наша гостья вешает платья. Магдалена не стала брать с собой на дачу много шмоток, впрочем, похоже, их у нее и нет. Пустые плечики покачивались в просторном гардеробе, в углу стояла коробка, я решила посмотреть, что в ней, приподняла крышку.

На папиросной бумаге лежали голубые джинсовые сапожки, те самые, очень модные нынешним летом, на высоком каблуке. Я очень хотела такие, только на плоской подошве.

Я уставилась на обувь. И где люди берут такие замечательные вещи? Модно, красиво... одним словом, кайф, ну почему мне ничего подобного в магазинах не попадается, а? Может, я смогу ходить на таких каблучищах?

Не в силах удержаться, я вытащила сапожки из коробки и попыталась их помернить. Естественно, они оказались мне малы, но если в один сапог нога худо-бедно вошла, то во второй я даже не сумела ее всунуть. Через секунду я поняла, внутри что-то лежит, мягкое, шелковистое, непонятное. Пальцы нащупали неизвестную вещицу и выдернули ее наружу. Из моей груди вырвался вздох удивления, в руке покачивался парик. Кудрявые белокурые волосы. На одной прядке сверкнула довольно большая заколка в виде розовой бабочки.

Я села на пол и уставилась на сапоги. Очень хорошо помню, как женщина, стрелявшая в Игоря, метнулась к метро. На ногах у нее были джинсовые сапоги на каблуках, белокурые кудрявые волосы подрагивали в такт бегу, одну прядь придерживала крупная, вульгарная заколка в виде бабочки. Значит, на убийце был парик! Но каким образом он оказался в шкафу у Магды? В сапожках? Чувствуя, что сердце сейчас просто выскочит наружу, я схватила коробку, запихала туда джинсовку, фальшивые волосы и пошла к машине. Надо немедленно ехать в Алябьево. Господи, я потратила столько времени, узнала, кто убил Нестеренко, Потапова, Козанину и считала, что Родион уничтожил Игоря Грачева. Но бог мой, как я фатально ошибалась! Все это время около нас жил человек, задумавший и осуществивший ужасное преступление. Магда!

В памяти мигом всплыло лицо девочки, злобно пинавшей плачущую мопсиху: «Заткнись, кретинка», вот когда она была настоящей! Ясно теперь, почему Клава так настаивала, чтобы Магдалена отправилась в деревню к родственникам. В отличие от меня мать сразу поняла, что совершила ее младшая дочь, и захотела спрятать девочку подальше. Мои руки вцепились в руль, хорошо еще, что основная масса автовладельцев разъехалась по домам и дорога была почти пустынной. Бедная Клава, представляю, какой стресс пережила несчастная женщина, когда ей открылась правда. Ну почему я решила, что убийцу следует искать в окружении Грачева, отчего не подумала, что киллер находится около Наты, вернее, киллерша. И ведь Магда обронила, что учится в спортивной школе, той, что окончила Ната, и тоже на отделении стрельбы. Нет бы мне насторожиться!

В обморочном состоянии я добралась до дачи, поднялась на веранду и увидела компанию детей, мирно играющих в «Скрэббл».

— Лампровецкий! — закричал Кирюшка. — Садись с нами.

— Извини, я устала, — пробормотала я.

— Нам уйти? — спросила Машка, внучка Нины Ивановны Замощиной.

— Нет-нет, сидите, просто я не хочу играть, — выдавила я из себя.

— У тебя голова болит? — повернулась Лиза.

— Нет.

— Ты сердишься на нас?

— Нет!!!

— Чего орешь тогда? — обиделась Лизавета. — Если устала, то мы ни при чем.

— Давайте налью вам чаю и поджарю картошку, — засуетилась Магда.

— Нет!!! Только не ты!

Кирюшка выронил фишки.

— Я все-таки пойду, — забормотала Машка, — поздно уже, бабушка ругаться станет.

— Ты че? — подскочил Кирюшка. — Заболела?

Магдалена, слегка побледнев, отступила в глубь кухни.

— Если вам противно брать от меня чашку, то не надо.

Я хотела взять себя в руки, но не получилось.

— Да, я не желаю есть с тобой за одним столом!

— А че она сделала? — вытаращился Кирюшка.

Внезапно меня осенило:

— Соврала про колдунью. Никуда не ходила, придумала про лекарство от алкоголизма, я была во Внукове...

Лиза скривилась:

— Да ну? Зачем тогда она отцу водку покупала?

Я ожидала, что Магда занервничает и воскликнет: «Как вам не стыдно! Наверное, просто не нашли ворожею», но убийца попятилась и прижалась спиной к холодильнику.

По ее лицу потекли слезы.

— Так ты никуда не ходила! — потрясенно повторила я, удивленная тем, что попала в точку.

Девочка всхлипнула.

— Иди в спальню, — приказала я.

Магда тенью скользнула за дверь.

— Во дает, — пробормотал Кирюшка, — во врать здорова.

«Она еще не на такое способна», — чуть было не ляпнула я, но удержалась и предложила:

— Вот что, проводите Машу до дачи, уже стемнело.

— Ты просто хочешь от нас избавиться, чтобы разобраться с Магдой, — подскочила Лиза.

— Правильно, — кивнула я.

— Но нам тоже интересно узнать, отчего она врет, — заныл Кирюша.

— Лучше мне поговорить с ней наедине, при вас она вновь устроит спектакль с истерикой, — вздохнула я, — обязательно потом расскажу вам, в чем дело.

— Ладно, — неожиданно легко согласились дети, — но мы тогда возьмем с собой «Скрэббл» и доиграем партию у Машки дома.

Мне настолько хотелось остаться с Магдой тет-а-тет, что я мигом согласилась:

— Конечно, играйте сколько угодно.

Когда компания сменила место дислокации, я распахнула дверь в комнату Магды. Девочка сидела на кровати, прямая, словно гипсовая статуя, и такая же бледная.

— Ну-ка, отвечай, — без обиняков заявила я, — отчего ты постоянно врешь?

Глаза Магды наполнились слезами. Прозрачная капля медленно потекла по щеке, за ней вторая, третья. Но меня уже трудно было разжалобить.

— Прекрати спектакль, — рявкнула я, — знаешь, как Станиславский говорил актерам: «Не верю!»

Магда молча вытерла лицо. Пару секунд мы смотрели друг на друга, потом убийца залепетала:

— Да, не ходила... Действительно... водку давала, чтобы он спал... если не выпьет — буянит, кричит, дерется, стыдно до жути. Я хотела купить лекарство... но не нашла дом этой колдуньи... Я хотела... Обязательно... вы мне не верите? Я хотела... Я боюсь его... он меня бьет... боюсь, боюсь, боюсь...

Повторяя без конца один и тот же глагол, Магда, словно китайский болванчик, принялась раскачиваться из стороны в сторону. Глаза ее начали стекленеть, губы выпятились...

— Стоп, — решительно заявила я, — новая роль не столь удачная, как предыдущая. Истеричка у тебя получается лучше, не старайся, мне абсолютно все равно, отчего ты спаиваешь отца, и совершенно не интересует вопрос, зачем решила обмануть нас.

Магда вздрогнула и нормальным голосом поинтересовалась:

— Да?

— Да.

— А что тогда?

Я медленно раскрыла сумку, выудила оттуда джинсовые сапожки, парик и тихо произнесла:

— Как объяснить наличие этих вещей в твоем шкафу?

Магда отшатнулась.

— Это не мое!

— Врешь. Сапожки крохотные, размер тридцать пять.

— Они Наткины.

— Опять неправда. У твоей сестры есть похожие, но без каблука. Хочешь, скажу, в чем дело?

— В чем? — еще сильней побелела Магда.

— Ты узнала от Наты, что она собирается на свидание к Игорю, и замыслила убийство. Оделась, как сестра, у вас есть одинаковые вещи, нацепила сапожки, взяла револьвер... Когда Ната, поговорив с Игорем, нырнула в толпу, которая шла от автобуса, ты выскочила из укрытия и выстрелила в парня, а потом бросилась в метро, швырнула в урну револьвер, вскочила в поезд и была такова. Ната же, ничего не подозревая, сидела на платформе, на скамейке, и тут к ней подлетела дежурная по станции. Понятное дело, отчего она вас спутала: одежда идентичная, прическа, цвет волос, заколка, макияж — все совпадает, вот только с сапогами ты просчиталась, у Наты обувь на плоской подошве, а может, ты специально надела на каблуке, Ната-то выше тебя.

— Нет... не так было дело, — прошептала Магда, — дайте мне воды...

— Нет уж, очень ты хитрая. Пойду на кухню, а ты убежишь. Говори так.

— Пить...

— Потерпишь.

— Я сейчас потеряю сознание.

— Не беда, очнешься.

Поняв, что во мне нет жалости, Магда забросила ноги на кровать и начала свой рассказ.

ГЛАВА 31

Жили-были две сестрички. Одна старшая — Ната, другая младшая, с диковинным именем Магдалена. Впрочем, как сейчас выяснилось, настоящее имя Наты звучало Натали. Не Наталья, не Наталия, а именно так, на французский манер, Натали. Их матери Клаве страшно хотелось, чтобы дочки были не Зинками, Райками, Ленками, а Магдаленой и Натали. Откуда Клава взяла эти имена, непонятно, но, преодолев сопротивление мужа, она записала девочек на западный манер.

Сестрички росли тихими, забитыми и робкими.

Юрий, выпив лишку, мигом начинал распускать руки, и Ната с Магдой хорошо усвоили: с отцом спорить нельзя, хуже будет. И еще Клава, считавшая, что со стороны супруга ее детям передалась дурная кровь, изо всех сил старалась выколотить из дочерей способность к самостоятельным поступкам и выражению собственного мнения.

Кое в чем Клава была права, науку генетику она не знала, но справедливо предполагала, что если свекор в свое время убил соседей и колотил жену, а Юрий два раза сидел на зоне за драку и воровство, то у девочек могут возникнуть криминальные задатки. Мать переусердствовала, держа дочек под тотальным контролем. Нату отдали в спортшколу, на не слишком подходящее для девочки отделение спортивной стрельбы. Но Клава вовсе не хотела, чтобы ее дочь стала олимпийской чемпионкой. Нет, оно, конечно, неплохо, если ребенок под звуки гимна поднимается на высокую ступень пьедестала, но Клава преследовала другую цель: Ната, а потом и Магда не должны были иметь свободного времени. Как известно, дьявол знает, чем занять пустые руки. Поэтому детства ни у Наты, ни у Магды не было.

Им предписывалось с утра бежать в школу, потом, быстро перекусив, идти на тренировку, затем, еле волоча ноги от усталости, брести домой и усаживаться делать уроки. Никаких прогулок на свежем воздухе, игр с подругами, болтовни по телефону или просмотра телепередач. Если Ната вдруг задерживалась под душем, мать принималась колотить в дверь и орать:

— Чем занимаешься, а? Нечего балдеть, выходи, двоечница.

Последнее замечание, к сожалению, было справедливым. Ната, а потом и Магда учились плохо, знания не задерживались в запуганных детях. Клава же знала лишь один метод воспитания: крик, переходящий в ор. Она никогда не хвалила девочек, а в любом их поступке видела злой умысел. Еще в семье было плохо с деньгами, и Магде приходилось донашивать за Натой вещи, а старшей сестре они тоже доставались не новыми, Клава работала домработницей, и хозяева иногда «сбрасывали» ей обноски. Даже на выпускном вечере у Наты не было нового платья.

— Баловство это, — ворчала Клава, — лучшее украшение девушки чистота. Вот найдете мужей, тогда и станете щеголять, в чем захотите, а пока вас родители содержат, говорите спасибо за то, что есть.

Клава экономила и на питании: постоянной едой была картошка, макароны, гречка. Ни овощей, ни фруктов, ни конфет, ни мороженого... Наверное, поэтому девочки получились мелкие, тонкокостные, прозрачно-худые. Ната выглядела десятиклассницей, хотя уже работала маникюршей, а Магдалена в восемнадцать (ее отправили в школу в восемь лет) казалась тринадцатилетним подростком.

Сестры были очень дружны. По ночам, когда стихали вопли матери, а отец-алкоголик храпел на диване, девочки ложились в одну кровать и мечтали.

— Вот умрут Клавка с Юркой, — бормотала Ната, — квартира нам достанется. Эх, заживем лучше всех. Или я замуж выйду, а тебя к себе заберу.

Магда только вздыхала и прижималась к старшей сестре. Когда еще это все случится! Ждать, не дождаться.

Нате, несмотря на то что она закончила курсы и работала, все равно предписывалось являться домой сразу после окончания смены и приниматься за уборку и готовку. Зарплату девушка отдавала матери. Клава по-прежнему сама занималась гардеробом Наты. Стоит ли упоминать, что у девушки никогда не было даже новых колготок? Коллеги по работе многозначительно переглядывались, когда Ната снимала сапоги и влезала в сменную обувь, чаще всего чулки девушки были заштопаны.

Неизвестно, что было бы дальше с Натой, но тут ей на жизненном пути попался... Нет, не принц, как это все же иногда случается с несчастными Золушками, не королевич, не Иван-царевич, а Игорь Грачев.

Первая встреча произошла при более чем прозаических обстоятельствах. Ната выносила мусор и столкнулась возле гаража с удивительно красивым парнем, курившим на скамеечке. Девушка влюбилась мгновенно. Она чуть не выронила ведро, набитое мусором.

— Чего уставилась? — буркнул юноша. — У меня на лбу картина нарисована?

Грубость не смутила Нату, она к ней привыкла.

— Нет, — вымолвила девушка, — а ты ждешь кого-то?

— Уже дождался, — вздохнул Игорь, — мастера, Юрия, насчитал такую сумму!

— Это мой папа, — неожиданно сказала Ната. — Хочешь, научу, как сделать так, чтобы он тебе почти задаром ремонт провернул?

— Да? — мигом заулыбался парень. — А что, есть способ?

— Есть, — улыбнулась в ответ Ната.

— Давай я тебе ведро помогу дотащить, — тут же проявил галантность Игорь.

Ната покраснела. Наивная дурочка, она решила, что понравилась красавчику. На самом деле Игорь просто хотел не упустить возможность починить машину на дармовщину. Грачев беззастенчиво пользовался тем впечатлением, которое производил на девушек, а еще он терпеть не мог тратить на них деньги. Кстати, дома его ждала Олеся Рымбарь, тащившая на своих плечах хозяйство. Наверное, Игорь не думал заводить с не слишком красивой Натой долгие отношения, но, как назло, его машина постоянно ломалась, а девушка и впрямь знала, как управлять Юрием. Наученный Натой, Игорь скоро стал чуть ли не лучшим другом для автослесаря и беззастенчиво пользовался этим обстоятельством.

Роман с Натой быстро развился до решающей стадии, и девушка потеряла невинность. Теперь по вечерам она говорила Магде:

— Господи, вот Игорек закончит учиться, и мы поженимся...

Естественно, Грачев и не собирался делать предложение Нате, скорей всего он бы просто бросил влюбленную без оглядки дурочку, но тут случилось история с поездкой в Америку.

Когда Клава и Юрий сообщили дочери, что ей придется заарканить Володю Костина, а потом выйти за него замуж, всегда сидевшая, опустив глаза в пол, Ната просто взбесилась и выложила родителям правду: она давно любовница Игоря и согласится на мероприятие лишь в одном случае — если ей отдадут половину наследства.

Клава чуть не убила ослушницу. Но тут, как ни странно, Юрий встал на сторону Наты.

— Ты это, того, не маши руками, — остановил муж Клаву, — чего уж поделать, коли так вышло, потеряли — назад не вернуть. Игорь ничего, нормальный парень, мне он нравится, пусть живут.

Клава посинела от злости и прошипела:

— Он тебе нравится, потому что бутылки таскает. А Америка?

— Так кому же она теперь нужна? — искренне удивился отец. — Испорченная девка, как ее этому менту за невинную втюхать!

— Есть способ, — протянула Клава.

Афера завертелась. Едва Игорь услыхал про несметное богатство, поджидавшее Нату в далеких Соединенных Штатах, он моментально начал уговаривать девушку согласиться выйти замуж за Костина.

— Немножко потерпишь, и все будет хорошо, — ласково улыбался он, — люди и не на такие жертвы ради будущего благополучия и счастья способны. Ну откажешься сейчас, и что?

— Мы поженимся, — слабо сопротивлялась Ната.

— Ничего из этого не выйдет, — вздохнул Игорь, — у тебя копейки, у меня тоже, где жить? В моей халупе? А если дети пойдут? Посмотри на своих родителей, всю жизнь горбатились, и что? Хочешь такую судьбу, как у них?

Нет, иметь семью, как у отца с матерью, Ната не желала, поэтому и согласилась сыграть главную роль в спектакле.

Думается, что Игорь Грачев, подталкивая глупенькую любовницу к браку с Костиным, преследовал две цели. Если в Америке и впрямь дожидается хозяев эксклюзивное ожерелье, то очень хорошо. Ната привезет камни, разведется с Володей, выйдет замуж за первого любовника, и все будут довольны, кроме Костина, конечно. Но о майоре в этой ситуации не думал никто, он был просто пешкой в чужой игре. Если же история с наследством идиотский розыгрыш, то Игорь опять оказывается в выигрыше. Без денег Ната ему абсолютно не нужна, и лучше, если девушка будет замужем за другим, пусть попробует начать песню с припевом: «Милый, женись на мне».

«С ума сошла? — спросит парень. — Между прочим, ты замужем давно, что за приколы?»

Так что Игорь ничем не рисковал. Но, чтобы Ната, не дай бог, не забыла о нем, он каждый день звонил невесте Костина, назначал ей свидания, даже приезжал на свадьбу, всем своим видом демонстрируя: он обожает Нату и, скрепя сердце, отдает ее другому только лишь в надежде на последующий развод.

Девять женщин из десяти, оказавшись на месте Наты, задумались бы: так ли уж Игорь влюблен? Но наивная, тихая, приученная всех слушаться Ната ни минуты не сомневалась в любовнике. Более того, она постоянно его утешала, думая, что Игорь испытывает страдания.

Представляю, как этот подлец потешался над дурочкой. Неизвестно, чем бы закончилось дело, поездка в Америку была намечена на декабрь. Но тут события стали разворачиваться совсем не по сценарию.

Через день после свадьбы Ната, красная и, взволнованная, призвала к себе Магду и выложила новость: ей только что позвонила женщина, назвавшаяся любовницей Игоря.

— Поздравляю, — ерничала в трубку соперница, — молодец, нашла себе мужа, Игорь теперь мой!

— Да она врет! — подскочила Магда. — Наверняка кто-то из родственников издевается, Анька или Нинка!

— Они и не слышали про Игоря, — покачала головой Ната, — нет, это правда!

— Не верь, — убеждала сестру Магда, знавшая все об Америке и наследстве.

Родители, естественно, не рассказывали младшей дочери ни о чем, но между сестрами никогда не было тайн.

— Следовательно, — прервала я плавную речь Магды, — ты обманула меня. Ведь я спрашивала, зачем Ната хотела отправится в Америку? Отчего соврала?

Магда судорожно вздохнула.

— Так это не моя тайна, Наткина. Мне дальше говорить?

Я медленно кивнула. Человек, который воспитывает своих детей криком и колотушками, рискует получить в результате совсем не то, на что рассчитывает. Магда превратилась в патологическую врунью. Девочка кожей чувствует, какого поведения ждут от нее окружающие. Попав в наш дом, она мигом «полюбила» собак, стала ухаживать за ними, чем заслужила мое и Катино расположение. Еще она ловко управлялась с домашним хозяйством и нашла общий язык с Лизой и Кирюшкой. Первую «купила» интересом, выказанным по отношению к компьютеру.

— Мне всегда хотелось иметь комп, — тихо бормотала Магдалена, — а это зачем? Если тут нажать, чего выйдет?

И Лизавета попалась на крючок, стала самозабвенно рассказывать об «умной консервной банке» все, что знала.

Кирюша превратился в друга после того, как узнал, что Магда обожает жаб.

И еще, Кирюшка и Лизавета обладают обостренным чувством справедливости, они жалостливы, и Магда пользовалась этими их качествами, умело жалуясь на трудное детство. Стоит лишь вспомнить историю про ролики, рассказанную именно в тот момент, когда я прижала ей хвост сообщением о том, что видела ее с бутылкой водки. Хитрая девчонка мигом сориентировалась и добилась своего, мы поверили Магде и, как дураки, приволокли целых три пары роликов.

Магдалена из любой ситуации выкручивается с помощью вранья. Мне очень интересно узнать, что у нее внутри. Так в музее иногда испытываешь желание поскрести пальцем позолоту, чтобы посмотреть, что под ней. Только, боюсь, Магда сама не знает правду про себя, настолько привыкла лукавить и изворачиваться. Но сейчас она, кажется, все же не лжет, потому что придумать такую идиотскую историю просто невозможно.

Ната встретилась с молодой женщиной, назвавшейся Олесей Рымбарь, и убедилась — Игорь обманывает ее, он на самом деле живет с двумя сразу. Сказать, что Ната расстроилась, это не сказать ничего, ее мир рухнул. Зачем было выходить замуж за нелюбимого Костина и ехать в Америку? Деньги нужны ей лишь для счастливой совместной жизни с Игорем.

Через день после ужасного открытия Ната сказала Магде:

— Ты должна мне помочь!

— Да, — мигом отозвалась сестра, — я все сделаю.

— Я хочу убить Игоря!

— С ума сошла — замахала руками Магда, — тебя поймают и посадят!

— Нет, — спокойно ответила Ната, — мы с Олесей все продумали.

— С кем?

— С Олесей, — повторила Ната, — если этот гад нас двоих за нос водил, ему не жить!

— Одумайся, — попыталась привести сестру в чувство Магда, — забудь его, получишь деньги и заживешь.

— Убью и забуду, — мрачно вымолвила Ната.

Магда отшатнулась. Ее тихая, кроткая, забитая сестра превратилась в фурию с фанатично горящими глазами.

— Правильно Олеся сказала, — продолжала Ната, — его надо растоптать, уничтожить...

— Так это она придумала! — подскочила Магда.

— Нет, мы вместе! — ответила Ната. — Но нужна твоя помощь. Или боишься?

Магдалена кивнула:

— Боюсь, но помогу.

Ната обняла сестру.

— Я люблю тебя, вот раздавлю гадину, съезжу в Америку, получу наследство, и уедем далеко-далеко. Клавке и Юрке ничего не обломится, все себе заберем. Слушай наш план: тебе следует притвориться мной.

— Зачем? — недоумевала Магда.

— Не перебивай, — отмахнулась Ната, — помнишь, мы в школе вместе играли в спектакле?

Магда кивнула. Действительно, на прошлый Новый год, когда Ната уже покинула стены учебного заведения, их школа праздновала 50-летие, решили поставить спектакль. Главными действующими лицами были две девочки-близнецы, вокруг их сходства крутился весь сюжет. Но в школе не нашлось двух одинаковых учениц, надо, чтобы не только лица, но и фигуры. Тогда учительница русского языка, она же по совместительству главный режиссер-постановщик действа, спросила у Магды:

— Если дадим тебе одну из главных ролей, Ната согласится сыграть вторую?

Магде страшно хотелось участвовать в спектакле. Хоть кем, а тут ей предложили сыграть одну из главных героинь. Естественно, Ната не отказала сестре.

Специально для постановки девочкам купили две одинаковые красные куртки, джинсы и сапоги из денима. Магда все же была слегка ниже Наты, и поэтому ей приобрели обувь на каблуке. Голову младшей сестры украсил парик из светлых волос с заколкой в виде бабочки, подобную же получила и Ната.

Спектакль прошел «на ура», присутствующий в зале представитель районной организации расчувствовался и сказал:

— Вот эти двойняшки очень талантливые, им после выпускных экзаменов надо в театральный вуз идти.

Естественно, никто не стал объяснять мужику, что девочки не близнецы. В награду им оставили одежду и сапожки, а Магде достался еще и парик.

— Надо опять так одеться, — лихорадочно блестя глазами, объясняла Ната.

— Так жарко будет в куртках. — Магда попыталась вернуть сестру на землю.

— Это же ветровки, даже без подкладки, — возразила Ната, — не перебивай! Мы поедем на место свидания порознь. Ты отправишься вперед, я позднее. Затем поговорю с Игорем, если я сочту, что следует действовать, махну рукой, а ты выстрелишь.

— Я?! — подскочила Магда. — Я?!

— Конечно, — кивнула Ната, — чтобы меня не заподозрили. Игорь упадет, я начну кричать, сбегутся люди. Мне не убежать с места событий спокойно, а ты уйдешь осторожно. Я буду выглядеть совершенно чистой. Начнут допрашивать, объясню: да, знала парня, даже жила с ним, но потом разлюбила, вышла замуж за другого, кстати, сотрудника МВД. Но Игорь приставал, звонил, вот и решила с ним встретиться, чтобы окончательно заявить: оставь меня в покое, я другому отдана и буду век ему верна.

— Но зачем мне тобой прикидываться? — недоумевала Магда.

Ната вздохнула.

— Ради твоей безопасности. Вокруг много народа, еще приметит тебя кто, выскочит к ментам и заорет: «Я свидетель. Вот эта стреляла, в красной куртке».

— И чего?

— Ничего, — втолковывала Ната сестре, — ничего, решат, что это ошибка, я-то около тела стоять буду, без револьвера. Мне Володя рассказывал, что свидетели происшествия такое нагородить могут, все путают. Вот менты и подумают, что им один такой попался, ясно?

Магда кивнула.

— Но стрелять будешь, только если я махну рукой, поняла? — спросила Ната. — Мне с ним все же поговорить охота.

Магда снова кивнула.

— И ты согласилась, — подскочила я, — участвовать в таком идиотском, преступном заговоре?

— Меня сестра попросила, — тихо ответила девочка, — моя любимая, единственная сестра!

— Ната подставляла тебя, она сделала из тебя убийцу!

— Нет.

— Как это нет?

— Я не стреляла.

— Не ври, кто же убил Игоря?

— Не знаю, хотя...

Магдалена уставилась в окно.

— Говори, — потребовала я.

— Ты мне не веришь, — горько сказала Магда.

— Верю, — с жаром воскликнула я, — подобную глупость придумать сложно. Стрелять у метро, в час пик, переодевшись под близнецов... Жизнь не спектакль! Тебя должны были мигом схватить!

— Но ведь не поймали, — возразила Магда, — я не стреляла. Дело получилось не так, как мы задумали.

— А как?

Девочка тяжело вздохнула.

— Мы приехали на место. Вернее, я там была за пятнадцать минут до Игоря и Наты, стояла за будкой с пирожками.

Я вздрогнула, значит, мы там находились буквально рядом, сама пряталась за ларьком с газетами.

— Ната стала о чем-то спорить с Игорем, — объясняла Магда, — потом раздался выстрел. Я даже не поняла, кто стрелял, как раз толпа пошла от автобусов, я испугалась очень и побежала к метро, даже пистолет не спрятала, так тряслась. Долетела до урны, бросила туда револьвер и в поезд вскочила, смотрю на платформу, Ната входит, на скамеечку садится, руки у нее трясутся. Тут дежурная как заорет: «Вот она, вот, пистолет в урну бросила, я видела».

Набежали менты и уволокли Нату. А мой поезд уехал.

— Что же ты не пошла в отделение и не рассказала, как было дело?

Магда уперла в меня красные, воспаленные глаза.

— Ага, потопить родную сестру, рассказать, что она убийство задумала...

— Так ведь ты не выстрелила?

— Нет.

— Чего же не захотела Нату выручить?

— Ты не поняла, — прошептала Магда, — я-то курок не нажимала, это сделала Ната, сама. Наверное, решила Игоря собственноручно жизни лишить, меня пожалела, избавила от убийства.

И она тихо, совершенно не демонстративно, заплакала. У меня просто опустились руки. Отчего-то я поверила Магде. Именно так и обстояло дело: две дурочки сначала придумали идиотский план, а потом старшая не захотела впутывать младшую и сама выполнила задуманное.

— Где ты взяла пистолет? — налетела я на Магду.

— Ната дала, — ответила та.

— А у той откуда?

— Не знаю.

Пару секунд я смотрела на девочку. Ее обычно бледное лицо порозовело, губы тряслись, в глазах метался ужас. Нет, такое не сыграть восемнадцатилетней девушке, у которой менталитет тринадцатилетнего подростка, эта роль не всякой суперпрофессиональной актрисе по плечу.

Я взглянула на часы: почти полночь. Конечно, уже очень поздно, но надо немедленно ехать к Андрюшке Копу. Значит, убийца все-таки Ната.

Внезапно мне перехватило горло. Все плохо, все очень и очень плохо, хуже просто не бывает. Бедный Вовка, я так хотела ему помочь! Впрочем, может, его начальство учтет, что майор был обманут, Ната вряд ли может считаться его настоящей женой. Надо немедленно, пока Магда деморализована и напугана, записать ее показания.

— Вот что, — сказала я, поднимаясь, — одевайся!

— Зачем?

— Поедем в милицию.

— Нет!

— Да!!

Магда сникла.

— Хорошо, как скажешь.

— Вот и умница, — кивнула я и, выйдя в коридор, заперла в комнате девочку.

Еще попытается удрать, а так ей некуда деться.

Пока Магда собиралась, я написала записку для Лизы и Кирюшки, прикрепила ее на холодильник и позвонила Копу.

— Да, — сонным недовольным голосом ответил Андрюшка, — вы, ребят, прям офигели, только лег! Че, кроме меня, никого в МВД нет, а? Тогда почему я не министр?

— Это Лампа, просыпайся быстрей.

— О, господи, — заныл Андрюшка, — за что?

— У меня есть бесценный свидетель в деле Наты Егоркиной, жены Вовки, сейчас привезу его к тебе домой, а то, боюсь, удерет!

— Давай, — мигом посерьезнел Андрюшка, — мы ждем.

Меня слегка удивило местоимение множественного числа, произнесенное Копом, он что, теперь говорит о себе, как самодержец: «Мы, Николай Второй...»? Но раздумывать на эту тему не было времени. Я подскочила к запертой двери, повернула ключ и сказала:

— Пошли...

Продолжение фразы застряло в горле. Комната оказалась пустой, а распахнутая рама без слов объяснила, куда подевалась Магда. Проклиная себя за глупость, я ринулась к машине. Ну и дурака я сваляла! Нет бы сообразить, что мы находимся не в блочной башне, на высоком этаже, а на даче, где ничего не стоит выскочить в сад. Надо же так сглупить, запереть дверь, но не подумать об окне.

Я вскочила в «Жигули» и понеслась по дороге, сейчас поймаю беглянку. Но шоссе оказалось пустым, возле перекрестка я притормозила: налево дорога во Внуково, направо в Переделкино, и там, и здесь есть железнодорожные станции, последняя электричка идет примерно в час ночи, куда понеслась Магда? Поколебавшись пару минут, я рванула направо, небось девочка уже на платформе. Шоссе виляет между деревьями, а пешеходная тропка ведет напрямик.

Но на станции был лишь один пьяный мужичонка, спавший на лавочке. Я бегала взад-вперед по перрону, погружаясь в отчаянье. Тут подошла последняя электричка, мгновенно открыла-закрыла двери и унеслась к Москве. Только тогда до меня дошло, что я вновь сваляла дурака. Следовало ехать во Внуково и, если Магды там нет, садиться в поезд и катить до Переделкина, так бы я ее точно поймала, но поздно, я, как всегда, выбирая из двух коробочек, не угадала, наглая девица катит сейчас к Москве. Впрочем, можно попытаться догнать поезд и перехватить ее на Киевском вокзале.

Вы представить себе не можете, с какой скоростью я летела сначала по Минскому шоссе, а потом по Кутузовскому проспекту, но тщетно. Когда, запыхавшись, я попыталась пройти туда, где останавливаются пригородные электрички, путь преградил милиционер:

— Стойте, гражданочка.

— Мне надо встретить поезд.

— Вход с другой стороны вокзала.

— Электричку, последнюю.

— Она уже десять минут как прибыла, пассажиры ушли.

Я чуть не зарыдала от отчаянья, и тут затрезвонил мобильный.

— Ты где? — спросил Коп.

— Еду, — мрачно ответила я, — жди.

Андрюшка открыл дверь и спросил:

— И где свидетель?

— Она убежала, — буркнула я.

Из комнаты вышел Костин и уставился на меня.

— Вовка, — обрадовалась я, — ты приехал?

— Откуда? — насторожился майор.

— Как, ты же ездил на Селигер, в отпуск.

— Нет.

— Что нет?

— Не ездил.

— Как?

— Вот так, — вздохнул Вовка, — кстати, кому в голову пришло вытащить все продукты из моего холодильника?

— Так я думала, тебя нет, решила его разморозить.

— Глупости, — буркнул Костин.

— Зачем же ты соврал про отдых? — Я никак не могла успокоиться.

— Взял его, чтобы самому разобраться в деле Наты.

— Но при чем тут Селигер?

Вовка вытащил сигареты.

— А чтобы вы не мешали, не звонили, не лезли с сочувствием и котлетами, нет меня, и точка.

От негодования мой язык онемел, потом изо рта полились несвязные фразы.

— Но я... сама... столько всего узнала! В фитнес-клубе убийцы! Магда не стреляла! «Волгу» украли! Олесю Рымбарь убили, но и она хотела убить! Родион Журавкин и Руслан друзья! Русик был влюблен в его сестру Полину! Отец Игоря Грачева, Валерий, тоже ходил в спортклуб! Ната никогда тебя не любила! В Америке ожерелье!

— Иди сюда, — поманил меня Андрюшка.

Потом Костин и Коп впихнули меня в кресло и велели:

— Теперь еще раз, все по порядку, с самого начала, с мельчайшими деталями и обстоятельными подробностями.

ГЛАВА 32

Прошел примерно месяц после описываемых событий, когда мы с Вовкой зашли в крохотное кафе с нелепым названием «Зеленый мустанг». Несмотря на такую вывеску, тут варят великолепный кофе, отлично жарят мясо и пекут вкусные блинчики.

— Магду поймали, — сообщил Костин.

— Где? — подскочила я.

— В деревне, у ее бабки, матери Юрия. Девочка думала, что в заброшенное село, где, кроме старухи, нет жителей, не поедут. Там ее и взяли.

— Ужасно, — прошептала я.

— Да, нехорошо, — ответил Вовка.

— Тебя уволят?

— Я уже сам ушел, сегодня расчет получил, — сообщил майор, — вот, позвал тебя кутить по этому поводу.

— И куда пойдешь на службу?

— Не знаю пока, — грустно сказал Костин, — в банк, охранником, или в ресторан.

Меня перекосило, невозможно представить майора, услужливо распахивающего дверь расфуфыренным дамочкам и их кавалерам.

— Что будет с Натой?

Вовка пожал плечами.

— Она дома.

— Где? — заорала я. — Где?

— Дома, у меня, со вчерашнего дня, — пояснил Вовка, — поэтому я пока живу у Копа, мы с Наткой тут очень детально побеседовали, развод состоится через месяц. И наверное, больше не женюсь, расхотелось навсегда, я после, так сказать, брака с гражданкой Егоркиной...

— Но почему ее отпустили? Ната же убила Игоря!

— Нет.

— Магда, — прошептала я, — она опять наврала!

— Наврала, — подхватил Вовка, — только не все. Хочешь узнать, как дело было в действительности?

— Конечно!!!

— Тогда слушай, — улыбнулся Костин, — за этим я тебя и позвал. Но сначала хочу выразить благодарность.

— За что?

— Ты молодец, — похлопал меня по плечу Костин.

— Издеваешься, да? — осторожно спросила я, на всякий случай отодвигаясь от майора.

— Нет, правда, такое в фитнес-клубе раскопала, жаль, до конца не дорыла.

— А что там еще? Тайна смерти Игоря закопана в клубе?

Володя придвинул к себе кофе.

— Отец Игоря Грачева внезапно разбогател. У Валерия неожиданно пошел бизнес, вот он и обзавелся всеми атрибутами преуспевающего начальника: построил офис и нанял секретаршу. Ею стала Полина, молодая, красивая, оборотистая женщина, более всего на свете мечтавшая о деньгах. Оказавшись в приемной у Валерия, секретарша поняла: начальник, несмотря на крайнюю удачливость в бизнесе, полный лох, такого окрутить ничего не стоит. Через некоторое время Валерий влюбился в свою подчиненную, словно подросток. Но Грачев был порядочным человеком, поэтому объявил Полине:

— Люблю тебя, но бросить жену не могу.

Другая бы любовница устроила истерику, но умная Полина только кивнула.

— Понимаю и не прошу об этом, мне достаточно просто видеть тебя, семья — святое, у вас дети, кто же виноват, что мы так поздно встретились.

Сами понимаете, как стал относиться Валерий к Полине после такого заявления. Но молодая женщина лишь прикидывалась безоглядно влюбленной, на самом деле ей хотелось, чтобы Грачев вместе со счетом в банке принадлежал лишь ей. И тогда на помощь пришел Родион Журавкин, брат Полины.

— Ой, — вырвалось у меня.

— А ты не знала про родственную связь между Родионом и мачехой Игоря? — удивился Вовка.

— Нет, — удрученно ответила я.

— Неужели не догадалась? Ведь Руслан рассказывал тебе о старшей сестре Родиона и о своей влюбленности в нее, называл имя — Полина.

— Не такое уж оно и редкое, — отбивалась я, — вот я и подумала...

— Ничего ты не думала, — отмахнулся Костин, — просто не придала значения разговору. Родион великолепно знал, что Елена Тимофеевна, мать Руслана, уехала в командировку. Журавкин взял «Волгу», сбил жену Грачева, а потом увез машину в деревню, где тачку мирно разобрали на составные части.

Естественно, спустя некоторое время Валерий женился на Полине, казалось, все у Журавкина отлично, но дальше начались сложности.

Сначала позвонила мать Руслана и попросила Родиона зайти. Парень явился на зов и услышал вопрос:

— Родя, вот тут, на крючке, всегда висели ключи от «Волги». Поскольку машину угнали, они мне больше не нужны, но только сегодня пришло в голову: а куда подевалась связка, кто ее взял?

Надо отдать должное Журавкину, он — великолепно владеющий собой негодяй, поэтому ответ последовал незамедлительно:

— Да не узнать это никак, к Руслану много народу ходит, он имен не спрашивает. Нашелся подлец, «отблагодарил» доктора.

Лицо Елены Тимофеевны стало растерянным.

— Действительно, о таком варианте я не подумала!

— Вы решили, что автомобиль угнал я, — хмыкнул Родион.

— Нет, — принялась она бестолково оправдываться, — но ты же один знал, где висят ключи.

— Стоит только шкаф открыть, и они перед глазами, — парировал парень.

— Ага, точно, сейчас пойду в милицию, — засуетилась Елена Тимофеевна, — расскажу про связку, пусть ищут в этом направлении.

Это было уже слишком.

— Вы не нервничайте, — притворно захлопотал Родион, — у вас же сердце больное, операция предстоит. Сядьте спокойно, где ваши капли?

— В холодильнике, уж извини, если тебя обидела, — стала оправдываться мать Руслана.

— Ерунда, — улыбнулся Родион, — ясно, вы на меня подумали, я бы тоже так решил. Сейчас лекарство принесу.

На кухне парень ничтоже сумняшеся опрокинул весь немаленький флакон в стакан, добавил чуть-чуть воды и поднес женщине.

— Горько-то как, — передернулась та, глотая жидкость.

Родион молча унес пустой стакан в кухню. Елена Тимофеевна ни в коем случае не должна была идти в милицию. Следователю не пришло в голову спросить: «А где ключи от «Волги»?» Он решил, что машину перед угоном просто вскрыли.

Елена Тимофеевна умерла спустя час, и смерть ее посчитали естественной. У нее было больное сердце, она стояла на учете у кардиолога, ждала операции, да еще Родион, убив несчастную, тихо ушел и поднял шум через десять дней. Он же и похоронил полуразложившийся труп. Руслан был в тот момент у своего Учителя.

Не успел Журавкин успокоиться, как свалилась новая напасть.

Валерий в быту оказался очень расчетливым и не давал Полине денег, если же молодая жена начинала возмущаться, то муж мгновенно отвечал:

— Ты очень неразумна, вот моя покойная супруга никогда не покупала две норковые шубы сразу.

Полина только скрипела зубами. Жадная до потери пульса, она ловко избавилась от детей Валерия, представив Игоря насильником, а Ладу воровкой, но денег у нее от этого больше не стало. Уходя от налогов, Валерий переписал на жену имущество, но распоряжаться она им не могла, сидела в золотой клетке, ела на серебре, носила бриллианты, а в сумочке имела пшик — кстати, не такая уж редкая ситуация в среде богатых людей. Многие из них используют жену, как витрину семейного благополучия, но разряженная и обвешанная каменьями дама частенько не имеет средств на чашечку кофе. Денег муж ей не дает, да и зачем? Потратит зря или любовника станет содержать.

Полина пожаловалась Родиону, и у парочки родился план.

Тренер подбил своего родственника на посещение «Страны здоровья».

— Он задавал людям на тренировках непосильную нагрузку, от которой они потом умирали, — не выдержала я.

— Почти верно, — согласился Вовка. — Родион работал в паре с Русланом. Сначала инструктор проводил интенсивный курс тренировок и изматывал человека почти до истощения.

— Но почему люди соглашались? — удивилась я. — Ведь им небось раз от раза делалось хуже.

Володя улыбнулся.

— Очень все понятно. Представь, что ты приходишь в клуб, а тренер, качая головой, заявляет: «Да уж, запустили себя, не живот, а кисель. Имейте в виду, сразу положение не исправить, будет очень тяжело и даже больно, зато потом вас ждет невиданное оздоровление». И во время тренировок он не забывает повторять: «Устали? Ноги-руки не поднимаются? Потерпите, так и должно быть!» И что станешь делать?

— Заниматься и дальше.

— Вот-вот, отец Игоря поступил так же. А после того, как последние силы покинули его, Руслан сделал ему массаж, нажав на кое-какие точки. Все, через два часа Грачев умер на улице, и ни у кого не возникло желания связать его смерть с занятием в фитнес-клубе.

По такой же схеме убрали Нестеренко, Потапова, Козанину и Олега Сергеевича Войтыко. Родион получил неплохие деньги от заказчиков. Подобная судьба ждала и господина Райна, но тут, на счастье, Евлампия Романова прикинулась его женой и встретилась с Родионом в клубе. Не успела ты побеседовать с Журавкиным, как ему позвонила настоящая Эльвира, парень перепугался и не стал связываться с гражданкой Райн. Ее, как она выражается, пузан просто обязан купить тебе десять кило конфет «Моцарт», о чем я ему не преминул сообщить.

— Вот уж не ожидала, что Русик убийца! — воскликнула я. — Он показался мне очень странным, но не криминальным.

— Руслан жертва, — покачал головой Вовка, — хоть и принимал участие в убийствах.

— Этот как? — не поняла я.

— У Руслана в голове дикая каша, — пояснил Костин, — он практически ничего в своей жизни не читал, когда попал к Сяо Цзы в ученики. Китаец постарался переделать мальчишку на свой лад и полностью преуспел. Он набил мозг Русика черт-те чем, некой смесью из понятий, терминов и философских рассуждений. Среди массы хороших вещей было и стоявшее особняком умение убить человека, причем так, что жертва уйдет от массажиста в добром здравии и свалится спустя пару часов после воздействия.

Сяо Цзы внушил Русику, что люди делятся на три категории. Просветленные, владеющие знанием, которым можно все. Обычные люди, серая масса, достойная сожаления. И «потерявшие душу». Просветленные обязаны помогать простым людям, причем даром. Их награда впереди, после смерти, в загробной жизни. Просветленным можно все, их сдерживают только личные, моральные принципы. И еще они просто обязаны уничтожать «потерявших душу», чистить мир от скверны, грязи, обмана, стяжательства, делать его лучше, светлее для простых людей.

Вот такая теория, где-то даже и благородная. Одна беда, термин «потерявшие душу» требовал уточнения. Вполне вероятно, что Сяо Цзы вкладывал в него совсем иной смысл, чем Руслан. Впрочем, какое-то время Русик считал, что на его пути таких людей нет. В дом приходила «серая масса», страдающая от собственных ошибок, и парень старался помочь всем, ужасаясь человеческой тупости и полнейшему нежеланию работать над собой. Он часто разговаривал на эту тему с Родионом, который однажды заявил:

— А я знаю «потерявшего душу», это Валерий, муж Полины.

Так все и началось.

Родион тщательно «настраивал» друга перед каждым убийством, он очень хорошо знал Руслана и понимал, куда надо «нажать», чтобы тот убил человека.

— Да этот Руслан просто псих! — вскипела я.

— Есть немного, — кивнул Вовка, — хотя экспертиза признала его вменяемым. Он следователю всю голову задурил, о философии болтал, смысле жизни, о праве устранять тех, кто несет зло, в общем, у наших голова кругом пошла. Правда, он кое-что умеет, убрал мне зубную боль мигом, сообщив при этом: «Клык болит оттого, что вы часто гневаетесь, медитируйте не меньше четырех часов в день». Ну каково, а? Меня начальство на ковер зовет, а я сижу в позе лотоса и бормочу: «Не сейчас, идет сеанс медитации». У парня определенно левая резьба, и мне его жаль. Родион бессовестно пользовался умением Руслана убить человека, никаких денег целитель от этого не имел, его использовали совершенно беззастенчиво.

— Ему деньги не нужны, — вздохнула я. — Что теперь будет?

Костин наморщил лоб.

— Не знаю, но наказания ему не избежать, как ни крути, а он — убийца невинных людей, хоть и потерявших, на его взгляд, душу.

— Олесю Рымбарь тоже он убил?

— Нет, Олеся давно подозревала, что в спортивном зале нечисто, не нравилось ей, как Родион проводит кое с кем тренировки, хотя вмешиваться она не имела права. А тут еще загадочная смерть Игоря. Когда же появилась ты с фамилиями клиентов, Рымбарь, великолепно знавшая, у кого они занимались, решила выловить себе из пруда рыбешку.

К сожалению, девушка была не слишком умна, поэтому просто подошла к Журавкину и заявила:

— Кое-что знаю про Потапова, Нестеренко и Козанину, хочешь, чтобы я молчала, — плати.

— Она была в курсе дел Родиона и Руслана?!

— Нет, конечно, просто блефовала, думала, тренер испугается и расстегнет кошелек.

— Вот дурочка!!!

— Точно, другого слова не подобрать, Родион мгновенно сообразил, как себя вести. Забормотал: «Хорошо-хорошо, завтра в шесть утра, в зале, принесу доллары». Ну а потом просто свернул Олесе шею, сила у него в руках чудовищная, сломал палку от шведской стенки, бросил рядом и ушел. Он все верно рассчитал, хорошо зная, как хозяин клуба боится малейших неприятностей. Дело замяли мигом, представив его как банальный несчастный случай, есть у нас такие сотруднички, наклеят на глаза доллары, и все, ослепли.

Вовка замолчал и принялся ковырять ложечкой кофейную гущу.

— А как Игорь обо всем догадался? — поинтересовалась я.

Костин нахмурился.

— Этого мы никогда не узнаем, можно только предположить.

Грачев и Русик работали рядом, в соседних кабинетах.

Может, Игорь услышал нечто интересное, начал копать... Но он в отличие от Олеси хорошо понимал, с кем имеет дело, поэтому спрятал документы, думал, каким образом прищучить Полину, разрабатывал план...

Если бы не смерть, Грачев мог в конце концов прийти в милицию. Он наверняка собирал улики, его, думается, не интересовало ничего, кроме наследства отца.

— Значит, его убила Ната, знаешь, мне ее даже жаль!

— Самое смешное, — буркнул Вовка, — что и мне ее жаль, а это вообще ни в какие ворота не лезет, только при чем тут Ната?

— Как?! Она убила Игоря, из ревности.

— Чушь! Кто сказал?

— Да ты.

— Когда?

— Ну час назад.

— Не было такого.

— Но ты заявил: Магда соврала!

— Чем ты слушаешь? — возмутился Вовка. — Каким органом, а? Я говорил совсем другое: Ната не убивала Игоря, она вообще даже не знала, что на него готовится покушение.

— Но Магда...

— Что Магда?

— Это она! — обомлела я. — Она убила! Вунья!

— Очень точно подмечено, — кивнул Вовка. — Магдалена лгунья, только давай не станем рассуждать, отчего она такой получилась, и ты, и я знаем, в чем тут дело. Рассказывая тебе о планировании преступления, Магда наврала. Во-первых, она не любила Нату по разным причинам. За то, что должна донашивать за ней вещи...

— Но ведь Нате они тоже доставались не новыми, — перебила я Костина.

— Это не важно, — продолжил Вовка, — за то, что Ната добрая, мягкая, влюбчивая, способная уступать, а Магдалена только прикидывалась такой, она злючка, двуличное существо. И в ее голове родилась идея: если Наты не будет, родители отправят в Америку ее, Магду, и ожерелье достанется младшей сестре. Дело было за малым — избавиться от Наты, к чему Магда и начинает готовиться. В ее голове рождается план, она узнает, что старшая сестра собирается на свидание к Игорю. Магда переодевается под Нату — та часть ее рассказа, где речь идет о спектакле, — правда, берет револьвер и едет на площадь, к метро «Новокузнецкая». Игорь будет убит, все увидят, как убегает убийца, и Нату схватят. Вот такой план. Выстрелить в сестру она все же не могла, решила пожертвовать Грачевым. Нату надолго посадят за решетку, в Америку отправят Магду.

— Ну и дрянь! — закричала я. — Она что, забыла про папеньку-уголовника! Как она намеревалась получить визу?

— Тише, — шикнул Вовка, — народ оглядывается. Как, как... Об этом она не подумала, хотела сначала от Наты избавиться.

— Вот дела! — я никак не могла успокоиться. — Значит, спряталась за будкой с пирожками, выстрелила...

— Нет! Она не стреляла.

— Как нет?! — вскочила я на ноги. — Кто же тогда убил Грачева? Кто?!

— Лампа, — возмутился Вовка, — ты можешь вести себя прилично? Сделай милость, возьми себя в руки.

Но меня колотило, словно хомяка, попавшего под ток.

— Немедленно объясни.

— Так ты не даешь, вопишь, вскакиваешь.

— Говори!

— Сядь!

Я плюхнулась на стул.

— Умница, — одобрил Вовка, — теперь глотни кофе.

— У меня пустая чашка.

— Пожалуйста, принесите нам еще капуччино, — попросил Костин официантку.

Через пару минут на столе очутилась фарфоровая чашка, над которой колыхалась белая пена, припудренная корицей.

— Пей, — велел приятель.

Я машинально глотнула и спросила:

— А где она взяла пистолет?

— Магда?

— Да.

— Ты забыла, в какой школе учится девочка?

— Нет, конечно, в спортивной, на отделении стрельбы.

— Вот-вот, в учебном заведении есть музей оружия, в витринах и на стендах всего полно. Магда великолепно знала, что экспозиция находится за запертой дверью, школьников туда пускают лишь группой, в сопровождении учителя. Но девочке также хорошо известно, что ключи от музея висят в ящичке, в кабинете директора. Она выжидает момент и крадет из витрины «кольт», единственный огнестрельный предмет в коллекции, к которому есть патроны. Их, правда, всего три штуки, но Магда великолепно стреляет, она знает, что попадет в голову Игоря сразу. Дальше просто. Швырнет «кольт» и убежит, а Ната останется стоять в растерянности. Магда отлично знает, что ее старшая сестра медлительна, она не сразу соображает, как поступить, «тормозит», особенно в момент испуга или удивления. И на кого укажут свидетели — на блондинку в красной куртке-ветровке, с дурацкой заколкой на кудряшках.

— А вдруг бы Ната оделась по-другому, и что тогда?

Володя покачал головой:

— У сестер нет приличных нарядов, единственные вещи — те, что подарили в школе. Магда понимала, что Ната обязательно влезет в ветровку и джинсы, а без заколки она не выходит, ей так нравится эта идиотская бабочка. Знаешь...

Вовка замолчал.

— Что? — поторопила я его.

— Знаешь, почему я сделал Нате предложение?

— Честно говоря, теряюсь в догадках.

— Подумал, что пора жениться, все-таки не мальчик уже, а киски надоедать стали. Да, красивые, но какие-то ненадежные, абсолютно не пригодные для семейной жизни, ни одна из моих любовниц не подходила для роли матери и хозяйки, — тихо сказал Вовка. — Время весело провести с ними приятно, а всю жизнь бок о бок прожить невозможно. А вот Ната показалась мне идеальным вариантом: тихая, неболтливая, не слишком красивая, хозяйственная... Знаешь, как она мне в любви признавалась! И девственница... Говорила, что меня всю жизнь ждала. Когда я понял, что у нее, кроме этой куртенки, джинсов и дурацкой заколки, ничего нет, прямо сердце перевернулось. На остальные шмотки стыд смотреть, заштопанные, зашитые... Мне очень хотелось ее одеть, премию ждал, обещали в июле дать, только подвенечное платье и успел купить.

Я молча смотрела на майора. Вовка очень жалостливый, его сердце мигом повернулось к Нате, у которой и в самом деле ничего нет. Клава — жадная дрянь, не пожелавшая приодеть дочь-невесту. Мать разработала план «по отлову» жениха и преуспела. Но накупи она, как другие женщины, дочке нарядов, может, Вовка и не проникся бы сочувствием к Нате. А у русского человека жалость и любовь идут рука об руку.

— Теперь представь ситуацию, — продолжил майор. — Ната разговаривает с Игорем, они ссорятся. Магда стоит за ларьком, поджидая удобного момента. Ей хочется, чтобы убийство видело как можно больше людей, но на площади, как назло, не так много народу. Тут подъезжают сразу несколько автобусов, маршрутные такси, толпа вываливается на тротуар, Магда вынимает «кольт», на секунду спешащие прохожие закрывают ей обзор, и... Игорь уже лежит на тротуаре. Магда не стреляла, а Грачев мертв. Вот это да! Девушка бежит к метро, она настолько растерялась, что даже не сунула «кольт» назад в сумочку, несется к станции, держа оружие в руке.

Вбежав в метро, Магда приходит в себя, швыряет на глазах у дежурной пистолет в урну, в которую обычно бросают использованные проездные билеты, и вскакивает на эскалатор. Через минуту в вестибюль влетают милиционеры. Дежурная мигом понимает, что к чему, и кидается вниз, на платформу. Но там уже нет Магды, она беспрепятственно укатила, а на скамеечке мирно сидит Ната, которая не знает, что Игоря убили. Она поругалась с любовником и убежала в метро за секунду до выстрела. Ната переживает из-за ссоры и чуть не плачет, когда на нее налетает толпа во главе с дежурной, орущей:

— Вот она, я хорошо видела, бросила пистолет в урну.

Магда приезжает домой в легком шоке, который потом сменяется бурной радостью. Все вышло намного лучше, чем задумывалось, Ната сама убила Игоря, ее посадят, а младшая сестричка получит вожделенное ожерелье. Занавес. Спектакль завершен.

— Значит, убийца Ната? — промямлила я.

— Нет!

— Магда?

— О боже, нет!

— Тогда кто?

— Не догадалась?

— Нет!!!

— Эх, Лампудель, — укоризненно произнес Вовка, — хороший ты человек, котлеты отличные делаешь, и борщ у тебя выше всяких похвал, я уже не говорю о курице и яблочном пироге, хотя последний, на мой взгляд, излишне сладкий. Но вот с памятью у тебя плохо, и логика подчас страдает, да и с наблюдательностью беда.

— Что за намеки! — возмутилась я.

— Это не намеки, а факты, — ухмыльнулся Костин. — Ну-ка, скажи, ты очень удивилась, когда увидела меня у Копа дома?

— Конечно, я думала, ты отдыхаешь на Селигере.

— А теперь ответь: ты вывозила детей на дачу на моей машине?

— Да.

— Почему взяла ее?

— Моя «шестерка» была в ремонте.

— Потом ты получила свои колеса назад?

— Конечно.

— А мой кабриолет куда дела?

— Припарковала за гаражом, в Алябьеве, думала, приедешь и возьмешь.

— И где он?

— Стоит на участке.

— Нет там машины давно, — перебил меня Костин. — Я забрал тачку буквально на следующий день, а ты и не заметила.

— Но...

— Вот тебе и «но», — захихикал майор, — а еще хочешь стать гениальным сыщиком. Ясно теперь, отчего ваша с Федорой контора благополучно умирает. Ну-ка, вспомни рассказ Магды, помнишь, она сказала, что Нате звонила женщина, назвавшаяся Олесей Рымбарь...

— Ой!

— А еще следователю помогли снимки, ну пленка, которую ты отщелкала, стоя за киоском. Между нами говоря, карьера папарацци не для тебя, снимки вышли дрянные, половина не «в фокусе», но на паре фото четко видно, что на крыше одного из близлежащих домов лежит человек. Мы увеличили изображение. Угадай, что у него в руках? Винтовка с оптическим прицелом. Кстати, то, что пуля, убившая Игоря, вылетела не из «кольта», эксперт понял сразу. Нату можно было отпускать, ее продержали в СИЗО ради ее же безопасности, а потом она заболела и попала в больницу. Только вчера выписалась.

— Олеся Рымбарь! Из ревности убила гражданского мужа!

— Нет.

— От обиды?

— Нет.

— Тогда какая причина?

— Никакой, она не стреляла.

— А кто?

— Наемный киллер, нанятый убийца.

Меня обозлило Вовкино милицейское занудство.

— Какая разница, кто нажал на курок! Заказчик-то Олеся!

— Нет, она ни при чем.

У меня закружилась голова.

— А кто?

— Женщина, назвавшаяся Олесей Рымбарь, позвонила Нате и стала ей рассказывать об измене Игоря. Ната сначала не поверила, тогда та сказала, что в камере хранения Ленинградского вокзала будет лежать пакет с фотографиями, его положат туда утром, после полудня. Ната, набрав сообщенный ей код, получит доказательства.

Ната же приехала на вокзал раньше, спряталась и увидела, как полная, хорошо одетая женщина, обильно украшенная драгоценностями, сунула в нишу пакет и ушла. Согласись, сия дама мало походит на стройную Олесю, незнакомка просто воспользовалась именем Рымбарь, зная, что Ната никогда не слышала голоса тренера.

— Кто она?

— Ты ее знаешь, встречалась с дамой.

— Кто?!

— Ольга Фуфаева, стоматолог.

— Не может быть!

— Отчего же?

— Она не похожа на убийцу, спокойная, богатая, уверенная в себе женщина!

— Эх, Лампудель, кабы убийцы походили на убийц, мошенники на мошенников, а грабители на грабителей, я бы давно сажал в Алябьеве огурцы, — заявил Вовка. — Ольга Фуфаева замечательно спланировала дело. У них с Игорем был бурный роман.

— Но она говорила...

— Врала, не моргнув глазом. Целый год парочка проводила время в свое удовольствие. Игорь ушел из брачного агентства, но тесные отношения с Фуфаевой сохранились. Оля делала Игорю подарки, совала деньги, а парню это очень нравилось. Но вот замуж за любовника Фуфаева не собиралась. Во-первых, Игорь намного моложе, во-вторых, беден, а Ольга понимала, что нищий супруг ей ни к чему. Игорь же жил, стараясь срывать денежные букеты во всех местах: Ольга возит его в ресторана, покупает костюмы, дарит даже карточку «VISA», Олеся занимается домашним хозяйством, Ната помогает бесплатно чинить машину. Из них из всех Игорь с наибольшим бы удовольствием взял в жены Ольгу, но Фуфаева не торопится в загс с любовником. Олеся любит Грачева, но она бедна, а вот Нату ждет сокровище. И Игорь делает ставку на Егоркину. Но как опытный игрок он оставляет при себе и остальные варианты, про запас, вдруг в Америке ничего нет?

Однако иметь дело сразу с тремя бабами непросто. Олеся безоглядно влюблена и поэтому полностью доверяет ему, Ната очень наивна, а вот Ольга обладает холодным расчетливым умом, недаром ей удается столь ловко наладить бизнес. И потом, Фуфаева совсем не потеряла голову, общаясь с Игорем. Да, он ей нравится, но и только.

В какой-то момент до нее доходит: она не единственная гостья в постели Игоря. Недолго мучаясь, Ольга нанимает детектива и получает полную информацию об Олесе и Нате. Фуфаева наполняется злобой. Мало того что негодяй обманывает ее, так еще на деньги, которые дает Ольга; содержит Олесю с Натой. Стоматолог не знает, что ее «соперницы» не получают от любовника ни копейки. И еще: в душе Ольги неожиданно поднимает голову черная ревность. Ее, умную, красивую, богатую, талантливую, одним словом, женщину экстра-класса, поменяли на дворняжек? Значит, она убьет Игоря, ему незачем жить. План разработан Ольгой от начала и до конца. Она звонит Нате, представляясь Олесей Рымбарь, кладет в ячейку фото, потом предлагает:

— Давай ему хвост прижмем.

— Как? — всхлипывает Ната.

— Просто, позови его на свидание, к метро «Новокузнецкая», на площадь, только так, чтобы он ни о чем не догадался. Я тоже приду, и устроим парню баню.

Ната соглашается, рассказывает Магде о подлости Грачева, у нее от сестры нет тайн. В назначенный день и час Ната приезжает на место и тут же, не дожидаясь появления Олеси, ругается с Игорем, который отрицает все. Ната в слезах убегает, а с крыши стреляет нанятый Ольгой киллер. Задуманное удается в полной мере: Игорь мертв, Ната арестована и, естественно, расскажет о звонке Рымбарь. В лучшем случае Олесю и Нату осудят за убийство, не должны следователи и судьи, по расчетам Ольги, поверить им, обиженным любовницам, в худшем — девушкам изрядно измотают нервы. Ольга оказывается в стороне. Она охотно рассказывает о том, что нанимала Игоря в качестве платного сопровождающего, но разве это запрещено законом? Фуфаева полностью уверена в своей безнаказанности, а зря, сколь веревочка ни вейся... Вот такая Камасутра для Микки-Мауса.

— Что? — не поняла я. — Какая Камасутра?

— Камасутра для Микки-Мауса, — повторил Вовка. — Если бы уголовным делам, как книгам, давали названия, это можно было озаглавить так. Игорь-то, из-за которого столько баб голову потеряло, на мой взгляд, не мужчина.

— А кто? — влезла я с очередным вопросом.

— Микки-Маус, — хмыкнул Вовка, — противный мышонок, не способный ни на какие чувства.

Я принялась вертеть в руках пачку сигарет. Честно говоря, Микки-Маус никогда мне не нравился.

ЭПИЛОГ

Забегая немного вперед, расскажу, что случилось с основными героями в дальнейшем. Ната живет вместе с родителями, с Вовкой они развелись. Я не знаю, сумели ли Егоркины подобраться к наследству. Впрочем, неизвестно мне и другое: существует ли ожерелье на самом деле. Честно говоря, это всем нам неинтересно. Юрий вроде бы по-прежнему пьет, Клавдия работает, Ната больше замуж пока не выходит. Магду отправили к дальней родственнице. На суде девочка моментально отказалась от своих показаний, со слезами на глазах заявила, что следователи били ее на допросах. И вообще, она никого не хотела убивать, хотела просто припугнуть любовника сестры за измену, помахать под его носом пистолетом, приговаривая:

— Станешь обижать Нату, плохо будет.

Я, великолепно зная актерские способности и буйную фантазию девицы, не поверила ей ни на грош, но суд отпустил мерзавку, погрозив ей пальцем. Поэтому Магда сейчас изображает из себя хорошую девочку в провинции. Надеюсь, наши пути больше никогда не пересекутся. Мне противно вспоминать о ней и отчего-то, первый раз в жизни, жаль денег, потраченных ей на подарок. Кстати, ролики Магда забрала вместе с вещами, которые дала ей в свое время жалостливая Лизавета.

Родион получил пожизненное заключение и был отправлен в спецколонию. Руслан... Целителя тоже арестовали, но осудить не успели. Однажды утром его нашли на шконках мертвым. Эксперт только удивился:

— Совсем здоров, ума не приложу, отчего сердце остановилось!

Но я знаю, в чем дело. Очевидно, Руслан понял, что не имеет права считать себя «просветленным», и решил добровольно уйти из жизни. Мне жаль его, в сущности, Русик тоже жертва Родиона. На скамье подсудимых оказалась и Полина. Брат не пожалел сестру и в подробностях рассказал, как она планировала сначала убийство первой жены Валерия Грачева, а потом и его самого. Теперь Лада пытается получить имущество отца, девушка полна решимости стоять до конца, слишком большой куш на кону.

Влада мы пристроили шофером, правда, не в милицию. Катюша пошелестела записной книжкой и нашла парню приличное место с хорошим окладом.

Теперь у нас нет проблем с ремонтом наших машин, в случае поломки мигом прилетает Влад и ловко ее устраняет. Еще он, как оказалось, отлично делает шашлыки и умеет стеклить окна, что, при наличии в нашем доме Кирюши, очень нужный навык.

Володя в самом деле ушел из МВД. В тот памятный день, когда он рассказал мне развязку истории, мы просидели в кафе достаточно долго, часа четыре, не меньше. Потом выбрались на улицу, порадовались хорошей погоде и, впав в детство, решили пойти в кино.

— Может, все-таки заберешь заявление назад? — осторожно спросила я, когда мы подкатили к кинотеатру.

— Нет, — решительно покачал головой Костин.

— Но почему? — продолжала настаивать я. — Ната никого не убивала, ее отпустили, какие у начальства к тебе претензии?

— В сущности, никаких, — буркнул Вовка, — упрашивали остаться.

— Вот видишь! — обрадовалась я.

Костин рассердился.

— Да мою историю обсуждали во всех кабинетах! Шептались, хихикали...

— Не придумывай, — я попыталась привести приятеля в чувство, — очень надо оперативникам и следователям обсуждать коллегу, что им, делать больше нечего? Это тебе просто показалось, мужчины...

— У нас семьдесят процентов баб служит, — прервал меня Вовка, — языки, как кофемолки, вертятся. Думаешь, приятно выглядеть идиотом, которого обвела вокруг пальца девица? Нет уж, дело сделано, назад пути нет, уходя — уходи, закрывай за собой крепче двери.

— И куда пойдешь?

— Хрен меня знает, — пожал плечами Костин, — пристроюсь. В конце концов могу охранником стоять в банке или ресторане, говорят, зарплата неплохая, чаевые дают...

При слове «чаевые» перед моими глазами мигом

возникли коридоры «Страны здоровья», и я сморщилась.

— Это ужасно! Получать чаевые очень неприятно.

— Ерунда, — отмахнулся Вовка, — привыкну. Буду подбегать к двери, распахивать ее, кланяться, протягивать потную ладошку и благодарить.

— Ты меня дразнишь!!!

— Не-а, всерьез говорю, — сказал Вовка и вытащил сигареты.

— Простите, — послышался тихий голос, — можно у вас прикурить?

Мы с Костиным одновременно повернули головы. Приятная женщина с мягкой улыбкой на лице пробормотала:

— Извините, зажигалка сломалась.

— Да, конечно, — отозвался Вовка и чиркнул дешевеньким огнивом, — пожалуйста.

— Спасибо, — сказала женщина и вдруг воскликнула: — Ой, здравствуйте! Очень рада встрече, вы мне тогда сразу понравились!

— Мы знакомы? — удивилась я.

— Конечно! — с жаром ответила она. — Не помните меня? Марина Егоровна Аргунова.

— Да-да, — я попыталась изобразить узнавание, — как же! Марина Егоровна! Сколько лет, сколько зим! Очень приятно!

Аргунова опять улыбнулась.

— Вы меня не вспомнили. Мы встречались в милиции, в кабинете страшно противного следователя с идиотской фамилией Коп, того, который решительно не хочет искать убийц моего мужа Анатолия. Я еще подумала тогда, глядя на вас: «Эх, были бы все сотрудники милиции такими, как эта женщина...»

Перед моими глазами моментально всплыла картина. Вот прихожу к Андрюшке, чтобы ехать вместе с ним в мебельный магазин за свадебным подарком для Костина. Коп на секунду выходит, я остаюсь в кабинете одна, и тут на пороге появляется вот эта самая тетка и выкрикивает:

— Как я рада, что вы женщина!

Через пару минут возвращается Андрюшка, вызывает мужа посетительницы... Кажется, у этой Марины Егоровны внезапно умер первый супруг, и у нее слегка помутился разум.

На всякий случай я отступила на шаг назад. Марина Егоровна кивнула.

— А вот теперь вы поняли, кто я, и даже припомнили мерзкие рассказы о моем безумии. Я совершенно нормальна, просто этому Копу выгодно считать меня идиоткой, чтобы не начинать дело. Он все списал на банальный сердечный приступ, а я твердо знаю — Толечку убили, и готова отдать любые деньги, чтобы найти виновных.

Я схватила ее за руку.

— Вы и впрямь полны желания узнать истину?

— Вы мне поможете? — с надеждой в глазах воскликнула Марина Егоровна.

— Да, вот визитка, приходите завтра в агентство, наш лучший сотрудник — вот он, знакомьтесь, Владимир Костин, займется вами.

Володька вытаращил глаза и со всей силой наступил мне на ногу. Но я неслась дальше, старательно не замечая ужимок приятеля.

— Костин суперпрофессионал, на его счету десятки, нет, сотни распутанных дел, да ему поручают все самое сложное, загадочное, невероятное...

— Обязательно приду, — чуть ли не в голос закричала Аргунова и вцепилась в майора.

— Вы ведь поможете? Найдете мерзавцев?

— Да-да, — закивал Вовка, незаметно показывая мне кулак, — всенепременно.

Марина Егоровна всхлипнула и побежала к метро.

— Ты с крыши упала? — налетел на меня Володька. — За каким чертом...

— Успокойся, я нашла тебе приличную работу в нашем агентстве, оклад, правда, невелик, вернее, его пока не будет совсем, но через пару месяцев мы раскрутимся...

— Обалдела, да?

— Почему?

— Чтобы я стал частным детективом?!

— А что в этом плохого?

— Работать под началом у тебя и Федьки?!

— Ну...

— В месте под названием «Шерлок»?!

— Не понимаю, что тебе не нравится.

— Все!!! Никогда!!! Лучше ботинки стану у метро чистить! Офигела совсем! Я — подчиненный двух мадам, безумных, безголовых, без...

Я тяжело вздохнула. Господи, как тяжело с мужчинами! В кризисной ситуации, вместо того чтобы собраться, они чаще всего ведут себя как глупые дети. Ну какая разница, как называется агентство и кто им руководит, а? Но если сейчас не уговорить Вовку, он еще, не дай бог, и впрямь наймется в ресторан или сядет возле входа в подземку с деревянным ящиком, в котором лежат щетки и гуталин. Конечно, с одной стороны, с представителями сильного пола трудно иметь дело, с другой — из них можно вить веревки, надо только умело взяться за этот процесс. Итак, начнем.

Я шумно вздохнула и со всей возможной искренностью заявила:

— Конечно, ты прав, нам с Федорой категорически не хватает мужского руководства, разве две женщины способны сами вести дела!

— Иногда и от тебя можно услышать разумные речи, — кивнул Вовка.

— Мы давно мечтали о том, что ты возглавишь агентство. Многократно говорили друг другу: «Если бы Вовка захотел! Уж он-то сумел бы поставить бизнес как надо. С его опытом, талантом, исключительными способностями...»

— Ну, в общем...

— Даже новое имя агентству придумали —«Влаколаф».

— Что оно обозначает?

— Владимир Костин плюс Лампа, плюс Федора. Естественно, на первом месте стоят инициалы начальника, главного человека, руководителя, генератора идей, мозга предприятия...

Вовка крякнул и закурил новую сигарету.

— Только мы с Федькой знаем, что ты не пойдешь к нам, — фальшиво загрустила я.

— Почему?

— Ты очень умный, поэтому понимаешь, что вытащить «Влаколаф» из болота не под силу никому.

— Да?

— Даже тебе, лучше и не пробуй.

— Отчего?

— Не получится.

— У меня?!

— Ага, даже у тебя, самого умного, гениального сыщика, лучшего не только в России, но и за рубежом.

Я перевела дух, вот сейчас должна последовать нужная реакция. Если вы думаете, что Вовка, услыхав последнюю фразу, начнет смеяться, то ошибаетесь. Любую похвалу, самую откровенную лесть в свой адрес каждый мужчина воспринимает абсолютно всерьез. Более того, он уверен, что его просто правильно оценили. Умные женщины знают об этой особенности мужиков и пользуются ею, причем срабатывает это во всех случаях, без исключения. Кстати, на таком же принципе основана дрессировка собачек в цирке. Начнете бить болонку — ничего не сделает. Дадите конфетку — станет бегать за вами на задних лапах. А еще, если хотите, чтобы ваш муж, к примеру, собрал из разрозненных досок новую мебель, надо сначала минут пять рассказывать ему о том, какой он замечательный, а потом с самым грустным видом заявить: «Но, к сожалению, соединить эти деревяшки в шкаф не получится даже у такого мастера, как ты, слишком уж трудная задача».

Абсолютно уверена, что, услыхав последнее заявление, он схватится за инструменты.

— У меня не получится? — взревел Вовка. — У меня?! Да стоит только мне захотеть, я сделаю агентство более популярным, чем «Пинкертон».

— Да ну?

— Вот и ну! Как мы его назовем? «Влаколаф»? Неплохо звучит, но, на мой взгляд, «Влакос» лучше, короче и быстрее запоминается, — оживился Костин, — сразу будет понятно, кто главный. Так, поехали.

— Куда?

— В офис, конечно, он где? Надо посмотреть на помещение, разобраться, что к чему. Ну, живее, двигайся.

Широкими шагами Вовка понесся к своей раздолбанной «шестерке», припаркованной возле супермаркета. Я засеменила за ним. Сработало, да и как могло получиться иначе...

— Давай садись, — торопил меня он, — ты очень медлительная, еле шевелишься.

Глаза Костина горели огнем, он был похож на малыша, получившего в подарок замечательный, прямо как настоящий, подъемный кран.

Я села в «Жигули». Что ж, все правильно. В конце концов, чем взрослый мужчина отличается от маленького мальчика? Только ценой игрушки.

Д 67

Донцова Д. А.
Камасутра для Микки-Мауса: Роман. — М.: Изд-во Эксмо, 2004. — 352 с. (Иронический детектив).

ISBN 5-699-04483-3

Меня нисколько не греет мысль, что не только я, Евлампия Романова, обладаю способностью вляпываться в скверные истории. Это же относится к нашему другу майору Костину. Случилось страшное — наш Володя женился! И теперь его ждет пожизненное заключение в четырех стенах с мало привлекательной женой Натой, которая еще и ухитрилась изменить ему в день свадьбы. Свидетельницей этого, конечно, оказалась я. Но черт меня дернул проследить за Натой, когда она назначила свидание любовнику. А там я стала ни много ни мало свидетельницей убийства. Хрупкая Ната застрелила любовника на глазах у толпы. Костин собрался уйти с работы — у мента не может быть жены-убийцы. Я должна помешать этому, тем более что припомнила одну деталь, которая говорит о том, что убийца не Ната. Я расшибусь в лепешку, но узнаю истину!..

УДК 882
ББК 84(2Рос-Рус)6-4

Оформление серии художника *В. Щербакова*

Литературно-художественное издание
Донцова Дарья Аркадьевна
КАМАСУТРА ДЛЯ МИККИ-МАУСА

Ответственный редактор *О. Рубис*
Редактор *Т. Семенова*
Художественный редактор *В. Щербаков*
Художник *Е. Рудько*
Технический редактор *О. Куликова*
Компьютерная верстка *А. Захарова*
Корректор *О. Ямщикова*

ООО «Издательство «Эксмо».
127299, Москва, ул. Клары Цеткин, д. 18, корп. 5.
Тел.: 411-68-86, 956-39-21.
Интернет/Home page — www.eksmo.ru
Электронная почта (E-mail) — info@eksmo.ru

Подписано в печать с готовых монтажей 19.03.2004.
Формат 70×90 1/32. Гарнитура «Таймс». Печать офсетная.
Бум. тип. Усл. печ. л. 12,87. Уч.-изд. л. 16,4.
Доп. тираж 40 000 экз. Заказ № 5559.

Отпечатано с готовых диапозитивов
в полиграфической фирме «КРАСНЫЙ ПРОЛЕТАРИЙ»
127473, Москва, Краснопролетарская, 16

Дарья Калинина

в новой серии "Дамские приколы"

Любовник для Курочки Рябы

Если за детектив берется Дарья Калинина,
впереди вас ждет встреча с веселыми и обаятельными героинями,
умопомрачительные погони за преступниками
и масса дамских приколов!

Также в серии:
Д. Калинина «Сглаз порче не помеха»
«Шустрое ребро Адама»